APARTAMENTO

partilha-se

beth o'leary

os livros em primeiro lugar

APARTAMENTO PARTILHA-SE
Título original: *The Flatshare*
Texto © 2019, Beth O'Leary
Publicado por Quercus Editions, uma chancela de Hachette, Londres.
Todos os direitos reservados.

© desta edição:
2019, PRH Grupo Editorial Portugal, Lda.

Topseller é uma chancela de
Penguin Random House Grupo Editorial Portugal.
Av. da Liberdade, 245, 7.° A, 1250-143 Lisboa
correio@penguinrandomhouse.com

Penguin Random House Grupo Editorial Portugal apoia a proteção do *copyright*.
Sem a prévia autorização por escrito do editor, esta obra não pode ser reproduzida, no todo ou em parte, por meio de gravação ou por qualquer processo mecânico, fotográfico ou eletrónico, nem ser introduzida numa base de dados, difundida ou de qualquer forma copiada para uso público ou privado, além do uso legal como breve citação em artigos e críticas.

Tradução: Raquel Dutra Lopes
Revisão: Catarina Magalhães
Paginação: Raquel Silva
Capa: Wonder Studio
Fotografia da capa: ArtOfPhotos/Shutterstock
Fotografia da autora: Ellen O'Leary

1.ª edição: maio 2019
6.ª edição: outubro 2022
Depósito legal: 454481/19
ISBN: 978-989-564-002-7

Impressão e acabamento: Agir

Para o Sam

Fevereiro

1

Tiffy

Se o desespero tem alguma vantagem, é deixar-nos com uma mente muito mais aberta.

Vejo realmente algumas coisas positivas neste apartamento. O bolor multicolorido na parede da cozinha sairá se o esfregar bem, pelo menos a curto prazo. O colchão imundo pode ser substituído sem grandes custos. E não há dúvida de que se pode dizer que os cogumelos que crescem atrás da sanita dão um ar fresco e campestre ao espaço.

A Gerty e o Mo, contudo, não estão desesperados, nem a tentar ser positivos. Descreveria as suas expressões como «horrorizadas».

— Não podes viver aqui.

Quem o diz é a Gerty, que está de pé com as suas botas de salto juntas e os cotovelos bem comprimidos contra o corpo, como se ocupar o mínimo espaço possível fosse o seu protesto só pelo facto de estar aqui. Tem o cabelo apanhado num coque baixo com ganchos, para poder facilmente segurar a peruca de advogado que usa em tribunal. A sua expressão seria cómica, se não estivéssemos a discutir a minha própria vida.

— Tem de existir outro sítio para o qual tenhas orçamento, Tiff — diz o Mo, preocupado, aparecendo depois de ter estado a examinar o armário da caldeira. Parece ainda mais desleixado do que é habitual, devido a uma teia de aranha que traz agora pendurada na barba. — Este ainda é pior do que o que vimos ontem à noite.

Olho em redor, em busca do agente imobiliário; por sorte, está suficientemente longe para não nos ouvir, enquanto está a fumar na «varanda» (o telhado descaído da garagem do vizinho, que definitivamente não foi feito para ser pisado).

— Não quero fazer mais uma ronda por estes buracos do inferno — diz a Gerty, lançando um olhar ao relógio. São 8 horas da manhã: ela precisa de estar no Southwark Crown Court às 9. — Tem de haver outra opção.

— *Com certeza* que conseguíamos instalá-la no nosso apartamento, não? — sugere o Mo pela quinta vez desde sábado.

— A sério, Mo, podes parar com isso? — dispara a Gerty. — Isso não é uma solução a longo prazo. E ela teria de dormir em pé para caber onde quer que fosse. — Lança-me um olhar exasperado. — Porque é que não és mais baixa? Conseguíamos pôr-te debaixo da mesa de jantar se medisses menos de um metro e setenta e cinco.

Faço uma expressão apologética, mas preferiria mesmo ficar aqui do que no chão do minúsculo e caríssimo apartamento em que o Mo e a Gerty investiram juntos no mês passado. Eles nunca tinham morado juntos, nem quando andávamos na universidade. Tenho medo de que isto possa muito bem pôr fim à amizade deles. O Mo é desarrumado e distraído, e tem a capacidade desconcertante de ocupar imenso espaço, apesar de ser relativamente pequeno. A Gerty, por outro lado, passou os últimos três anos a viver num apartamento assombrosamente limpo, tão perfeito que parecia ter sido desenhado por um computador. Não sei bem como os dois estilos de vida se sobreporão sem que a zona oeste de Londres impluda.

O problema principal, porém, é que se é para ficar na casa de outra pessoa, posso simplesmente voltar para o apartamento do Justin. E, desde as onze da noite de quinta-feira, tomei a decisão oficial de que não posso continuar a recorrer a essa opção. Preciso de avançar e preciso de me comprometer com outro sítio, de modo a não poder voltar atrás.

O Mo coça a testa, afundando-se no sofá de pele encardida.

— Tiff, eu podia emprestar-te algum...

— Não quero que me emprestes dinheiro nenhum — digo, num tom mais duro do que pretendia. — Olhem, eu preciso *mesmo* de resolver isto esta semana. É este ou o tal apartamento partilhado.

— A *cama partilhada*, queres tu dizer — resmoneia a Gerty. — Posso perguntar porque tens de decidir *agora*? Não que não esteja encantada. É só que, da última vez que falámos, estavas decidida a ficar naquele apartamento, à espera de que aquele-cujo-nome-não-mencionaremos se dignasse a aparecer por lá.

Estremeço, surpreendida. Não pelo sentimento — o Mo e a Gerty nunca gostaram do Justin, e eu sei que detestam que ainda viva no apartamento dele, embora ele raramente esteja lá. É só incomum que a Gerty o traga à baila. Depois de o último jantar para fazermos as pazes ter terminado numa discussão furiosa, eu desisti de tentar que todos se dessem bem, deixando simplesmente de falar sobre ele com a Gerty e o Mo. É difícil livrarmo-nos de velhos hábitos — mesmo depois de a relação terminar, todos temos evitado referi-lo diretamente.

— E porque é que tem de ser *tão* barato? — continua a Gerty, ignorando o olhar de aviso do Mo. — Eu sei que te pagam uma miséria, mas, realmente, Tiffy, 400 libras por mês é uma renda impossível em Londres. Já pensaste bem nisto tudo? Como deve ser?

Engulo em seco. Sinto o Mo a observar-me com cautela. É o problema de se ter um psicoterapeuta como amigo: o Mo é basicamente um médium certificado e parece nunca desligar os seus superpoderes.

— Tiff? — insta-me ele delicadamente.

Oh, caramba, vou mesmo ter de lhes mostrar e pronto. Já não há volta a dar. Depressa e de uma vez só, é a melhor maneira — como arrancar um penso, ou entrar em água fria, ou dizer à minha mãe que parti alguma decoração da cómoda da sala.

Pego no meu telemóvel e abro a mensagem do *Facebook*.

Tiffy,

Estou mesmo desiludido com a forma como te comportaste ontem à noite. Foste completamente irrazoável. O apartamento é meu, Tiffy — posso aparecer quando quiser, com quem quiser.

Esperava que te mostrasses mais agradecida por te ter deixado ficar lá em casa. Eu sei que termos acabado tem sido difícil para ti —

sei que não estás preparada para ir embora. Mas se achas que isso significa que podes começar a tentar «estabelecer algumas regras», então está na hora de me pagares os últimos três meses de renda. E também vais ter de pagar o valor total da renda daqui em diante. A Patricia diz que estás a aproveitar-te de mim, a viver na minha casa basicamente de graça, e apesar de eu sempre te ter defendido, depois da cena de ontem não posso deixar de pensar que ela é capaz de ter razão.

Bjs,

Justin

O meu estômago revolve-se quando volto a ler aquela linha, *estás a aproveitar-te de mim,* porque nunca foi essa a minha intenção. Só não sabia que, desta vez, estava mesmo decidido quando me deixou.

O Mo acaba de ler primeiro.

— Ele «apareceu» de novo na quinta-feira? Com a Patricia?

Desvio o olhar.

— Ele até tem a sua razão. Tem sido muito bom em deixar-me ficar lá este tempo todo.

— Tem piada — diz a Gerty num tom sombrio. — Eu sempre tive a distinta sensação de que ele gostava de te manter lá.

A forma como o diz faz com que pareça estranho, mas eu sinto mais ou menos o mesmo. Enquanto estou no apartamento do Justin, é como se não tivéssemos realmente acabado. Quero dizer, em todas as outras vezes, ele acabou por voltar. Mas depois... na quinta-feira conheci a Patricia. A mulher de carne e osso, extremamente atraente e bastante encantadora por quem o Justin me deixou. Nunca tinha havido outra mulher antes.

O Mo estende a mão para a minha; a Gerty segura-me a outra. Assim ficamos, a ignorar o agente imobiliário que fuma do lado de fora da janela, e eu deixo-me chorar por um instante, apenas uma lágrima grande a descer-me pela face.

— Portanto, seja como for — digo numa voz animada, soltando as mãos para limpar os olhos. — Preciso de me mudar. Já. Mesmo que quisesse ficar e arriscar-me a que ele voltasse a levar lá a Patricia, não posso pagar a renda, e já lhe devo uma batelada, e não quero mesmo pedir dinheiro emprestado a ninguém, estou um bocado farta de não conseguir pagar as coisas por mim mesma, para ser sincera, por isso... sim. É isto ou o apartamento partilhado.

O Mo e a Gerty entreolham-se. A Gerty fecha os olhos, numa expressão de resignação penosa.

— Bem, é evidente que não podes viver aqui. — Abre os olhos e estende uma mão. — Mostra-me lá o anúncio outra vez.

Passo-lhe o telemóvel, passando da mensagem do Justin para o anúncio dos classificados.

Soalheiro apartamento de duas assoalhadas com uma cama em Stockwell, renda 350 libras/mês incluindo despesas. Disponível de imediato, por 6 meses no mínimo.

Apartamento (e quarto/cama) é para partilhar com profissional de cuidados paliativos de 27 anos que trabalha à noite e está fora ao fim de semana. Só se encontra no apartamento das 9 da manhã às 18 horas da tarde, de segunda a sexta-feira. Durante o resto do tempo, a casa é sua! Perfeito para alguém com um emprego das 9 às 17 horas.

Para visitar, contacte L. Twomey — mais informações abaixo.

— Não é só partilhar um apartamento, Tiff. É partilhar uma cama. Partilhar uma cama é *esquisito* — diz o Mo, preocupado.

— E se este L. Twomey for um homem? — pergunta a Gerty.

Estou preparada para essa pergunta.

— Não faz diferença — digo calmamente. — Não é como se alguma vez fôssemos estar na cama ao mesmo tempo... nem sequer no apartamento.

Isto é desconfortavelmente semelhante ao que disse para justificar ficar em casa do Justin no mês passado, mas vamos esquecer isso.

— Irias para a cama com ele, Tiffany! — diz a Gerty. — Toda a gente sabe que a primeira regra quando se partilha uma casa é não ir para a cama com o companheiro de casa.

— Não me parece que seja a este tipo de acordo que as pessoas se refiram — digo-lhe num tom cáustico. — Sabes, Gerty, às vezes quando as pessoas dizem «ir para a cama», o que querem dizer é...

Ela lança-me um olhar demorado e impassível.

— Sim, obrigada, Tiffany.

Os risinhos do Mo param abruptamente quando a Gerty dirige o mesmo olhar para ele.

— Eu diria que a primeira regra quando se partilha uma casa é assegurares-te de que te dás bem com a pessoa antes de te mudares — diz ele com astúcia, fazendo o Gerty redirecionar o olhar na minha direção. — *Sobretudo* nestas circunstâncias.

— É óbvio que vou conhecer este ou esta L. Twomey primeiro. Se não nos dermos bem, não aceito.

Passado um pouco, o Mo acena com a cabeça e aperta-me o ombro. Todos nos remetemos ao tipo de silêncio que costuma instalar-se depois de se falar de algo difícil — em parte gratos por ter acabado, em parte aliviados por termos conseguido fazer isso de todo.

— Está bem — diz a Gerty. — Está bem. Faz o que tens de fazer. Só pode ser melhor do que viver nesta imundície. — Marcha para fora do apartamento, virando-se no último instante para se dirigir ao agente imobiliário, que vem da varanda. — E você — diz-lhe em alto e bom som —, é uma praga para a sociedade.

Ele pestaneja enquanto ela bate com a porta. Ficamos num longo e incómodo silêncio. Ele apaga o cigarro.

— Está interessada, então? — pergunta-me.

Chego cedo ao trabalho e afundo-me na cadeira. Neste momento, a minha secretária é a coisa mais parecida com uma casa. É um refúgio de objetos semi-artesanais, coisas que se revelaram demasiado pesadas para que as levasse no autocarro, e plantas envasadas dispostas de tal maneira que vejo as pessoas a aproximarem-se antes de elas saberem se estou ou não à secretária. O meu muro de plantas é altamente considerado pelo pessoal mais recente como um exemplo inspirador de *design* de interiores. (Na verdade, trata-se apenas de escolher plantas da cor do nosso cabelo — no meu caso, vermelho — e de nos baixarmos/fugirmos quando damos por alguém a aproximar-se com passos decididos.)

A minha primeira tarefa do dia é receber a Katherin, uma das minhas autoras preferidas. A Katherin escreve livros sobre tricô e croché. É uma audiência-nicho que os compra, mas essa é a vida da editora Butterfingers Press — adoramos audiências-nicho. Especializamo-nos em livros de trabalhos manuais e faça-você-mesmo. Lençóis tingidos, faça os seus próprios vestidos, como fazer um abajur de croché, crie toda a sua mobília a partir de escadas... Esse tipo de coisas.

Eu adoro trabalhar aqui. Essa é a única explicação possível para o facto de ser assistente editorial há três anos e meio, ganhando menos do que o salário de subsistência que Londres requer, e não ter feito qualquer tentativa de retificar a situação tomando a iniciativa de, por exemplo, enviar uma candidatura para uma editora que tenha algum lucro. A Gerty gosta de dizer que me falta ambição, mas não é mesmo isso. É só que adoro isto. Em criança, passava os dias a ler, ou a alterar os meus brinquedos até ficarem como os queria: a tingir o cabelo da Barbie, a quitar o meu camião da *JCB*. E agora ganho a vida a ler e a fazer trabalhos manuais.

Bem, não ganho propriamente a vida. Mas ganho algum dinheiro. O suficiente para pagar impostos.

— Ouça o que lhe digo, Tiffy, o croché vai ser o novo «livros para colorir» — diz-me a Katherin assim que se instala na nossa melhor sala de reuniões, onde me apresentou o plano do próximo livro. Examino o dedo que está a agitar na minha direção. Tem cerca de 50 anéis em cada mão, mas ainda não percebi se alguns serão alianças ou anéis de noivado (imagino que, se tiver algum desses, terá mais do que um).

A Katherin encontra-se mesmo no limiar aceitável da excentricidade: tem uma trança loura como palha, um desses bronzeados que consegue a proeza de envelhecer bem, e histórias intermináveis sobre invadir sítios na década de 60 e fazer chichi em coisas. Em tempos foi uma verdadeira rebelde. Ainda hoje se recusa a usar soutien, apesar de estes se terem tornado bastante confortáveis e de a maioria das mulheres ter desistido de resistir ao poder, porque a Beyoncé o faz por todas nós.

— Isso seria bom — comento. — Se calhar podemos acrescentar uma cinta no livro a dizer «atenção plena». É uma atividade que requer atenção plena, não é? Ou só serve para distrair?

A Katherin ri-se, atirando a cabeça para trás.

— Ah, Tiffy. Que emprego ridículo o seu. — Dá-me uma palmadinha afetuosa na mão e pega na sua mala. — Se vir o Martin — diz ela —, diga-lhe que só vou dar aquela aula no cruzeiro se tiver uma assistente jovem e glamorosa.

Resmungo. Sei onde é que isto vai parar. A Katherin gosta de me arrastar para estas coisas — para qualquer aula que precise de um modelo de carne e osso para mostrar como tirar medidas enquanto se vai criando uma peça de roupa, aparentemente, e eu uma vez cometi o erro fatal de me oferecer para o trabalho quando ela não conseguia encontrar ninguém. Agora sou sempre a sua escolha. E o departamento de relações públicas anda tão desesperado por levar a Katherin a esse tipo de eventos que começou a implorar-me que vá também.

— Isso é demasiado, Katherin. Não vou fazer um cruzeiro consigo.

— Mas é de graça! As pessoas pagam milhares por ir num destes, Tiffy!

— A Katherin só vai até à Ilha de Wight — recordo-a. O Martin já me informara acerca desta ideia. — E é num fim de semana. Não trabalho aos fins de semana.

— Não é trabalho — insiste a Katherin, reunindo os apontamentos e enfiando-os na pasta que traz na mala numa ordem completamente aleatória. — É uma bela viagem de barco num sábado, com uma das suas amigas. — Faz uma pausa. — Eu! — esclarece. — Somos amigas, não somos?

— Eu sou a sua editora! — replico, encaminhando-a para fora da sala de reuniões.

— Pense nisso, Tiffy! — diz-me olhando para trás, sem se deixar perturbar. Vê o Martin, que estava junto às fotocopiadoras, mas já vem ao seu encontro. — Não vou fazer isto a menos que ela venha, Martin, meu querido! É com ela que tem de falar!

E depois desaparece, deixando as portas de vidro sujo do nosso escritório a abanarem atrás dela. O Martin vira-se para mim.

— Gosto muito dos teus sapatos — diz com um sorriso encantador.

Estremeço. Não suporto o Martin do departamento de relações públicas. Está sempre a dizer coisas como «vamos pôr isso em ação», e estala os dedos à Ruby, que é do marketing, mas que ele parece pensar que é sua assistente. O Martin só tem 23 anos, mas decidiu que melhorará as suas hipóteses na conquista incessante por senioridade na empresa se conseguir parecer mais velho do que é, pelo que faz sempre uma terrível voz folgazona e tenta conversar sobre golfe com o nosso diretor.

Os sapatos *são* excelentes, lá isso é verdade. São umas botas roxas do género *Doc Martens* com lírios brancos pintados, e que me levaram grande parte de sábado. Os meus trabalhos manuais e personalizações melhoraram realmente desde que o Justin me deixou.

— Obrigada, Martin — respondo, já a tentar voltar à segurança da minha secretária.

— A Leela mencionou que andas à procura de casa — diz ele.

Hesito, sem saber onde isto irá parar. Pressinto que não será a nenhum sítio bom.

— Eu e a Hana temos um quarto a mais. — A Hana é uma mulher do departamento de marketing que desdenha sempre do meu sentido de estilo. — Se calhar já viste no *Facebook,* mas achei que era capaz de ser boa ideia mencioná-lo, sabes, pessoalmente. Tem uma cama de solteiro, mas, bom, suponho que isso agora não seja problema para ti. Como somos amigos, eu e a Hana decidimos que podíamos oferecer-to por 500 por mês, mais despesas.

— Que amáveis! — afirmo. — Mas por acaso *acabei* de encontrar outro sítio.

Bem, mais ou menos. Quase. Oh, meu Deus, se L. Twomey não me quiser, terei de viver com o Martin e a Hana? Quero dizer, já passo todos os dias a trabalhar com eles e, francamente, isso é tempo que chegue de Martin e Hana para mim. Não sei se a minha (já de si trémula) determinação de deixar o apartamento do Justin aguenta a ideia do Martin a chatear-me com pagamentos de renda e da Hana a ver-me todas as manhãs no meu pijama da série *Hora de Aventuras* manchado de papas de aveia.

— Oh. Pronto, muito bem, então. Suponho que teremos de encontrar outra pessoa. — A sua expressão torna-se astuciosa. Cheirou-lhe a culpa. — Podias compensar-me indo com a Katherin àquele...

— Não.

Ele solta um suspiro exagerado.

— Valha-me Deus, Tiffy. É um cruzeiro de graça! Não passas a vida em cruzeiros?

Costumava passar a vida em cruzeiros, quando o meu maravilhoso namorado, que já não o é, me levava. Velejávamos de ilha caribenha em ilha caribenha envolvidos numa aura soalheira de felicidade romântica. Explorávamos cidades europeias e depois voltávamos ao barco para termos sexo incrível no nosso camarote minúsculo. Enchíamo-nos no bufete à descrição e depois esparramávamo-nos no convés a ver as gaivotas voarem em círculos por cima de nós enquanto falávamos ociosamente dos filhos que haveríamos de ter.

— Fartei-me — digo, pegando no telemóvel. — Agora, se me dás licença, tenho de fazer um telefonema.

2

Leon

Telefone toca quando a Dra. Patel está a receitar medicamentos para a Holly (uma menina com leucemia). Má altura. Muito má altura. A Dra. Patel não está feliz com a interrupção e deixa bem claro o que sente. Parece ter-se esquecido que também eu, sendo um enfermeiro do turno noturno, deveria ter ido para casa às 8 horas da manhã, mas ainda aqui estou, a lidar com pessoas doentes e médicos rezingões como a Dra. Patel.

Desligo quando toca, obviamente. Tomo nota mental para ouvir o gravador de mensagens e para mudar o toque para qualquer coisa menos embaraçosa (este chama-se *Jive* e é demasiado animado para um ambiente hospitalar. Não que a animação não tenha lugar num espaço de doença, é só que nem *sempre* é apropriada).

Holly: Porque é que não atendeste? Isso não é falta de educação? E se era a tua namorada de cabelo curto?

Dra. Patel: O que é falta de educação é deixar o telemóvel com som durante uma ronda pela ala. Se bem que me surpreende que quem quer que seja tenha sequer tentado ligar-lhe a esta hora.

Lança-me um olhar meio irritável e meio divertido.

Dra. Patel: És capaz de ter reparado que o Leon não é muito falador, Holly.

Inclina-se, com um ar conspirador.

Dra. Patel: Um dos administrativos tem uma teoria. Ele diz que o Leon tem um número limitado de palavras para usar por turno e que, quando chega a esta hora, já as esgotou por completo.

Não me digno a responder a isto.

Por falar na namorada de cabelo curto: ainda não contei à Kay sobre a cena do quarto. Não tive tempo. E também estou a evitar um conflito inevitável. Mas sei que tenho mesmo de lhe ligar mais tarde esta manhã.

Esta noite foi boa. A dor do Sr. Prior diminuiu o suficiente para ele conseguir começar a contar-me acerca do homem por quem se apaixonou nas trincheiras: um sedutor de cabelo escuro chamado Johnny White, com o queixo cinzelado de uma estrela de Hollywood e um brilho no olhar. Tiveram um verão intenso e romântico marcado pela guerra, e depois foram separados. O Johnny White foi levado para o hospital devido a um trauma de guerra. Nunca mais voltaram a ver-se. O Sr. Prior podia ter-se metido em grandes apuros (a homossexualidade era uma vergonha para os militares).

Eu estava cansado, com a energia do café a passar, mas fiquei com o Sr. Prior depois da mudança de turno. O homem nunca tem visitas e adora falar. Não consegui escapar à conversa sem um cachecol (o décimo quarto que o Sr. Prior me oferece). Só posso recusar um determinado número de vezes, e ele tricota tão depressa, que me pergunto porque se terão dado ao trabalho de fazer a Revolução Industrial. Tenho praticamente a certeza de que ele é mais rápido do que uma máquina.

Ouço a mensagem de voz depois de comer um salteado de frango perigosamente aquecido, enquanto via um episódio de *Masterchef* da semana anterior.

Mensagem de voz: Olá, estou a falar com L. Twomey? Oh, merda, não pode atender... faço sempre isto nas mensagens de voz. Bom, vou simplesmente continuar, partindo do princípio de que será L. Twomey. Chamo-me Tiffy Moore e estou a telefonar por causa do anúncio do quarto. Ouça, os meus amigos acham que é esquisito que partilhemos a cama, mesmo que seja em horários diferentes, mas isso não me incomoda, se a si também não o incomodar, e, para ser sincera, faria praticamente qualquer coisa por um apartamento no centro de Londres para onde pudesse mudar-me já por esse preço. [Pausa] Oh, céus, qualquer coisa não. Há *montes* de coisas que eu não faria. Não sou desse... Não, Martin, *agora* não, não vês que estou ao telefone?

Quem será o Martin? Será uma criança? Será que esta tagarela com sotaque de Essex quer trazer uma criança para o meu apartamento?

A mensagem de voz continua: Desculpe, é o meu colega que quer que eu vá num cruzeiro com uma senhora de meia-idade para falar de croché a reformados.

Não era a explicação que eu esperava. Melhor, sem dúvida, mas pede muitas perguntas.

A gravação continua: Olhe, pode só ligar-me ou mandar-me uma mensagem se o quarto ainda estiver disponível? Sou muitíssimo arrumada, não vou incomodá-lo, e ainda estou habituada a cozinhar jantar para dois, por isso, se gostar de comida caseira, posso deixar-lhe o que sobrar do jantar.

Diz o seu número. Mesmo a tempo, lembro-me de tomar nota.

É irritante, definitivamente. E é uma mulher, o que pode aborrecer a Kay. Mas só telefonaram outras duas pessoas: uma perguntou-me se eu tinha alguma coisa contra ouriços como animais de estimação (resposta: não, a menos que vivam no meu apartamento), e a outra era definitivamente traficante de drogas (não estou a ser preconceituoso — ofereceu-me drogas durante o telefonema). Preciso de mais 350 libras por mês se vou continuar a pagar ao Sal sem a ajuda da Kay. Este é o único plano que tenho ao meu dispor. Além disso, nunca hei de ver a mulher irritante. Só estarei em casa quando ela não estiver.

Mando-lhe uma mensagem:

Olá, Tiffy. Obrigado por teres telefonado. Seria ótimo se pudéssemos encontrar-nos e falar das condições do apartamento. Que tal sábado de manhã? Até breve, Leon Twomey

Uma mensagem de uma pessoa normal e simpática. Resisto a todos os impulsos de fazer perguntas acerca dos planos de cruzeiro do Martin, embora me sinta curioso.

Ela responde quase de imediato:

Olá! Parece-me ótimo. Às 10 horas no apartamento, então? Bj

Às 9 horas, senão adormeço! Vêmo-nos lá. A morada está no anúncio. Até breve, Leon

Pronto. Feito. Fácil: 350 libras já quase no bolso.

Agora contar à Kay.

3

Tiffy

Então, como é natural, fico curiosa e vou procurá-lo no *Google*. Leon Twomey é um nome bastante invulgar, e encontro-o no *Facebook* sem ter de empregar as técnicas acossadoras e sinistras que reservo para novos autores que tento roubar a outras editoras.

É um alívio ver que ele não faz de todo o meu tipo, o que definitivamente facilitará as coisas — se o Justin alguma vez conhecesse o Leon, por exemplo, acho que não o veria como uma ameaça. Tem pele morena e cabelo escuro, espesso e encaracolado, suficientemente comprido para o pôr atrás das orelhas, e é demasiado desengonçado para mim. Todo cotovelos e pescoço, esse género. Mas parece simpático — em todas as fotos está com um sorriso doce e enviesado que não parece de todo sinistro ou homicida, embora, na verdade, se olharmos para uma foto com essa ideia em mente, toda a gente comece a parecer um assassino de machado na mão, pelo que tento afastar esse pensamento da minha cabeça. Parece amistoso e nada ameaçador. Isso são coisas boas.

No entanto, agora já sei com toda a certeza que é um homem.

Estarei mesmo disposta a partilhar a cama com um homem? Até com o Justin isso às vezes era um bocado horrível, e tínhamos uma relação. O lado dele no colchão tinha uma cova no meio e ele nem sempre tomava duche entre ir ao ginásio e meter-se na cama, por isso o lado dele do edredão... cheirava um bocadinho a suor. Eu tinha sempre de me assegurar de que virava o mesmo lado para cima, para não ficar com a parte suada.

Ainda assim... 350 libras por mês. E ele *nunca* estaria lá.

— Tiffany!

Levanto a cabeça de imediato. Caraças, é a Rachel, e sei o que ela quer. Quer o manuscrito deste maldito livro de cozinha com rimas infantis que tenho passado o dia a ignorar.

— Não tentes esquivar-te para a cozinha nem fingir que estás ao telefone — diz ela por cima do meu muro de plantas. É esse o problema de se ter amigos no trabalho: contamos-lhes os nossos truques quando vamos a um pub e nos embebedamos, e depois ficamos indefesos.

— Arranjaste o cabelo! — exclamo. É um esquema exasperado para redirecionar a conversa o mais depressa possível, mas é verdade que o cabelo dela está particularmente espetacular hoje. Está entrançado, como sempre, mas desta vez cada pequena trança tem um brilhante fio turquesa entre os fios de cabelo, como os fios de um espartilho. — Como é que o entranças assim?

— Não tentes distrair-me, Tiffany Moore — diz ela, a tamborilar as unhas perfeitas pintadas com verniz às bolinhas. — Quando é que vou ter esse manuscrito?

— Só preciso de... *um bocadinho* de mais tempo... — Tapo os papéis à minha frente com a mão para que ela não veja os números das páginas (ainda na casa das unidades).

Ela semicerra os olhos.

— Quinta?

Assinto avidamente com a cabeça. Sim, porque não? Quero dizer, por esta altura isso já é completamente impossível, mas sexta-feira parece muito menos mau se for dito na quinta, pelo que lho direi então.

— E vamos tomar um copo amanhã à noite?

Hesito. A minha ideia era portar-me bem e não gastar dinheiro *nenhum* esta semana, mas as noitadas com a Rachel são sempre fantásticas e, francamente, ia saber-me mesmo bem divertir-me. Para além disso, não poderá discutir comigo por causa do manuscrito na quinta-feira, se estiver de ressaca.

— Combinado.

*

O Bêbedo N.º 1 é do género expressivo. O tipo de bêbedo que gosta de abrir bem os braços independentemente do que esteja à sua esquerda ou direita (até agora: uma grande palmeira falsa, uma bandeja de *shots* de sambuca, uma modelo ucraniana relativamente famosa). Todos os movimentos são exagerados, até os passos básicos para caminhar — sim, aqueles de pé esquerdo para a frente, pé direito para a frente, repetir. O Bêbedo N.º 1 faz com que caminhar pareça jogar à macaca.

O Bêbedo N.º 2 é do género enganador. Mantém o rosto muito imóvel enquanto nos escuta, como se a ausência de expressão deixasse bem claro como está sóbrio. Acena ocasionalmente com a cabeça, de forma bastante convincente, mas não pestaneja o suficiente. As suas tentativas de nos espreitar o decote são muito menos subtis do que ele julga.

Pergunto-me o que pensarão de mim e da Rachel. Vieram direitos a nós, mas isso não é necessariamente positivo. Quando namorava com o Justin, se saísse à noite com a Rachel, ele lembrava-me sempre de que muitos homens veem «rapariga excêntrica» e pensam «desesperada e fácil». Tinha razão, como de costume. Até me pergunto se será mais fácil arranjar com quem ir para a cama sendo uma rapariga excêntrica do que do género *cheerleader:* somos mais acessíveis e ninguém parte do princípio de que já temos namorado. O que provavelmente seria mais uma razão para o Justin não ser grande fã das minhas noitadas com a Rachel, agora que penso nisso.

— Então livros que ensinam a fazer bolos? — pergunta o Bêbedo N.º 2, provando assim as suas capacidades de escuta e a referida sobriedade. (Sinceramente. De que vale tomar *shots* de sambuca se se passa a noite a fingir que não se bebeu?)

— Sim! — responde a Rachel. — Ou a construir prateleiras, ou a fazer roupa, ou... ou... o que é que *tu* gostas de fazer?

Ela está suficientemente bêbeda para achar o Bêbedo N.º 2 atraente, mas desconfio que esteja apenas a tentar mantê-lo ocupado para me dar espaço para atacar o Bêbedo N.º 1. Dos dois, o Bêbedo N.º 1 é claramente preferível — para começar, é suficientemente alto. Esse é o primeiro desafio. Meço um metro e oitenta e dois, e embora não tenha qualquer problema em andar com homens mais baixos, muitas vezes eles parecem incomodados se eu tiver mais dois ou cinco centímetros do que eles. Por mim tudo bem — não tenho qualquer interesse por aqueles que se preocupam com esse tipo de coisa. É um filtro útil.

— O que é que eu gosto de fazer? — repete o Bêbedo N.º 2. — Gosto de dançar com raparigas giras em bares com nomes maus e bebidas demasiado caras.

Ele esboça um sorriso repentino, o qual, apesar de um pouco mais lento e enviesado do que provavelmente ele quereria, é bastante atraente.

Vejo que a Rachel está a pensar o mesmo. Atira-me um olhar analista — não está assim tão bêbeda, afinal — e vejo-a a avaliar a situação entre mim e o Bêbedo N.º 1.

Olho para o Bêbedo N.º 1 também e faço a minha própria avaliação. É alto, com ombros largos e o cabelo a ficar grisalho nas têmporas, o que até é bastante *sexy*. Deve andar pelo meio da casa dos 30 — até se parece um bocadinho com o Clooney na década de 90, se semicerrarmos um pouco os olhos ou diminuirmos a luz.

Agrada-me? Se me agradar, posso ir para a cama com ele. É possível fazer-se isso quando se é solteiro.

Que estranho.

Na verdade, ainda não tinha pensado em ir para a cama com alguém desde o Justin. Recupera-se imenso tempo quando se fica solteiro e não se faz sexo — não apenas o tempo que isso requer, mas o tempo que se gasta a depilar as pernas, a comprar roupa interior bonita, a perguntarmo-nos se todas as outras mulheres depilarão as virilhas, etc. É mesmo uma vantagem. Claro que há a ausência avassaladora de um dos melhores aspetos da vida adulta, mas consegue fazer-se muito mais.

Obviamente, sei que acabámos há três meses. Sei que, em teoria, posso ir para a cama com outras pessoas. Mas... não consigo deixar de pensar no que o Justin diria. Em como ficaria zangado. Posso ter permissão, tecnicamente, mas não... bem, não é uma *permissão-permissão*. Na minha cabeça, ainda não.

A Rachel percebe.

— Desculpa, companheiro — diz ela, dando uma palmadinha no braço do Bêbedo N.º 2. — *Eu* gosto de dançar com a minha amiga.

Rabisca o seu número de telefone num guardanapo — sabe-se lá onde é que arranjou aquela caneta, a mulher é mágica — e depois dá-me a mão e vamos para o meio da pista de dança, onde a música me atinge o cérebro vinda dos dois lados, e me deixa os tímpanos a tremer.

— Que tipo de bêbeda és tu? — pergunta-me, enquanto nos mexemos de uma forma muito pouco apropriada ao som de um clássico das Destiny's Child.

— Sou um bocado... *cautelosa* — grito-lhe. — Demasiado analítica para ir para a cama com aquele tipo simpático.

Ela deita a mão a uma bebida da bandeja de uma daquelas raparigas com *shots* que anda pelo espaço a pedir para pagarmos demasiado pelas coisas, e passa-lhe algum dinheiro.

— Então és do tipo «não bêbeda o suficiente» — diz ela, passando-me a bebida. — Está bem que és editora, mas nenhuma miúda bêbeda usa palavras como «analítica».

— Assistente editorial — recordo-a, e deito a bebida abaixo. *Jägerbomb*. É estranho como uma coisa tão asquerosa, que deixa um sabor na boca que dá vontade de vomitar no dia seguinte, possa saber tão bem numa pista de dança.

A Rachel fornece-me álcool a noite inteira e mete-se com todos os amigos de homens atraentes, que empurra na minha direção sem hesitar. Independentemente do que ela diga, estou bastante tocada, pelo que não dou grande importância ao assunto — ela está apenas a ser uma excelente amiga. A noite gira num turbilhão de gente a dançar e bebidas coloridas.

Só quando o Mo e a Gerty chegam é que começo a perguntar-me qual será o objetivo desta noite.

O Mo tem o ar de um homem convocado com pouco tempo de antecedência. Tem a barba um pouco amassada, como se tivesse dormido em cima dela de uma maneira estranha, e está a usar uma t-shirt gasta de que me lembro dos tempos da universidade — embora agora lhe esteja um bocado mais apertada. A Gerty está altivamente linda, como sempre, sem maquilhagem e com o cabelo apanhado num puxo de bailarina; é difícil perceber se já teria planeado vir, porque nunca usa maquilhagem e veste-se sempre impecavelmente. É bem capaz de ter simplesmente enfiado um par de sapatos de salto mais alto a condizer com as *skinny jeans* à última da hora.

Estão a avançar pela pista de dança. A minha suspeita de que o Mo não estava a planear vir confirma-se — ele não está a dançar. Quando se leva o Mo a uma discoteca, ele dança sempre. Então porque terão aparecido na minha saída de quarta-feira à noite, combinada com a Rachel sem grande antecedência? Eles nem sequer a conhecem assim tão bem — só se têm visto em festas de aniversário ou para celebrar novas casas. Na verdade, a Gerty e a Rachel têm uma ligeira disputa para determinar quem será a loba-alfa, e quando nos encontramos todos, costumam acabar a picarem-se uma à outra.

Será o meu aniversário?, penso, inebriada. Será que tenho notícias surpreendentes e excitantes?

Viro-me para a Rachel.

— O quê...?

— Mesa — diz ela, a apontar para as mesas ao fundo da discoteca.

A Gerty disfarça relativamente bem a irritação quanto a ser mandada para outro sítio quando acaba de batalhar para chegar ao centro da pista de dança.

Estou a ficar com um mau pressentimento. Mas como cheguei precisamente ao ponto mais feliz da bebedeira, estou disposta a suspender pensamentos preocupados na esperança de que tenham vindo para me contar que ganhei umas férias de quatro semanas na Nova Zelândia ou qualquer coisa assim.

Mas não.

— Tiffy, não sabia como contar-te isto — diz a Rachel —, por isso este foi o melhor plano que consegui arranjei. Deixar-te feliz e bêbeda, lembrar-te de como é namoriscar, e depois ligar à tua equipa de apoio. — Estende as mãos para segurar as minhas. — Tiffy. O Justin está noivo.

4

Leon

Conversa sobre o apartamento não correu de todo como previsto. A Kay ficou invulgarmente zangada. Talvez irritada com a ideia de outra pessoa a dormir na minha cama para além dela? Mas ela nunca me visita. Detesta as paredes verde-escuras e os vizinhos idosos — isso faz parte da sua conversa de «passas demasiado tempo com velhos». Vamos sempre para o dela (paredes cinzento-claro, vizinhos jovens e seguidores da moda).

Discussão acaba num impasse desgastante. Ela quer que eu tire o anúncio e cancele com a mulher de Essex. Eu não vou mudar de ideias. É a melhor ideia que alguma vez me ocorreu para conseguir dinheiro fácil, à exceção de ganhar a lotaria, o que não pode ser considerado planeamento financeiro. Não quero voltar a pedir-lhe aquelas 350 libras emprestadas. Foi a própria Kay que o disse: não era bom para a nossa relação.

Conseguiu perceber isso. Há de aceitar.

Noite lenta. A Holly não conseguia dormir; jogámos às damas. Ela levanta os dedos e fá-los dançar por cima do tabuleiro como se estivesse a lançar um feitiço antes de tocar numa peça. Ao que parece, é um truque mental — leva o outro jogador a observar o que estamos a fazer, em vez de planear a jogada seguinte. Onde é que uma miúda de 7 anos aprendeu truques mentais?

Faço a pergunta.

Holly: És bastante ingénuo, não és, Leon?

Diz «inguénuo». Provavelmente nunca tinha dito a palavra, só a lera num dos seus livros.

Eu: Conheço bastante do mundo, obrigadinho, Holly!

Lança-me um olhar condescendente.

Holly: Não faz mal, Leon. És só demasiado bonzinho. Aposto que as pessoas passam a vida a pisar-te, como um capacho.

Ela apanhou a frase nalgum lugar, sem dúvida. Provavelmente com o pai, que a visita semana sim, semana não, num fato cinzento e austero, e que lhe traz doces de gosto duvidoso e o cheiro azedo a fumo de cigarro.

Eu: Ser bonzinho é uma coisa boa. Podes ser forte e boazinha. Não tens de escolher.

Lá está aquele olhar condescendente.

Holly: Olha. É tipo... a Kay é forte e tu és bonzinho.

Ela afasta muito as mãos, como que a dizer: é assim o mundo. Fico espantado. Não sabia que ela sabia o nome da Kay.

O Richie liga assim que chego. Tenho de correr para atender o telefone fixo — sei que vai ser ele, só ele é que liga para aqui — e bato com a cabeça no candeeiro do teto da cozinha. É a coisa de que menos gosto neste apartamento excelente.

Esfrego a cabeça. Fecho os olhos. Ouço atentamente a voz do Richie, em busca de tremores e pistas quanto ao seu estado, e apenas para escutar um Richie verdadeiro, vivo, a respirar e ainda bem.

Richie: Conta-me uma história boa.

Fecho os olhos com mais força. Então não foi um bom fim de semana para ele. Os fins de semana são maus — mantêm-nos fechados durante mais tempo. Consigo perceber que está em baixo pelo sotaque, tão peculiar a ambos. Sempre parte Londres, parte County Cork, é mais irlandês quando está triste.

Falo-lhe da Holly. Da sua mestria nas damas. Das suas acusações de inguenuidade. O Richie ouve. E depois:

Richie: Ela vai morrer?

É difícil. As pessoas têm dificuldade em perceber que não é sobre se ela vai ou não morrer — os cuidados paliativos não são apenas um sítio para onde se vai para desaparecer lentamente. Há mais pessoas a sobreviver e a ir embora do que a morrer nas nossas alas. É uma questão de ficar confortável pelo tempo que demora algo necessário e doloroso. De tornarmos melhores as alturas más.

A Holly, porém... é capaz de morrer. Está muito doente. Encantadora, precoce, e muito doente.

Eu: As estatísticas da leucemia são muito boas para os miúdos da idade dela.

Richie: Eu cá não quero estatísticas, meu. Quero uma boa história.

Sorrio, lembrando-me de quando éramos miúdos e representávamos o enredo de *Neighbours* no mês em que a televisão se avariou. O Richie sempre gostou de uma boa história.

Eu: Vai ficar bem. Vai crescer e quando for grande vai ser... programadora. Programadora profissional. Vai usar toda a sua mestria das damas para mapear sistemas informáticos e desenvolver digitalmente comida que vai acabar com a fome e deixar o Bono sem emprego na época natalícia.

O Richie ri-se. Não é grande galhofa, mas basta para me aliviar o nó de preocupação no estômago.

Silêncio durante algum tempo. Amigável, talvez, ou apenas uma ausência de palavras expressivas.

Richie: Isto aqui é o inferno, meu.

As palavras atingem-me como um murro no estômago. Com demasiada frequência neste ano que passou, senti esse contacto no estômago, como um punho cerrado. Sempre em alturas como esta, quando a realidade embate de novo depois de dias a bloqueá-la.

Eu: Não falta muito para o recurso. Estamos quase lá. O Sal diz que...

Richie: Sim, o Sal diz que quer que lhe paguemos. Sei como são as coisas, Lee. Não dá.

A voz pesada, lenta, quase arrastada.

Eu: Mas o que é isto? O que foi, perdeste a fé no teu mano mais velho? Costumavas dizer que eu ia ser bilionário!

Ouço um sorriso relutante.

Richie: Já deste que chegue.

Nunca. Isso é impossível. Nunca darei o suficiente, não para isto, embora já tenha desejado vezes suficientes poder trocar de lugar com ele para o salvar daquilo.

Eu: Tenho um esquema. Um esquema para ganhar dinheiro. Vais adorar.

Movimento.

Richie: Então, meu, ah, dá-me só um seg...

Vozes abafadas. O meu coração acelera. Quando falo ao telefone com ele, é fácil pensar que está nalgum sítio seguro e tranquilo, em que há apenas a sua voz e a minha. Mas ali está ele, no pátio, com uma fila atrás de si, tendo optado por usar esta meia hora fora da cela a fazer um telefonema em vez de aproveitar a oportunidade de tomar um duche.

Richie: Tenho de desligar, meu. Adoro-te.

Tom de marcação.

São 08h30 de sábado. Mesmo indo embora agora, chegarei tarde. E não vou embora agora, evidentemente. Tenho de mudar os lençóis sujos na Ala Dorsal, segundo a Dra. Patel; segundo a enfermeira-chefe da Ala Coral tenho de tirar sangue ao Sr. Prior; e de acordo com a Socha, a médica assistente, devo ajudá-la com o paciente que está a morrer na Ala Kelp.

A Socha ganha. Ligo à Kay enquanto corro.

A Kay, assim que atende: Ainda estás no trabalho, não estás?

Demasiado ofegante para uma explicação adequada. As alas são excessivamente distantes umas das outras em situações de emergência. O conselho administrativo da unidade de cuidados paliativos devia investir em corredores mais curtos.

Kay: Não faz mal. Eu encontro-me com a rapariga no teu lugar.

Tropeço. Surpreendido. Era minha intenção pedir-lhe isso, claro — foi por isso que liguei à Kay e não à mulher de Essex, para cancelar. Mas... foi muito fácil.

Kay: Olha, eu não gosto deste plano de partilhares o apartamento, mas sei que precisas do dinheiro e compreendo. Mas, para me poder sentir bem com isto, acho que deve passar tudo por mim. Encontro-me com a tal Tiffy, trato de tudo, e dessa forma a desconhecida que dorme na tua cama não é alguém com quem tenhas mesmo de interagir. E assim não me parece tão esquisito, e tu não tens de lidar com isto, coisa para que, a bem da verdade, não tens tempo.

Pontada de amor. Pode ser dor de burro, claro, é difícil saber ao certo nesta fase da relação, mas, ainda assim...

Eu: Tens... tens a certeza?

Kay, com firmeza: Sim. O plano é este. E não trabalhas ao fim de semana. OK? Os fins de semana são para mim.

Parece-me justo.

Eu: Obrigado. Obrigado. E... será que te importas... de lhe falar...

Kay: Sim, sim, falo-lhe do tipo esquisito no Apartamento 5 e aviso-a em relação às raposas.

É mesmo uma pontada de amor.

Kay: Sei que achas que não ouço, mas na verdade faço-o.

Ainda falta um bom minuto a correr antes de chegar à Ala Kelp. Não mantive um ritmo adequado. Erro de principiante. A terrível imediatez deste turno destabiliza-me, com todos os seus moribundos e escaras e pacientes complicados com demência, e faz-me esquecer regras básicas de sobrevivência em ambiente hospitalar. Andar depressa, não correr. Saber sempre as horas. Nunca perder a caneta.

Kay: Leon?

Esqueci-me de falar em voz alta. Tudo o que se ouvia era uma respiração carregada. É capaz de ter sido bastante sinistro.

Eu: Obrigado. Amo-te.

5

Tiffy

Ainda penso em usar óculos de sol, mas decido que isso me faria parecer uma diva, dado que estamos em fevereiro. Ninguém quer partilhar o apartamento com uma diva.

A questão, claro está, é se preferem ou não uma diva a uma mulher destroçada que claramente passou os últimos dois dias a chorar.

Recordo-me de que isto não é uma situação em que vamos ser companheiros de casa. Eu e o Leon não precisamos de nos dar bem — não vamos viver juntos, propriamente, vamos apenas ocupar o mesmo espaço em alturas diferentes. Que diferença lhe fará se eu passar todo o tempo livre a chorar?

— Casaco — ordena a Rachel, passando-mo.

Ainda não cheguei ao abismo de precisar realmente que outra pessoa me vista, mas a Rachel passou aqui a noite, e, onde quer que esteja, o mais provável é que assuma o controlo da situação. Mesmo que «a situação» seja eu vestir as minhas roupas pela manhã.

Demasiado arrasada para protestar, aceito o casaco e visto-o. A verdade é que adoro este casaco. Fi-lo a partir de um enorme vestido de gala que encontrei numa loja solidária — limitei-me a desfazê-lo por completo e usar o tecido, mas deixei as lantejoulas onde estavam, pelo que agora tenho tachas roxas e bordados no ombro direito, pelas costas e debaixo do peito. Parece-se um pouco com a casaca de um mestre de cerimónias do circo, mas assenta-me na perfeição, e por estranho que seja, as lantejoulas debaixo do peito favorecem mesmo a linha da cintura.

— Não te dei isto? — pergunto, franzindo o sobrolho. — No ano passado?

— Tu, separares-te desse casaco? — A Rachel faz uma careta. — Sei que me adoras, mas tenho praticamente a certeza de que não adoras *ninguém* assim tanto.

Certo, claro. Estou tão derreada que nem consigo pensar como deve ser. Pelo menos importo-me com o que hei de levar vestido esta manhã. Sabe-se que as coisas vão mal quando enfio a primeira coisa que encontre na gaveta. E não é que as outras pessoas não deem por isso — o meu roupeiro é de tal ordem que um conjunto insuficientemente planeado dá mesmo nas vistas. Na quinta-feira, as calças de bombazina amarelo-mostarda, a blusa bege e o casaco de malha verde e comprido causaram alguma agitação lá no trabalho. A Hana do marketing teve um ataque de tosse quando entrei na cozinha e ela ia a meio de um gole de café. E além disso, ninguém percebe porque é que, de repente, fiquei tão triste. Percebo que é o que pensam todos: *Porque é que ela está a chorar* agora*? O Justin não a deixou há meses?*

Eles têm razão. Não faço ideia de por que razão esta fase particular da nova relação do Justin me perturba tanto. Eu já tinha decidido sair da casa que partilhávamos de uma vez por todas. E nem havia o desejo de eu querer que ele casasse comigo ou assim. Acho que pensava só... que ele voltaria. Foi isso que aconteceu sempre antes — ele vai-se embora, bate a porta, corta o contacto comigo, bloqueia-me as chamadas, mas depois apercebe-se do seu erro e, quando começo a sentir-me pronta para o esquecer, ele volta a aparecer, estendendo-me a mão e dizendo-me para ir com ele em alguma aventura incrível.

Mas agora acabou, não foi? Ele vai casar. Isto é... isto é...

Sem dizer nada, a Rachel passa-me os lenços.

— Ai, vou ter de me maquilhar outra vez — digo, quando o pior já passou.

— Não há meeeeesmo tempo para isso — diz a Rachel, mostrando-me o ecrã do telemóvel.

Merda. São 8h30. Tenho de sair já, caso contrário vou chegar tarde e isso *dará* má impressão — se vamos atender a regras rigorosas quanto a quem está em casa e quando, o Leon vai querer que eu seja pontual.

— Óculos de sol? — pergunto.

— Óculos de sol. — A Rachel entrega-mos.

Agarro na mala e encaminho-me para a porta.

Enquanto o comboio segue pelos túneis da Northern Line, vejo o meu reflexo e endireito-me um pouco. Estou com bom aspeto. O vidro baço e riscado ajuda, claro — é como uma espécie de filtro do *Instagram*. Mas este é um dos meus conjuntos preferidos, acabei de lavar o cabelo ruivo acobreado e, embora possa ter ficado sem risco nos olhos de tanto chorar, o batom continua intacto. Aqui estou eu. Sou capaz de fazer isto. Saio-me perfeitamente bem sozinha.

Isto dura o tempo que demoro a chegar à entrada da estação de Stockwell. Então um tipo num carro grita-me «Põe-me esse rabo a andar!», e o choque basta para me lançar de novo na espiral de a-vida-é-uma-merda da Tiffy pós-fim-de-relação. Fico demasiado aturdida para o fazer ver os problemas anatómicos que teria se tentasse satisfazer-lhe o pedido de forma literal.

Chego ao prédio certo em cerca de cinco minutos — é uma boa distância da estação. Ante a perspetiva de encontrar de facto a minha futura casa, seco as bochechas e observo o espaço com atenção. É um desses prédios baixos de tijolo e, à frente, tem um pequeno pátio com um pedaço tristonho de relva londrina, que mais parece feno bem aparado. Há lugares de estacionamento para cada morador, um dos quais parece usar o espaço para armazenar uma quantidade impressionante de caixas de bananas vazias.

Ao tocar na campainha do Apartamento 3, deteto um movimento — é uma raposa, a sair da esquina onde os caixotes parecem viver. Lança-me um olhar insolente, parando com uma pata no ar. Nunca tinha estado tão perto de uma raposa — é bastante mais tinhosa do que parecem nos livros ilustrados. Mas as raposas são boas, não são? São tão boas que já nem é permitido caçá-las por diversão, mesmo que se seja um aristocrata com um cavalo.

Com um zumbido, a porta solta-se do trinco; avanço para dentro do prédio. É muito... castanho. Um tapete castanho, paredes cor de biscoito. Mas isso não tem importância — o que importa é o interior do apartamento.

Quando bato à porta do Apartamento 3, dou por mim a sentir-me genuinamente nervosa. Não — à beira do pânico. Estou mesmo a fazer isto, não estou? A ponderar dormir na cama de um desconhecido qualquer? A sair *realmente* do apartamento do Justin?

Oh, meu Deus. Talvez a Gerty tivesse razão e isto seja um bocado excessivo. Por um momento vertiginoso, imagino regressar ao apartamento do Justin, ao conforto daquele apartamento branco e cromado, à possibilidade de o ter de volta. Mas a ideia não me parece tão boa como tinha imaginado que pareceria. Em algum momento — talvez por volta das 23 horas de quinta-feira da semana passada — aquele apartamento começou a parecer-me um pouco diferente, e eu também.

Percebo, de uma maneira vaga e sem-olhar-diretamente-para-isso, que isto é uma coisa boa. Cheguei até aqui — não posso permitir-me voltar agora atrás.

Preciso de gostar deste sítio. É a minha única opção. Por isso, quando a pessoa que me abre a porta não é, claramente, o Leon, estou tão disposta a aceitar o que vir que me limito a alinhar. Nem sequer me mostro surpreendida.

— Olá!

— Olá — diz a mulher à porta. Morena, pequena e delicada, tem um daqueles cortes de cabelo à *pixie*, que dão um ar francês a qualquer mulher com uma cabeça suficientemente pequena. Sinto-me imediatamente enorme.

Ela nada faz para dissipar esta sensação. Quando entro no apartamento, sinto-a a mirar-me de alto a baixo. Tento observar a decoração — oh, papel de parede verde-escuro, parece ser genuíno dos anos 70 —, mas passado algum tempo, a sensação do seu olhar sobre mim começa a incomodar-me. Viro-me para a fitar.

Oh, é a namorada. E a sua expressão não podia ser mais óbvia: *Estava com medo de que fosses gira e tentasses roubar-me o namorado enquanto te instalas na cama dele, mas agora já te vi e ele nunca se sentiria atraído por ti, por isso, sim! Entra!*

Agora é toda sorrisos. Pronto, como queira — se é isto que é preciso para ficar com o apartamento, não há problema. Não vai afugentar-me humilhando-me. Não faz ideia de quão desesperada estou.

— Chamo-me Kay — diz ela, estendendo-me a mão. Tem um aperto de mão firme. — Sou a namorada do Leon.

— Calculei. — Sorrio para aliviar o desconforto. — É um prazer conhecer-te. O Leon está...

Inclino a cabeça para o quarto. Ou isso ou a sala, que tem a cozinha a um canto — o apartamento não tem muito mais.

— ... na casa de banho? — sugiro, ao ver o quarto vazio.

— O Leon não conseguiu sair do trabalho a horas — explica a Kay, fazendo-me avançar para a sala de estar.

É bastante minimalista e um bocado gasta, mas está limpa e adoro que tenha aquele papel de parede dos anos 70 por todo o lado. Aposto que alguém pagaria 80 libras por rolo se a *Farrow & Bell* começasse a vendê-lo. Há um lustre na área da cozinha que não liga com a decoração mas que é fabuloso; os sofás são de pele com muito uso, a televisão nem está ligada à corrente, mas parece relativamente decente, e a alcatifa foi aspirada recentemente. Tudo parece promissor.

Talvez isto vá ser bom. Talvez vá ser *ótimo*. Crio uma pequena montagem de mim aqui, a preguiçar no sofá, a preparar qualquer coisa na cozinha e, de repente, a ideia de ter todo este espaço só para mim dá-me vontade de desatar aos pulos. Refreio-me mesmo a tempo. A Kay não me parece do género de começar a dançar espontaneamente.

— Então não vou... conhecer o Leon? — pergunto, ao lembrar-me de repente da primeira regra do Mo para partilhar casa.

— Bem, suponho que acabes por conhecer — responde a Kay. — Mas será comigo que tratas de tudo. Estou a encarregar-me da questão de arrendar o apartamento por ele. Vocês nunca estarão em casa ao mesmo tempo: o apartamento será teu das 18 horas da tarde às 8 horas da manhã durante a semana, e durante todo o fim de semana. É um acordo para seis meses, para já. Por ti está bem assim?

— Sim, é mesmo o que preciso. — Faço uma pausa. — E... o Leon nunca vai aparecer sem aviso? Fora das horas dele, ou qualquer coisa assim?

— Com certeza que não — diz a Kay, com o ar de uma mulher que tenciona assegurar-se disso. — Das 18 da tarde às 8 da manhã, o apartamento é teu e só teu.

— Boa. — Expiro lentamente, para acalmar o frenesim de excitação que me cresce na barriga, e verifico a casa de banho — dá sempre para conhecer um sítio pela casa de banho. Todas as loiças são de um branco limpo e luminoso; há uma cortina de duche azul-escura, uns quantos frascos arrumados de vários cremes e líquidos de aspeto misterioso e masculino, e um espelho velho mas usável. Excelente. — Fico com ele. Se me aceitarem.

Tenho a certeza absoluta de que ela vai dizer que sim, se for mesmo ela a tomar a decisão. Soube-o assim que olhou para mim daquela maneira à entrada; independentemente dos critérios que o Leon possa ter para um companheiro de apartamento, a Kay só tem um, e eu claramente fiz um visto no quadrado de «adequadamente pouco atraente».

— Ótimo! — exclama ela. — Vou ligar ao Leon e dizer-lhe.

6

Leon

Kay: Ela é ideal.

Pestanejo com lentidão enquanto me encontro no autocarro. Pestanejo lenta e deliciosamente, o que é basicamente como fazer pequenas sestas.

Eu: A sério? Não é chata?

Kay, parecendo irritada: Isso interessa? Vai ser asseada e arrumada e pode mudar-se já. Se estás mesmo determinado a fazer isso, não podes esperar muito melhor.

Eu: Ela não se importou com o homem esquisito que mora no Apartamento 5? Nem com a família de raposas?

Uma pequena pausa.

Kay: Não referiu que qualquer uma dessas coisas fosse um problema.

Pestanejo deliciosamente devagar. Demoro mesmo muito tempo. Tenho de ter cuidado — não suportaria acordar no final da carreira e ter de voltar para trás. Isso é sempre um risco depois de uma semana longa.

Eu: Como é que ela é, afinal?

Kay: É... excêntrica. Maior do que a vida. Estava a usar uns grandes óculos escuros de massa apesar de ainda estarmos no inverno, e tinha flores pintadas nas botas. Mas o que importa é que precisa de gastar pouco dinheiro e ficou contente por encontrar um quarto tão barato!

«Maior do que a vida» é como a Kay diz «obeso». Quem me dera que não dissesse coisas assim.

Kay: Olha, vens a caminho, não vens? Podemos falar sobre isto quando chegares.

O meu plano para quando chegasse era cumprimentar a Kay com o beijo da praxe, despir as roupas do trabalho, beber água, cair na cama da Kay, dormir por toda a eternidade.

Eu: Se calhar logo à noite? Depois de eu ter dormido?

Silêncio. Silêncio profundamente irritado. (Sou perito nos silêncios da Kay.)

Kay: Então vais direto para a cama assim que chegares.

Mordo a língua. Resisto ao impulso de lhe fazer um relato exaustivo da minha semana.

Eu: Posso ficar acordado, se quiseres falar.

Kay: Não, não, precisas de dormir.

Está-se mesmo a ver que vou ficar acordado. É melhor aproveitar estas microssestas até o autocarro chegar a Islington.

Boas-vindas gélidas da Kay. Cometo o erro de mencionar o Richie, o que só diminui ainda mais a temperatura do espaço. A culpa é minha, provavelmente. Simplesmente não dá para falar com ela acerca dele sem ouvir A Discussão, como se ela carregasse no botão de repetir cada vez que diz o nome do Richie. Enquanto ela se atarefa a preparar o pequeno-jantar (combinação de pequeno-almoço e jantar, adequado tanto a habitantes diurnos como noturnos), repito a mim mesmo vezes sem conta que devo lembrar-me de como A Discussão terminou. Que ela pediu desculpa.

Kay: Então, vais perguntar-me pelos fins de semana?

Fito-a, demoro a responder. Por vezes custa-me falar depois de uma noite comprida. O simples ato de abrir a boca para formar ideias é como pegar numa coisa muito pesada, ou como um daqueles sonhos onde precisamos de correr, mas temos as pernas mergulhadas em melaço.

Eu: Perguntar-te o quê?

A Kay detém-se, com a frigideira da omeleta na mão. Fica muito bonita à luz invernal que entra pela janela da cozinha.

Kay: Os fins de semana. Onde é que planeias ficar, já que a Tiffy vai estar no teu apartamento?

Oh. Já percebi.

Eu: Esperava ficar aqui. Já cá passo todos os fins de semana em que não estou a trabalhar, não é?

Kay: Eu sei que estavas a planear ficar cá, sabes. Só queria ouvir-te dizê-lo.

Ela vê a minha expressão intrigada.

Kay: Normalmente só passas cá os fins de semana porque *calha*. Não por o teres planeado. Não por ser o nosso plano de vida.

A palavra «plano» é muito menos agradável quando aparece junto à palavra «vida». De repente, fico muito ocupado a comer a omeleta. A Kay aperta-me o ombro, percorre-me o pescoço com os dedos e puxa-me o cabelo.

Kay: Obrigada.

Sinto-me culpado, embora não a tenha propriamente iludido — *parti mesmo* do princípio de que passaria aqui todos os fins de semana, *contei mesmo* com isso ao planear arrendar o quarto. Só não... pensei nisso dessa maneira. Como um plano de vida.

Duas da manhã. Quando me juntei à equipa noturna da unidade de cuidados paliativos, as noites em que estava de folga pareciam-me inúteis — ficava acordado, a desejar que o sol nascesse. Mas agora esta é a minha hora, calma e silenciosa, o resto de Londres a dormir ou a ficar muito bêbedo. Estou a aceitar todos os turnos noturnos que a coordenadora dos horários me dê — são os mais bem pagos, sem contar com os dos fins de semana, que disse à Kay que não aceitaria. Além disso, é a única forma de este acordo do apartamento funcionar. Nem sequer sei se valerá a pena recalibrar-me para os fins de semana, agora — vou trabalhar cinco em cada sete noites. Mais vale manter-me noturno.

Costumo usar este tempo das 2 horas da manhã para escrever ao Richie. Tem um limite para telefonemas, mas pode receber todas as cartas que eu lhe envie.

Terça-feira passada cumpriram-se três meses desde que foi condenado. É difícil saber como assinalar um aniversário assim — erguendo um copo? Marcando mais um risco na parede? O Richie até o aceitou bem, ao fim e ao cabo, mas quando foi dentro, o Sal tinha-lhe dito que o tiraria de lá até fevereiro, por isso esta data foi particularmente má.

O Sal. Está a dar o seu melhor, supostamente, mas o Richie é inocente e está preso, portanto não posso deixar de me sentir um pouco ressentido com o advogado dele. O Sal não é *mau*. Usa palavras caras, anda de pasta, nunca duvida de si mesmo — parecem coisas clássicas de advogado, que deveriam tranquilizar-nos, não? Mas os erros vão-se sucedendo. Como vereditos inesperados a dar o meu irmão como culpado.

Contudo, que opções temos? Nenhum outro advogado se interessou o suficiente para defender o Richie a honorários reduzidos. Nenhum outro estava familiarizado com o seu caso, ou já preparado com o crachá de identificação para ir falar com o Richie à prisão... não há *tempo* para arranjar outra pessoa. A cada dia que passa, o Richie afunda-se mais.

Tenho de ser sempre eu a lidar com o Sal, nunca a minha mãe, o que significa telefonemas exaustivos a persegui-lo. Mas a minha mãe grita e acusa. O Sal é sensível, facilmente se recusa mesmo a trabalhar no caso do Richie, e é completamente indispensável.

Isto não está a fazer-me bem nenhum. Duas da manhã não é tempo para ficar a ruminar sobre assuntos jurídicos. É a pior das horas. Se a meia-noite é a hora das bruxas, 2 da manhã é a hora dos ruminantes.

Em busca de uma distração, dou por mim a procurar *Johnny White* no *Google*. O amor há muito perdido do Sr. Prior, com o seu queixo de Hollywood.

Há muitos Johnny Whites. Um é uma figura de proa da música eletrónica canadiana. Outro é um jogador de futebol americano. Nem um nem outro eram nascidos quando se deu a Segunda Guerra Mundial, nem andaram a apaixonar-se por encantadores cavalheiros ingleses.

Ainda assim... a Internet foi feita para situações como esta, não?

Experimento *Johnny White mortos guerra,* e depois odeio-me um pouco. Parece-me uma traição ao Sr. Prior partir do pressuposto de que o Johnny tenha morrido. Mas vale a pena tentar eliminar essas opções primeiro.

Encontro um website chamado *Encontrar Mortos de Guerra*. A princípio fico ligeiramente horrorizado, mas depois concluo que, na verdade, é incrível — todos são recordados aqui. É como um conjunto de lápides digitais que podem ser pesquisadas. Posso procurar por nome, regimento, guerra, datas de nascimento... Digito *Johnny White* e especifico *Segunda Guerra Mundial,* mas não tenho muito mais que possa dar.

Setenta e oito Johnny Whites das Forças Armadas morreram durante a Segunda Guerra Mundial.

Recosto-me. Fito a lista de nomes. John K. White. James Dudley Jonathan White. John White. John George White. Jon R. L. White. Jonathan Reginald White. John...

OK. De repente sinto uma certeza avassaladora de que o encantador Johnny White do Sr. Prior morreu, e desejo que houvesse uma base de dados similar para aqueles que combateram, mas não morreram na guerra. Isso seria agradável. Uma lista de sobreviventes. Sinto-me arrasado, como acontece às 2 da manhã, pelo horror da humanidade e a sua inclinação para terríveis atos de assassínio em massa.

Kay: Leon! O teu *pager* está a tocar! *Na minha orelha!*

Deixo o portátil no sofá depois de mandar imprimir a página e abro a porta do quarto, deparando-me com a Kay deitada numa ponta da cama, com o edredão a tapar-lhe a cabeça e um braço no ar com o meu *pager*.

Agarro no *pager*. Agarro no telemóvel. Não estou de serviço, claro, mas a equipa não me ligaria para o *pager* se não fosse importante.

Socha, médica assistente: Leon, é a Holly.

Estou a calçar os sapatos.

Eu: Muito mau?

Chaves! Chaves! Onde estão as chaves?

Socha: Tem uma infeção... os exames *não* auguram nada bom. Está a chamar por ti. Não sei o que fazer, Leon, e a Dra. Patel não responde ao *pager*, a administrativa está a esquiar e a June não conseguiu arranjar substituto, por isso não tenho outra pessoa a quem ligar...

Encontro as chaves no fundo no cesto da roupa suja. Sítio inspirado para as deixar. Encaminho-me para a porta, a Socha a falar-me de contagens de glóbulos brancos, os atacadores a agitarem-se...

Kay: Leon! Ainda estás de pijama!

Raios. Bem me parecia que tinha conseguido chegar à porta mais depressa do que é habitual.

7

Tiffy

Está bem, o novo apartamento está bastante... cheio. Acolhedor.

— Atulhado — confirma a Gerty, parada naquele que é praticamente o único espaço livre no quarto. — Está atulhado de coisas.

— Tu sabes que o meu estilo é eclético! — protesto, endireitando a adorável manta tingida que encontrei num mercado de Brixton no verão passado. Estou a esforçar-me mesmo muito por manter um ar positivo. Fazer as malas e deixar a casa do Justin foi horrível, a viagem até aqui demorou quatro vezes mais do que o *Google* previa, e acartar tudo escadas acima foi uma tortura. Depois tive de ter uma conversa muito demorada com a Kay enquanto ela me dava as chaves, quando tudo o que queria fazer era sentar-me em algum sítio e limpar o suor da testa com um lenço até parar de ofegar. Não tem sido um dia divertido.

— Mas tu falaste sobre isto com o Leon? — pergunta-me o Mo, empoleirando-se na beira da cama. — Quero dizer, sobre trazeres as tuas coisas todas?

Franzo o sobrolho. É claro que eu tinha de trazer todas as minhas coisas! Isso precisava de ser falado? Vou mudar-me para aqui: isso quer dizer que as minhas coisas têm de viver aqui comigo. Onde mais haveriam de viver? Esta é a minha residência permanente.

Não obstante, estou agora muito ciente de que o meu quarto é partilhado com outra pessoa, e de que essa pessoa tem as suas próprias coisas que, até este fim de semana, ocupavam a maior parte do quarto. Tem sido um aperto meter tudo aqui. Resolvi alguns problemas pondo coisas noutras partes da casa — vários dos meus suportes para velas vivem agora na borda da banheira, por exemplo, e o meu incrível candeeiro de lava tem um sítio fantástico na sala — mas, mesmo assim, teria agradecido se o Leon me tivesse deixado algum espacinho livre. Ele devia ter feito isso antecipadamente, na verdade — era a coisa decente a fazer, dado que eu ia mudar-me.

Talvez eu devesse ter levado *algumas* das minhas coisas para casa dos meus pais. Mas a maioria destas coisas estava na arrecadação do Justin e soube-me tão bem desenterrar tudo isto na noite passada. Quando encontrei o candeeiro de lava, a Rachel disse a brincar que era como quando o Andy volta a ver o Woody no *Toy Story*, mas, para ser sincera, foi surpreendentemente emocional. Fiquei sentada durante algum tempo no corredor, a fitar a balbúrdia multicolorida das minhas coisas preferidas a derramar-se do armário por baixo das escadas, e por um momento bizarro senti que, se as almofadas podiam respirar outra vez, eu também poderia.

O meu telemóvel toca; é a Katherin. É a única autora a quem eu atenderia uma chamada num sábado, sobretudo porque deve estar a ligar-me para me contar algo hilariante que tenha feito, como twittar uma foto altamente imprópria de si mesma nos anos 80, na companhia de alguém que hoje em dia é um político muito importante, ou pintar as pontas do cabelo da sua idosa mãe.

— Olá! Como está a minha editora preferida? — pergunta quando atendo.

— Acabadinha de me mudar para a minha nova casa! — digo-lhe, fazendo sinal ao Mo para que ponha a chaleira ao lume. Ele parece levemente irritado, mas não deixa de o fazer.

— Perfeito! Fantástico! O que vai fazer na quarta-feira?

— Trabalho — respondo, a rever mentalmente a agenda. Na verdade, na quarta tenho uma reunião tediosa com a nossa diretora de direitos internacionais, para falar do novo livro que encomendei no verão passado a um construtor transformado em designer criador de tendências. Compete-lhe vender os direitos do livro a editoras estrangeiras. Quando o adquiri, falei *muito* (se bem que, na verdade, de forma bastante vaga) acerca da sua presença nas redes sociais internacionais, a qual, afinal, é bastante mais reduzida do que eu dei a entender.

Ela passa a vida a enviar-me e-mails a pedir «mais pormenores» e «descrições específicas do alcance em cada território». Está a chegar a um ponto em que não posso evitá-la mais, nem sequer com o meu muro de plantas envasadas a esconder-me.

— Ótimo! — exclama a Katherin, que está a mostrar-se demasiado entusiasta. — Tenho uma notícia mesmo boa para lhe dar.

— Ai tem?

Espero que me diga que vai entregar o manuscrito mais cedo, ou que mudou subitamente de ideias acerca da inclusão do capítulo de chapéus e cachecóis. Tem ameaçado eliminá-lo, o que seria desastroso, já que essa é a única parte com algum potencial de venda no livro.

— À última da hora, o pessoal da See Breeze Away alterou a minha apresentação de *Como Fazer as Suas Próprias Roupas de Croché no Minuto* para o cruzeiro de quarta-feira. Assim sempre vai poder ajudar-me.

Hum. Desta vez seria durante o horário de expediente — e adiaria pelo menos mais uma semana aquela conversa com a diretora de direitos internacionais. O que prefiro: que me vistam coletes de croché num cruzeiro com a Katherin, ou ser arrasada pela diretora de direitos internacionais numa sala de conferências sem janelas?

— Está bem. Conte comigo.

— A sério?

— A sério — confirmo, ao mesmo tempo que aceito o chá que o Mo me passa. — Mas não vou falar. E não pode manusear-me tanto quanto da última vez. Fiquei dias com nódoas negras.

— Ossos do ofício da vida de modelo, não é, Tiffy? — diz a Katherin, e eu tenho a leve impressão de que está a rir-se de mim.

Foram todos embora. Sou só eu, no meu apartamento.

Obviamente tenho passado o dia todo superanimada, e assegurei-me de que não dava qualquer sinal ao Mo, à Gerty e à Kay de que mudar-me para o apartamento do Leon seja de todo esquisito ou emotivo.

Mas é um bocado esquisito. E tenho vontade de chorar outra vez. Olho para a minha manta tingida e encantadora aos pés da cama e tudo o que me ocorre é que choca imenso com a capa de edredão do Leon, que tem másculas riscas pretas e cinzentas, e que não há nada que eu possa fazer acerca disso porque esta é tanto a cama do Leon como a minha, quem quer que seja este tal Leon, e que o seu corpo seminu, ou talvez completamente nu, dorme debaixo daquele edredão. Não tinha realmente encarado a logística da cama partilhada até este momento, e agora que o estou a fazer, não estou a gostar.

O meu telemóvel vibra. É a Kay.

Espero que a mudança tenha corrido bem. Serve-te do que houver no frigorífico (até estares instalada e ires às compras). O Leon pede para dormires no lado esquerdo da cama, por favor. Bjs, Kay

Pronto. Estou a chorar. Isto é mesmo esquisito. Mas afinal quem é este homem, este Leon? Porque é que ainda não o conheci? Penso ligar-lhe — tenho o número dele, do anúncio —, mas já se tornou bastante claro que a Kay quer tratar das coisas.

Fungo, limpo os olhos com força e vou até ao frigorífico. Até está surpreendentemente cheio para alguém que trabalha até tarde. Sirvo-me de compota de framboesa e margarina, e localizo o pão por cima da torradeira. OK.

Olá, Kay. Já me instalei, obrigada — o apartamento está mesmo acolhedor! Obrigada pela confirmação em relação ao lado da cama.

É um bocadinho formal em demasia para discutir quem dorme de que lado da cama, mas pressinto que a Kay não queira demasiada afinidade entre nós.

Mando-lhe umas quantas perguntas acerca do apartamento — onde fica o interrutor para a luz da escada, se posso ligar a TV, esse género de coisas. Depois, de torrada com compota na mão, volto para o quarto e pergunto-me se será uma atitude demasiado passivo-agressiva fazer a cama de lavado com os meus lençóis. De certeza que o Leon terá posto lençóis lavados, dadas as circunstâncias. Mas... e se não tiver posto? Oh, meu Deus, agora a ideia entranhou-se e vou ter de os mudar. Arranco a capa do colchão de olhos cerrados, como se tivesse medo de ver alguma coisa que não queira.

Pronto. Os lençóis provavelmente já limpos estão na máquina de lavar, os meus lençóis encantadores e definitivamente limpos estão na cama, e eu estou ligeiramente ofegante de tanta atividade. Mas vendo bem, o quarto parece mesmo mais meu do que quando cheguei. Sim, a capa do edredão continua a ligar mal (achei que mudá-la *pareceria* um pouco excessivo), e há livros esquisitos nas prateleiras (*e nem um* sobre como fazer a nossa própria roupa! Hei de resolver isso em breve), mas com as minhas coisinhas por aqui, os meus vestidos no roupeiro e... sim, vou só esticar a manta para cobrir a capa do edredão, só por agora. Muito melhor.

Enquanto estou a ajustar a manta, reparo num saco de plástico preto a espreitar de debaixo da cama, com qualquer coisa de lã caída no chão. Devo ter deixado um grande saco por abrir, penso, e arrasto-o para ver o que tem.

Está cheio de cachecóis. Incríveis cachecóis de lã. Não são meus, mas estão belissimamente executados — é preciso um verdadeiro talento para tricotar e fazer croché assim. *Deviam* ser meus. Pagaria dinheiro que não tenho por estes cachecóis.

Tarde demais, apercebo-me de que estou a remexer em coisas que devem ser do Leon — ainda por cima, coisas que guardou debaixo da cama, pelo que não deve querer que qualquer pessoa as veja. Demoro um ou dois segundos mais a apreciá-los antes de devolver o saco ao seu lugar, com o cuidado de o deixar como estava. Pergunto-me qual será o significado de todos aqueles cachecóis. Não se guardam tantos cachecóis feitos à mão sem motivo.

Ocorre-me que o Leon pode ser mesmo um tarado qualquer. Guardar cachecóis não é esquisito por si só, mas pode ser a ponta do icebergue. Para além disso, eram muitos — pelo menos dez. E se os tiver roubado? Merda. E se forem troféus das mulheres que assassinou?

Se calhar é um assassino em série. Um assassino em série invernal, que só ataca quando está tempo para usar cachecol.

Preciso de ligar a alguém. Estar sozinha com os cachecóis está a fazer-me sentir genuinamente assustada e, em resultado disso, um bocado tresloucada.

— O que se passa? — pergunta a Rachel ao atender.

— Estou com medo de que o Leon possa ser um assassino em série.

— Porquê? Ele tentou matar-te ou alguma coisa assim?

A Rachel parece um pouco distraída. Receio que ela não esteja a levar isto suficientemente a sério.

— Não, não, ainda não o conheci.

— Mas conheceste a namorada, não foi?

— Sim, porquê?

— Bem, achas que ela sabe?

— O quê?

— Dos homicídios.

— Hã. Não? Acho que não... — A Kay *de facto* parece muito normal.

— Ui, ela é uma rapariga muito distraída, então. Tu conseguiste divisar os sinais numa só noite sozinha no apartamento dele. Pensa em quanto tempo ela deve ter passado aí e visto os mesmos sinais, sem os seguir até à única conclusão lógica!

Segue-se uma pausa. O argumento da Rachel é enganosamente simples, mas muito bem transmitido.

— És uma excelente amiga — acabo por lhe dizer.

— Eu sei. Não tens de quê. Mas é melhor desligar, estou num encontro.

— Oh, meu Deus, desculpa.

— *Ná*, não te preocupes, ele não se importa, pois não, Reggie? Ele diz que não se importa.

Há um barulho abafado do outro lado. De repente, não consigo deixar de me perguntar se a Rachel terá o Reggie amarrado a alguma coisa.

— Deixo-te, então — digo. — Adoro-te.

— E eu adoro-te a ti, amor. Não, não é contigo, Reggie, está calado.

8

Leon

De faces encovadas e olhos cansados, deitada na cama, a Holly olha para mim. Parece mais pequena, em todas as dimensões — os pulsos, os tufos de cabelo novo que cresce na sua cabeça... tudo, à exceção dos olhos.

Esboça um sorriso fraco.

Holly: Estiveste cá no fim de semana passado.

Eu: Só de passagem. Precisaram da minha ajuda. Há pouco pessoal.

Holly: Foi por eu ter chamado por ti?

Eu: Claro que não. Sabes que és a paciente de que menos gosto.

Um sorriso maior.

Holly: Estavas a ter um bom fim de semana com a tua namorada de cabelo curto?

Eu: Sim, estava.

Faz um ar decididamente malandro. Não quero alimentar esperanças, mas está visivelmente melhor — aquele sorriso andava desaparecido no fim de semana passado.

Holly: E tiveste de a deixar por minha causa!

Eu: Falta de pessoal, Holly. Tive de a d... de vir trabalhar por haver falta de pessoal.

Holly: Aposto que ela ficou irritada por gostares mais de mim do que dela.

Socha, a médica assistente, espreita pela cortina para me chamar a atenção.

Socha: Leon.

Eu, para a Holly: Já volto, sua destruidora de lares.

Eu, para a Socha: Então?

Ela faz um grande e cansado sorriso.

Socha: Acabaram de chegar os resultados. Os antibióticos estão finalmente a surtir efeito. Acabei de falar ao telefone com o administrativo e ele disse que, como ela está a melhorar, não precisa de voltar para o hospital. A assistência social é da mesma opinião.

Eu: Os antibióticos estão a funcionar?

Socha: Pois. As contagens de glóbulos brancos e de proteína C-reativa já desceram, não teve mais febre, o lactato está a normalizar. Todos os sintomas observáveis estão estabilizados.

O alívio é imediato. Não há nada como a sensação de saber que alguém está a melhorar.

A boa disposição provocada pelos resultados das análises da Holly persiste no caminho até casa. Adolescentes a fumar numa esquina parecem absolutamente angelicais. Um homem malcheiroso que descalça as meias para coçar os pés só me inspira genuína compaixão. Até o verdadeiro inimigo do londrino, o turista que caminha lentamente, se limita a fazer-me sorrir com complacência.

Já estou a planear um excelente jantar às 9 da manhã quando entro no apartamento. A primeira coisa em que reparo é no cheiro. Cheira... feminino. Como a incenso picante e bancas de florista.

A seguir, reparo na quantidade de tralha que me encheu a sala de estar. Uma pilha enorme de livros encostada à mesa do pequeno-almoço. Uma almofada em forma de vaca em cima do sofá. Um candeeiro de lava — um candeeiro de lava! — na mesa de centro. Mas o que é isto? Será que a mulher de Essex vai fazer uma feira da ladra no nosso apartamento?

Ligeiramente aturdido, vou deixar as chaves no sítio do costume (quando não opto pelo fundo do cesto da roupa suja) e descubro que este foi ocupado por um mealheiro com a forma do cão *Bolinha*. Isto é inacreditável. É como um episódio terrível de Changing Rooms. O apartamento foi redecorado para ficar incomensuravelmente pior. Só posso concluir que o tenha feito de propósito — ninguém pode ter tamanha falta de gosto sem querer.

Dou a volta à cabeça para tentar lembrar-me do que a Kay me contou acerca desta mulher. É... editora? Parece uma profissão de pessoa razoável com gosto? Tenho praticamente a certeza de que a Kay não mencionou de todo que a mulher de Essex fosse uma colecionadora bizarra. Não obstante...

Afundo-me num pufe e assim fico durante algum tempo. Penso nas 350 libras que, de outra forma, não poderia entregar ao Sal este mês. Concluo que isto não é assim tão mau — o pufe até é excelente, por exemplo: tem um padrão de cornucópias e é impressionantemente confortável. E o candeeiro de lava tem o seu valor cómico. Quem é que tem um candeeiro de lava nos dias que correm?

Reparo nos meus lençóis pendurados no estendal ao canto da sala — ela lavou-os. O que é irritante, tendo em conta que me esforcei muito para os lavar e cheguei tarde ao meu turno por causa disso. Mas tenho de me lembrar que a mulher chata de Essex não me conhece. Não tinha como saber que eu obviamente lavaria os lençóis antes de convidar uma desconhecida a dormir neles.

Ei. Como será que está o quarto?

Aventuro-me, intrépido. Solto um uivo estrangulado. Parece que alguém vomitou arco-íris e sóis caribenhos aqui, cobrindo todas as superfícies de cores que, na natureza, nunca se juntam. Uma manta horrorosa e comida por traças em cima da cama. Uma enorme máquina de costura bege a ocupar a maior parte da secretária. E roupas... roupas por *todo o lado.*

Esta mulher tem mais roupa do que uma loja de tamanho decente armazenaria. Claramente não lhe chegou a metade do roupeiro que eu lhe tinha deixado livre, pelo que pendurou vestidos na parte de trás da porta, ao longo da parede — fazendo uso de uma moldura velha, o que na verdade me parece bastante criativo —, e por cima do espaldar de um cadeirão que se tornou quase invisível por baixo da janela.

Durante aproximadamente três segundos, pondero ligar-lhe e *estabelecer limites,* antes de chegar à conclusão inevitável de que isso seria desagradável e de que, daqui a uns dias, já não me importarei nem reepararei nestas mudanças. Ainda assim, neste momento, a minha opinião da mulher de Essex alcançou um ponto ainda mais baixo. Estou a preparar-me para voltar para aquele pufe muito convidativo quando reparo, a espreitar por baixo da cama, no saco de plástico cheio de cachecóis que o Sr. Prior me tricotou.

Tinha-me esquecido deles. A mulher de Essex vai achar-me esquisito se encontrar um saco com 14 cachecóis tricotados escondidos debaixo da cama. Há séculos que queria levá-los à loja solidária, mas é claro que a mulher de Essex não poderá sabê-lo. Ainda nem a conheci; não quero que julgue que sou, bem... um colecionador de cachecóis ou algo assim.

Agarro em papel e caneta e rabisco PARA A LOJA SOLIDÁRIA numa nota *Post-it*, que colo com fita-cola ao saco. Pronto. Só para me lembrar, não vá esquecer-me.

Agora para o pufe para jantar e depois cama. Estou tão cansado, que até a horrível manta tingida começa a parecer-me convidativa.

9

TIFFY

Pronto, aqui estou. Na doca gelada. A usar «roupa neutra com que eu possa trabalhar», segundo a Katherin, que me sorri animadamente, com o vento a agitar-lhe o cabelo louro platinado contra o rosto enquanto esperamos que o cruzeiro baixe a rampa, ou vire três velas para o vento, ou faça lá o que for preciso que estes navios façam para que as pessoas possam embarcar.

— Tem as proporções perfeitas para este tipo de coisa — diz-me a Katherin. — É a minha modelo preferida, Tiffy. A sério. Isto vai ser a loucura.

Arqueio uma sobrancelha, a olhar para o mar. Não vejo uma vasta seleção de outras modelos que a Katherin possa escolher. Para além disso, ao longo dos anos, fui-me fartando de que me elogiem as «proporções». O que se passa é que sou como o apartamento da Gerty e do Mo, mas ao contrário — uns 20 por cento maior, em todas as direções, do que a mulher média. A minha mãe gosta de declarar que tenho «ossos grandes» porque o meu pai foi lenhador quando era novo (terá sido? Eu sei que é velho, mas os lenhadores não existiam apenas nos contos de fadas?). Mal posso entrar numa sala sem que alguém me dê a informação extremamente útil de que sou muito alta para uma mulher.

Às vezes isso incomoda as pessoas, como se estivesse a fazer de propósito para ocupar mais espaço do que me é permitido, e noutras alturas intimida-as, sobretudo quando estão habituadas a olhar de cima para as mulheres com quem falam, mas, na maior parte das vezes, leva-as só a elogiar muito as minhas «proporções». Acho que o que querem mesmo dizer é: «Caramba, és grande, mas sem seres particularmente gorda!», ou: «Que bom seres alta sem seres magricela!», ou talvez: «Confundes as minhas normas de género tendo uma forma muito feminina apesar de teres a altura e a largura de um homem médio!»

— A Tiffy é o tipo de mulher de quem os soviéticos gostavam — continua a Katherin, ignorando a minha sobrancelha arqueada. — Sabe, nos cartazes que tinham com as mulheres a trabalharem a terra enquanto os homens estavam ausentes em combate, esse tipo de coisa.

— Usavam muito croché, era, as soviéticas? — pergunto com bastante azedume.

Está a chuviscar e o mar parece muito diferente visto de uma doca azafamada como esta — é muito menos glamoroso do que quando estamos na praia. É basicamente um grande banho frio e salgado, na verdade. Pergunto-me quão quente estará agora a diretora de direitos internacionais, na sua reunião sobre o alcance internacional dos nossos títulos para a primavera.

— Possivelmente, possivelmente — pondera a Katherin. — Bem pensado, Tiffy! O que lhe parece: um capítulo sobre a história do croché no próximo livro?

— Não — digo-lhe com firmeza. — Isso não vai ser popular entre o seu público.

É preciso cortar as ideias pela raiz com a Katherin. E não há dúvida de que tenho razão em relação a isto. Ninguém quer saber de história — só querem uma ideia para uma nova peça de croché que possam dar ao neto para que ele a babe.

— Mas...

— Estou só a transmitir-lhe a brutalidade do mercado, Katherin — atalho. É uma das minhas frases preferidas. O bom e velho mercado, sempre a postos para acartar a culpa. — As pessoas não querem história nos seus livros de croché. Querem imagens giras e instruções fáceis.

Depois de os nossos documentos serem verificados, entramos na fila para embarcar. Não dá para perceber ao certo onde é que a doca termina e o barco começa — é apenas como entrar num edifício e ficar com uma ligeira tontura, como se o chão se movesse um pouco debaixo dos nossos pés. Pensei que poderia haver umas boas-vindas diferentes e mais excitantes por sermos convidadas especiais, mas limitamo-nos a avançar aos tropeções com o resto da ralé. Composta óbvia e inteiramente por gente pelo menos 20 vezes mais rica do que eu, e muito mais bem-vestida.

Na verdade, é bastante pequeno para um navio-cruzeiro — só do tamanho de Portsmouth, por exemplo, e não de Londres. Enfiam-nos educadamente num canto da «área de entretenimento», onde devemos esperar pelo nosso sinal. A apresentação está marcada para depois do almoço dos convidados.

Ninguém *nos* traz almoço. A Katherin, claro está, trouxe as suas próprias sanduíches. São de sardinha. Oferece-me alegremente metade, o que é muito querido da sua parte, e, por fim, o meu estômago começa a fazer tanto barulho que reconheço a derrota e aceito uma. Estou nervosa. A última vez que estive num cruzeiro foi a viajar pelas ilhas gregas com o Justin, e estava absolutamente radiante de amor e hormonas pós-coitais. Agora, encolhida num canto com três sacos do Aldi cheios de agulhas de tricô e de croché e lã, acompanhada por uma ex-*hippie* e uma sanduíche de sardinha, torna-se impossível negar que a minha vida mudou para pior.

— Então, qual é o plano? — pergunto à Katherin, a mordiscar a côdea da sanduíche, que não cheira tanto a peixe. — O que preciso de fazer?

— Primeiro vou demonstrar como tirar medidas, usando-a como modelo — diz ela. — Depois vou apresentar os pontos básicos para principiantes e em seguida vou usar os pedacinhos que preparei antes para lhes mostrar os truques para se conseguir uma peça de roupa completamente à medida! E, claro, vou mostrar-lhes as minhas cinco dicas principais para ir medindo enquanto se avança.

«Medindo enquanto se avança» é uma das frases feitas da Katherin. Ainda estamos à espera de que se torne popular.

Por fim, quando chega a altura de começarmos, reunimos uma assistência bastante numerosa. A Katherin sabe como fazer isso — provavelmente praticou em comícios e assim, em tempos que já lá vão. É sobretudo uma assistência de senhoras de idade com os seus maridos, mas há algumas mulheres mais jovens, na casa dos 20 e dos 30, e até um par de homens. Sinto-me bastante encorajada. Talvez a Katherin tenha razão e o croché esteja a ficar na moda.

— Um grande aplauso para a minha glamorosa assistente! — diz ela, como se fôssemos apresentar um espetáculo de magia. Na verdade, o mágico no outro canto da área de entretenimento está com um ar um bocado chateado.

Todos me aplaudem obedientemente. Tento fazer cara alegre e de adepta do croché, mas continuo gelada e sinto-me tristonha nas minhas roupas neutras — calças de ganga brancas, t-shirt cinza-claro e um encantador casaco de lã rosa, que pensava que tinha vendido no ano passado mas que redescobri no meu armário hoje de manhã. É o único elemento colorido que trago vestido e percebo que a Katherin está prestes a dizer-me para...

— Tirar o casaco! — diz ela, já a despir-me. Isto é tão pouco dignificante. E frio. — Estão todos a prestar muita atenção? Guardem os telemóveis, por favor! Passámos bem sem ver o *Facebook* a cada cinco minutos durante a Guerra Fria, não passámos? Hum? Isso mesmo, um pouco de perspetiva para todos! Guardem os telefones, pronto!

Tento não me rir. É mesmo típico da Katherin — diz sempre que mencionar a Guerra Fria sobressalta as pessoas a ponto de as submeter.

Começa a medir-me — pescoço, ombros, busto, cintura, ancas — e ocorre-me que as minhas medidas estão a ser proclamadas diante de um grupo bastante grande, o que me dá ainda mais vontade de rir. É o clássico, não é? Não podemos rir e de repente é o que mais queremos fazer.

A Katherin lança-me um olhar de aviso enquanto me mede as ancas, tagarelando sobre fazer pregas para criar «espaço suficiente para as nádegas», e de certeza que sente como o meu corpo está a começar a tremer com o riso suprimido. Sei que preciso de ser profissional. Sei que não posso simplesmente desatar às gargalhadas agora — isso iria tirar-lhe toda a autoridade. Mas... Que figura a minha. Aquela velhota ali acabou de tomar nota da medida da parte interna da minha coxa. E aquele tipo ali ao fundo parece...

Aquele tipo ali ao fundo... Aquele...

É o Justin.

Ele afasta-se assim que eu percebo que é ele, misturando-se entre a multidão. Mas primeiro, antes de ir, corresponde-me ao olhar. Arrepia-me completamente, porque não é um simples contacto visual. É um tipo muito distinto de contacto visual. Do género que se troca no momento imediatamente antes de se atirar uma nota de 20 para cima da mesa e sair do pub para ir na marmelada no táxi até casa, ou no momento em que se pousa o copo de vinho e se decide subir para o quarto.

É contacto visual de *sexo*. Os seus olhos dizem: *Estou a despir-te mentalmente*. O homem que me deixou há meses, que não me atende os telefonemas desde então, cuja noiva deve estar neste mesmo cruzeiro com ele... Está a lançar-me aquele olhar. E, nesse momento, sinto-me mais exposta do que qualquer número de senhoras idosas com blocos de notas poderia fazer-me sentir. Sinto-me completamente nua.

10

Leon

Eu: Podiam ter-se encontrado outra vez. O amor arranja maneira, Sr. Prior! O amor arranja maneira!

O Sr. Prior não se convence.

Sr. Prior: Sem ofensa, rapaz, mas não estava lá... não era assim que funcionava. É claro que houve algumas histórias encantadoras, jovens que julgavam que os seus apaixonados tinham morrido havia muito e depois chegavam a casa e se deparavam com eles a avançar pelo caminho, fardados e frescos que nem alfaces... Mas, por cada uma dessas, houve centenas de histórias de amantes que nunca regressaram. O Johnny deve ter morrido e, se não morreu, há muito se terá esquecido de mim e casado com algum cavalheiro ou com alguma senhora.

Eu: Mas disse que ele não constava dessa lista.

Estou a apontar para a lista de mortos de guerra que imprimi, sem saber ao certo porque insisto tanto. O Sr. Prior não me pediu que encontrasse o Johnny; estava só a suspirar. A recordar.

Mas eu vejo muitos idosos aqui. Estou habituado às recordações. Estou habituado aos suspiros. Isto pareceu-me diferente. Achei que isto era um assunto inacabado para o Sr. Prior.

Sr. Prior: Não me parece, não. Mas eu sou um velho esquecido, e o seu sistema informático é uma coisa muito recente, por isso qualquer um de nós pode estar enganado, não é assim?

Dirige-me um sorriso gentil, como se eu estivesse a fazer isto por mim, não por ele. Observo-o com mais atenção. Penso em todas as noites em que cheguei pronto para lhe falar de visitas de outros pacientes e o vi sossegado a um canto, mãos no colo, rosto aprumado em rugas controladas, como se estivesse a esforçar-se muito por não parecer triste.

Eu: Faça-me a vontade. Conte-me os factos. Batalhão? Lugar de nascimento? Caraterísticas distintivas? Membros da família?

Os olhos pequenos como contas do Sr. Prior fitam-me. Encolhe os ombros. Sorri. Isso vinca-lhe o rosto encarquilhado e manchado pela idade, movendo-lhe as linhas de bronzeado que parecem tinta no seu pescoço, ali deixadas por décadas de colarinhos de camisa precisamente da mesma largura.

Ele abana ligeiramente a cabeça, como se um dia fosse contar a alguém como são doidos estes enfermeiros modernos, mas, não obstante, começa a falar.

Quinta-feira de manhã. Telefono à minha mãe para uma conversa curta e difícil no autocarro.

Mãe, ensonada: Há novidades?

Há meses que é esta a saudação do costume.

Eu: Lamento, mãe.

Mãe: Ligo ao Sal?

Eu: Não, não. Estou a tratar disso.

Um silêncio longo e miserável, no qual nos demoramos. Depois:

Mãe, a custo: Desculpa, querido, como estás?

Volto a casa para encontrar a agradável surpresa de um bolo caseiro no aparador. Está recheado de sementes e fruta seca coloridas, como se a mulher de Essex não resistisse a misturar cores que chocam até na comida, mas isto parece menos problemático quando vejo a nota ao lado do prato de bolo.

Serve-te à vontade! Espero que tenhas tido um bom ~~dia~~ noite.
Bjs,
Tiffy

Mas que excelente desenvolvimento. Serei definitivamente capaz de suportar níveis elevados de tralha e candeeiros estrambólicos por 350 libras por mês *e* comida gratuita. Sirvo-me de uma fatia grande e instalo-me para escrever ao Richie, pondo-o a par do estado da Holly. Nas cartas que lhe escrevo, ela é a «Menina *Inguénua*», e uma espécie de caricatura de si mesma — mais arguta, mais respondona, mais engraçada. Sirvo-me de mais bolo sem olhar, enquanto encho a segunda página com descrições de alguns dos pertences da estranha mulher de Essex, alguns dos quais tão ridículos, que acho que o Richie não vai acreditar em mim. Um ferro com a forma do Homem de Ferro. Uns sapatos de palhaço genuínos, pendurados na parede como se fossem uma obra de arte. Botas de vaqueiro com esporas, que só posso concluir que usará com regularidade, vendo como estão gastas.

Distraidamente, enquanto ponho o selo na carta, reparo que comi quatro fatias de bolo. Espero que ela estivesse mesmo a falar a sério quando disse «serve-te à vontade». Com a esferográfica ainda na mão, rabisco no verso da nota dela:

Obrigado. Estava tão delicioso, que sem dar conta o comi quase todo.

Faço uma pausa antes de terminar a nota. Sinto que tenho de a compensar com alguma coisa. Já quase não há bolo no prato.

Obrigado. Estava tão delicioso, que sem dar conta o comi quase todo. Há strogonoff de cogumelos no frigorífico, se precisares de jantar (tendo em conta que já quase não há bolo).
Leon

Agora é melhor ir fazer um strogonoff de cogumelos.

Essa não foi a única nota que encontrei hoje de manhã. Também estava esta na casa de banho:

Olá, Leon,
Importas-te de deixar a tampa da sanita em baixo, por favor?

Infelizmente não consegui escrever esta nota de uma forma que não parecesse passivo-agressiva — na verdade, é um problema das notas, pega-se numa caneta e numa nota Post-it *e transformamo-nos logo nuns cretinos —, por isso vou só dar-lhe estilo e pronto. Sou capaz de encher isto com algumas carinhas sorridentes para transmitir realmente a ideia.*

Bjs,

Tiffy

Há carinhas sorridentes no fundo da nota.

Resfolego a rir. Uma das carinhas tem corpo e está a urinar na direção do canto da nota *Post-it*. Não esperava isto. Não sei porquê — não conheço esta mulher —, mas não tinha imaginado que tivesse grande sentido de humor. Talvez porque todos os livros que empilhou na sala são de faça-você-mesmo.

11

Tiffy

— Isso é ridículo.

— Eu sei — respondo.

— Foi só *isso?* — grita a Rachel. Estremeço. Na noite passada, bebi uma garrafa de vinho, fiz um bolo para controlar o pânico e praticamente não dormi; estou um bocado frágil para aguentar que me gritem.

Estamos no «espaço criativo» do trabalho — é como as outras duas salas de conferências, só que, irritantemente, não tem uma porta a sério (para transmitir uma noção de abertura) e há quadros brancos nas paredes. Alguém os usou uma vez, e agora as notas dessa sessão criativa estão incrustadas em marcador seco, completamente incompreensíveis. A Rachel imprimiu as páginas sobre as quais nos reunimos e espalhou-as sobre a mesa entre nós. É o maldito livro de cozinha com rimas, e dá mesmo para ver que eu estava ressacada e com pressa quando fiz a primeira revisão.

— Estás a dizer-me que vês o Justin, o teu ex-namorado, num *cruzeiro* e depois ele lança-te um olhar de *quero foder-te* e tu continuas simplesmente o que estavas a fazer e *não voltas a vê-lo?*

— Eu sei — torno a dizer, absolutamente miserável.

— Ridículo! Porque é que não foste à procura dele?

— Estava ocupada com a Katherin! Que, a propósito, me me lesionou a sério — informo, afastando o poncho para lhe mostrar a marca vermelha no braço, onde basicamente a Katherin me espetou uma agulha a meio da apresentação.

A Rachel observa-a sem grande atenção.

— Espero que a tenhas obrigado a antecipar a entrega do manuscrito uma semana por causa disso. Tens a certeza de que era o Justin e não um rapaz caucasiano qualquer de cabelo castanho? Quero dizer, suponho que um cruzeiro esteja...

— Rachel! Eu não ia confundir o Justin.

— Pois, bem — diz ela, lançando os braços no ar, fazendo deslizar algumas páginas pela mesa. — Não acredito nisto. É *tão* anticlimático. Achei mesmo que a tua história ia acabar com sexo num camarote! Ou no convés! Ou, ou, ou no meio do oceano, num salva-vidas!

O que aconteceu, na verdade, foi que passei o resto da sessão num suspense paralisante e em pânico, desesperadamente a tentar dar a impressão de estar a ouvir as instruções da Katherin — «Braços para cima, Tiffy!», «Cuidado com o cabelo, Tiffy!» — e a manter o olhar fixo nas últimas filas da assistência. Comecei mesmo a perguntar-me se não o teria imaginado. Mas qual era a probabilidade de o encontrar ali? Quero dizer, eu sei que o homem gosta de cruzeiros, mas este é um país muito grande. Há muitos cruzeiros a passar à sua volta.

— Explica-me outra vez — diz a Rachel —, como é que foi o olhar.

— Ai, não dá para explicar — respondo-lhe, deitando a testa nas páginas à minha frente. — É só que... conheço aquele olhar de quando estávamos juntos. — O meu estômago revira-se. — Foi *tão* inapropriado. Quero dizer... meu Deus... a namorada dele... quero dizer... a noiva...

— Ele viu-te do outro lado de uma sala cheia de gente, parcialmente despida, gloriosa como tu és e a gozares a vida com uma autora excêntrica de meia-idade... e lembrou-se de como gostava de ir para a cama contigo — conclui a Rachel. — Foi isso que aconteceu.

— Isso não...

Mas o que *foi* que aconteceu? Qualquer coisa, sem dúvida. Aquele olhar foi alguma coisa. Sinto uma pequena agitação de ansiedade na base das costelas. Mesmo depois de uma noite inteira a pensar nisto, continuo a não saber ao certo o que sinto. Num minuto, o Justin ter aparecido no cruzeiro e ter olhado assim para mim parece-me o momento mais romântico possível criado pelo destino; e no seguinte dou por mim com tremores e náuseas. Fiz a viagem toda de regresso das docas a tremer, também — há bastante tempo que não saía sozinha de

Londres para ir a algum sítio que não a casa dos meus pais. O Justin tinha razão quanto a eu acabar sempre no comboio errado, e como era querido, acompanhava-me nas viagens, não fosse o diabo tecê-las. Enquanto esperava sozinha na escuridão da estação de Southampton, tive a certeza absoluta de que ia acabar por apanhar um comboio até às Ilhas Ocidentais ou qualquer coisa assim.

Levo a mão ao telemóvel — esta «reunião» com a Rachel só devia demorar meia hora, segundo a agenda, e depois preciso mesmo de rever os três primeiros capítulos da Katherin.

Tenho uma mensagem nova.

Foi tão bom ver-te ontem. Estava lá em trabalho e quando vi «Katherin Rosen e assistente» no programa, pensei: Ei, só pode ser a Tiffy.

Só tu poderias rir-te assim enquanto alguém te tirava as medidas — a maioria das raparigas detestaria. Mas suponho que seja isso que te torna especial.

Bjs,

J

De mãos a tremer, viro o telemóvel para o mostrar à Rachel. Ela arqueja e leva as mãos à boca.

— Ele adora-te! Esse homem ainda está apaixonado por ti!

— Calma lá, Rachel — digo-lhe, embora o meu coração esteja a tentar fugir pela minha boca. Sinto que estou a sufocar e a respirar demasiado em simultâneo.

— Podes responder-lhe que comentários como esse são o motivo para as mulheres se preocuparem tanto com as medidas? E que, ao declarar que «a maioria das raparigas detestaria», está a perpetuar o problema feminino com a imagem corporal e a pôr as mulheres umas contra as outras, o que é um dos maiores problemas que o feminismo enfrenta ainda hoje?

Semicerro-lhe os olhos e ela brinda-me com um grande sorriso.

— Também podes só dizer: «Obrigada, anda lá a casa e mostra-me como sou especial a noite inteira.»

— Ai! Não sei porque falo contigo.

— É comigo ou com o Martin — replica ela, agrupando as páginas. — Vou inserir estas emendas no texto. E tu vai recuperar o teu homem, sim?

— Não, Tiffany — diz a Gerty de imediato. — *Não* lhe escrevas isso. Ele é a escória da terra que te tratou como merda, que tentou isolar-te dos teus amigos, e que quase de certeza te meteu os cornos. Ele não merece uma mensagem tão simpática.

Segue-se uma pausa.

— O que te fez querer responder com essa mensagem, Tiffy? — pergunta o Mo, como se fosse o intérprete da Gerty.

— Eu só... queria falar com ele — digo numa voz sumida. O cansaço está a começar a consumir-me; estou aninhada no meu pufe com um chocolate quente, e o Mo e a Gerty estão a fitar-me do sofá, com a preocupação estampada nas suas caras (na verdade, a Gerty parece apenas zangada).

A Gerty relê o meu rascunho de mensagem:

— *Olá, Justin. Que bom ter notícias tuas. Só tenho pena de não termos conseguido pôr a conversa em dia, apesar de estarmos no mesmo cruzeiro!* E depois ainda mandas beijos.

— Ele também mandou — respondo, um pouco à defesa.

— Os beijos são a última coisa na minha lista de coisas a mudar nesta mensagem — diz a Gerty.

— Tens a certeza de que queres mesmo retomar o contacto com o Justin, Tiffy? Pareces muito melhor desde que saíste do apartamento dele — comenta o Mo. — Pergunto-me se isto não será mais do que uma coincidência. — Suspira quando eu não digo nada. — Eu sei que tens dificuldade em pensar mal dele, Tiffy, mas independentemente do perdão que lhe tenhas dado para tudo o resto, nem tu podes ignorar o facto de ele te ter abandonado por outra mulher.

Encolho-me.

— Desculpa. Mas foi o que ele fez e, mesmo que a tenha deixado, coisa de que não temos o menor indício, não deixou de ter ido embora com ela. Não podes arranjar pretextos, nem convencer-te de que o imaginaste, porque conheceste a Patricia. Volta a ver aquela mensagem que ele te mandou pelo *Facebook*. Lembra-te de como te sentiste quando ele apareceu com ela no apartamento.

Ai! Porque é que as pessoas não param de dizer coisas que não quero ouvir? Sinto a falta da Rachel.

— O que achas que ele está a *fazer*, Tiffy? — pergunta-me o Mo. De repente ficou tão insistente, que me faz contorcer.

— A ser amigável. A tentar voltar a entrar em contacto.

— Ele não pediu para se encontrarem — realça o Mo.

— E o olhar que te lançou foi mais do que amigável, pela maneira como o descreveste — diz a Gerty.

— Eu...

Isso é verdade. Não foi um olhar de *Ei, tens-me feito tanta falta, quem me dera que pudéssemos voltar a conversar.* Mas foi... qualquer coisa. É verdade que não posso ignorar a noiva, mas também não posso ignorar aquele olhar. O que terá significado? Se ele quisesse... se ele quisesse voltar...

— Aceitavas? — pergunta a Gerty.

— Aceitava o quê? — pergunto, para ganhar tempo.

Ela não responde. Topa-me o jogo.

Penso em como tenho andado infelicíssima nos últimos meses, como foi triste despedir-me da casa que partilhávamos. Na quantidade de vezes que procurei a Patricia no *Facebook* e chorei no teclado do meu portátil até ficar um bocado preocupada com a possibilidade de ser eletrocutada.

Era uma sorte tão grande tê-lo. O Justin era sempre tão... divertido. Tudo era um turbilhão; voávamos de país para país, experimentávamos tudo, ficávamos acordados até às 4 horas da manhã e subíamos ao telhado para vermos o nascer do sol. Sim, discutíamos muito, e eu cometi muitos erros nessa relação, mas acima de tudo sentia-me uma felizarda por estar com ele. Sem ele sinto-me... perdida.

— Não sei — digo. — Mas uma grande parte de mim quer.

— Não te preocupes — diz a Gerty, levantando-se e dando-me uma palmadinha na cabeça —, não vamos deixar que o faças.

12

Leon

Olá, Leon,

Pronto, admito — a verdade é que faço bolos quando entro em pânico. Quando fico triste ou as coisas se tornam difíceis, fazer bolos é o meu escape. E que mal tem isso? Transformo a minha negatividade em coisas deliciosas e calóricas. Desde que não detetes indícios de tristeza na massa do bolo, acho que nem sequer deves estar a perguntar-te porque terei feito bolos todas as noites desta semana.

Bem, na verdade, é porque o meu ex-namorado apareceu no meu cruzeiro e despiu-me com os olhos e depois pôs-se a andar. Por isso agora ando feita num oito. Ele mandou-me uma mensagem muito querida a dizer que eu era especial, mas não lhe respondi. Tive vontade, mas os meus amigos dissuadiram-me. Eles são irritantes e costumam ter razão acerca das coisas.*

Seja como for, é por isso que tens tido tanto bolo.

Bjs,

Tiffy

** O cruzeiro não é meu. Sem ofensa, mas não estaria a partilhar um quarto contigo se fosse o tipo de pessoa que tem o seu próprio cruzeiro. Viveria num castelo escocês com torreões tecnicolor.*

Olá, Tiffy,

Lamento saber do teu ex. Pelas reações dos teus amigos, suponho que não julguem que ele seja bom para ti — é isso que achas?

Eu sou da Equipa Ex, se isso quer dizer bolo.

Leon

Olá, Leon,

Não sei — não tenho realmente pensado nisso nesses termos. A minha reação impulsiva é que sim, ele é bom para mim. Mas depois... não sei. Tínhamos muitos altos e baixos, éramos um desses casais de que toda a gente está sempre a falar (já tínhamos acabado e voltado a andar algumas vezes). É fácil recordar os momentos felizes — e houve uma data deles, e foram espetaculares —, mas acho que, desde que acabámos, só me tenho lembrado desses. Por isso, sei que estar com ele era divertido. Mas era bom para mim? Ai, não sei.

Por isso a sanduíche com compota caseira.

Bjs,

Tiffy

Colado a um grande livro encadernado com argolas, intitulado *Feito: A Minha Viagem Incrível de Pedreiro até Designer de Interiores de Luxo:*

Vou ser honesto — tirei este livro da mesa porque me pareceu que seria uma treta hilariante. Não consegui parar de o ler. Só dormi depois do meio-dia. Este homem é o teu ex? Se não, posso casar com ele?

Leon

Olá, Leon,

Fico muito contente por teres gostado do livro! O meu lindo construtor-transformado-em-designer-de-luxo não é o meu ex, e sim, é bem mais provável que queira casar contigo do que comigo. Mas suponho que a Kay teria algo a dizer acerca do assunto.

Bjs,

Tiffy

A Kay diz que não posso casar com o lindo construtor-transformado-em-designer. Que pena. Ela diz olá.

Foi bom vê-la ontem! Ela diz que ando a engordar-te com tanto bolo. Obrigou-me a prometer que doravante canalizava o meu torvelinho emocional para opções mais saudáveis, por isso fiz brownies *de alfarroba e tâmaras. Desculpa, ficaram mesmo horrorosos.*

Vou passar esta nota Post-it *para o* Monte dos Vendavais *porque preciso de levar o* Feito *de volta para o trabalho!*

Bjs

No armário por cima do caixote da cozinha:

Em que dia é que mandamos o lixo fora?

Leon

Isso é uma piada? Eu só moro aqui há cinco semanas! Tu moras aqui há anos! Como é que podes perguntar-me em que dia é que mandamos o lixo fora?!

... mas sim, era ontem, e esquecemo-nos.

Bjs

Oh, bem me parecia... Nunca me lembro se é à terça ou à quinta. Tenho dificuldade com dias a meio da semana.

Houve notícias do ex? Deixaste de fazer bolos. Não faz mal, o que congelámos vai durar-me algum tempo, mas fico à espera de que tenhas outra crise existencial, vá, lá para meados de maio.

Leon

Olá,

Silêncio absoluto. Nem sequer tem atualizado o Twitter *ou o* Facebook, *por isso não posso segui-lo por aí — portanto ainda deve estar com a noiva (quero dizer, porque não haveria de estar, tudo o que fez foi lançar-me um olhar um bocado esquisito) e eu provavelmente interpretei mal o momento que tivemos no cruzeiro, e ele provavelmente é um ser humano desprezível, como a minha amiga*

Gerty diz. Seja como for, paguei-lhe todo o dinheiro que lhe devia. Agora, em vez disso, devo uma quantia assustadora ao banco.

Obrigada pelo risotto, *estava delicioso — cozinhas mesmo bem para alguém que só come as refeições a horas trocadas!*

Bjs,

Tiffy

Ao lado de um prato com bolo:

Jesus. Não sabia da noiva. Nem do dinheiro.

O bolo de caramelo quer dizer que tiveste notícias?

Ao lado do prato de bolo, agora com migalhas:

Nada. Nem sequer me enviou uma mensagem a dizer que recebeu o pagamento. Isto é uma tragédia total, mas ontem dei por mim a desejar ter apenas continuado a pagar-lhe algumas centenas de libras por mês — assim, de certa forma, continuaríamos em contacto. E eu não teria a minha conta tão a descoberto.

Seja como for, em resumo, não me disse nada desde a mensagem a seguir ao cruzeiro. É oficial: sou uma idiota.

Bjs

Oh — o amor transforma-nos a todos em idiotas. Quando conheci a Kay, disse-lhe que era músico de jazz *(saxofone). Achei que ela ia gostar.*

Deixei-te chili no fogão.

Bjs,

Leon

Abril

13

Tiffy

— Acho que estou com palpitações.

— Ninguém tem palpitações desde que os tempos da outra senhora acabaram — informa-me a Rachel, tomando um trago inaceitavelmente grande do *latte* que o diretor editorial me trouxe (de vez em quando sente remorsos por a Butterfingers Press não me pagar o suficiente e esbanja 2,20 libras num café para aplacar a consciência).

— Este livro. Está. A matar-me — digo.

— A gordura saturada no teu almoço é que está a matar-te. — A Rachel pica o bolo de banana que estou a devorar. — Os teus bolos estão cada vez piores. Ou seja, melhores, obviamente. Porque é que não estás mais gorda?

— Estou, só que sou maior do que tu, por isso não notas tanto a diferença. Armazeno o peso dos bolos em sítios onde não se dá por isso. Como nos braços, por exemplo. Ou nas bochechas. Estou mais bochechuda, não achas?

— Revê, mulher! — exclama a Rachel, espalmando a mão nas páginas entre nós. As nossas reuniões semanais para tratarmos do livro da Katherin depressa se tornaram reuniões diárias quando entrámos em março; agora, perante a noção aterradora de que estamos em *abril* e de que a data de envio para a gráfica está apenas a dois meses de distância, tornaram-se reuniões e almoços diários. — E quando é que me arranjas as fotos dos gorros e dos cachecóis? — acrescenta.

Oh, meu Deus. Os gorros e os cachecóis. Acordo a meio da noite a pensar em gorros e cachecóis. Não há nenhuma agência que tenha disponibilidade para os fazer com tão pouca antecedência, e a Katherin *realmente* não tem tempo. Pelo contrato, não tem de ser ela a criar todas as amostras — um erro que nunca mais voltarei a cometer na fase das negociações —, pelo que não tenho munições para a obrigar. Até já tentei implorar, mas ela disse-me, não sem delicadeza, que estava a rebaixar-me.

Olho tristemente para o bolo de banana.

— Não há solução — digo. — O fim aproxima-se. O livro vai para a gráfica sem imagens no capítulo dos gorros e cachecóis.

— Não vai, não, raios — riposta a Rachel. — Para começar, não tens palavras que cheguem para encher o espaço. Revê! E depois pensa em alguma coisa! E depressa!

Ai! Porque é que gosto dela, mesmo?

Assim que chego a casa, ligo a chaleira — é uma daquelas tardes que pedem mesmo uma chávena de chá. Está uma velha nota do Leon colada à parte de baixo da chaleira. Metem-se em todo o lado, estas notas *Post-it*.

A caneca do Leon ainda está ao lado do lava-loiça, com café com leite até meio. Bebe-o sempre assim, da mesma caneca branca rachada, com um coelho de uns desenhos animados. Todas as noites, aquela caneca está deste lado do lava-loiça, metade por beber, o que suponho que queira dizer que ele estava apertado de tempo, ou lavada e no escorredor, o que presumo que queira dizer que conseguiu acordar com o despertador.

O apartamento agora está bastante acolhedor. Tive de deixar que o Leon recuperasse algum do espaço da sala — a dada altura no mês passado, pegou em metade das minhas almofadas e deixou-as amontoadas à entrada com uma nota que dizia: «Estou Finalmente a Fazer Finca-Pé (desculpa)» —; mas era capaz de ter razão, se calhar eram demasiadas. Estava a tornar-se bastante difícil sentarmo-nos no sofá.

A cama ainda é a coisa mais estranha desta história toda de partilharmos o apartamento. Durante o primeiro mês, mais ou menos, fazia a cama com os meus lençóis e tirava-os de novo todas as manhãs, para depois de deitar mesmo à beirinha, do meu lado esquerdo, com a almofada bem afastada da dele. Mas agora já nem me dou ao trabalho de alternar os lençóis — só me deito do meu lado, seja como for. É tudo bastante normal. É verdade que ainda não conheci realmente o meu companheiro de casa, o que reconheço que pode ser um bocado esquisito, mas começámos a deixar notas um ao outro com cada vez mais frequência — às vezes até me esqueço de que não tivemos estas conversas pessoalmente.

Largo a mala e deixo-me cair no pufe enquanto o chá ferve. Se for honesta comigo mesma, reconhecerei que estou à espera. Estou à espera há meses, desde que vi o Justin.

De certeza que ele vai entrar em contacto comigo. OK, nunca lhe respondi à mensagem — uma coisa pela qual, de vez em quando, me sinto ressentida com a Gerty e o Mo, por não mo terem deixado fazer —, mas ele olhou-me daquela maneira no cruzeiro. É óbvio que agora já se passou tanto tempo que quase me esqueci por completo do olhar propriamente dito. Neste momento, é apenas uma compilação de expressões diferentes de que me lembro na cara do Justin (ou, o que talvez seja mais realista, me lembro de todas as suas fotografias do *Facebook*)... mas, ainda assim... Na altura pareceu-me muito... OK, ainda não sei o que me pareceu. Muito *qualquer coisa.*

À medida que o tempo passa dou por mim a pensar em quão *estranho* foi o Justin estar naquele cruzeiro no dia em que eu e a Katherin íamos apresentar o seu *Como Fazer as Suas Próprias Roupas de Croché no Minuto.* Por mais que a ideia me agrade, não pode ter ido de propósito para me ver — mudaram-nos a data à última da hora, pelo que ele não saberia que eu ia lá estar. Para além disso, a sua mensagem dizia que ele estava lá em trabalho, o que é perfeitamente plausível — ele trabalha para uma empresa de entretenimento que arranja muitos dos espetáculos para coisas como cruzeiros e visitas guiadas em Londres. (Nunca soube muitos pormenores, para ser franca. Aquilo parecia-me tudo muito logístico e stressante.)

Por isso, se não foi de propósito, não é um pouco como se fosse o destino a intervir?

Agarro no chá e entro no quarto, agastada. Nem sequer *quero* voltar a andar com o Justin, pois não? Nunca tínhamos passado tanto tempo separados, e esta vez parece de facto diferente das outras. Talvez por ele me ter deixado por uma mulher e se ter apressado a pedi-la em casamento. É capaz de ser por isso.

Na verdade, nem sequer devia importar-me que ele entre ou não em contacto comigo. O que é que isso quererá dizer acerca de mim: estar à espera que um homem que muito provavelmente me traiu me ligue?

— Quer dizer que és leal e que confias nas pessoas — diz o Mo, quando lhe telefono e lhe faço a mesmíssima pergunta. — E essas são precisamente as qualidades que tornam provável que o Justin volte a entrar em contacto contigo.

— Também achas que vai falar? — Apercebo-me de que estou agitada, nervosa, ávida por uma confirmação, o que me irrita ainda mais. Começo a organizar os meus DVD das *Gilmore Girls* pela ordem correta, pois estou demasiado inquieta para permanecer imóvel. Há outra nota presa entre a primeira e a segunda série; puxo-a e passo os olhos por ela. Tentara persuadir o Leon a utilizar a nossa televisão, dizendo-lhe que podia usar a minha coleção de DVD de alta qualidade como ponto de partida. Não o convencera.

— Quase de certeza — diz o Mo. — Essa parece ser a forma de agir do Justin. Mas... tens a certeza de que queres que o faça?

— Gostaria que ele falasse comigo. Ou, vá, que me reconhecesse a existência. Não sei o que lhe vai na cabeça. Parecia tão zangado comigo por causa do apartamento, mas depois a mensagem que me enviou a seguir a tê-lo visto no cruzeiro foi mesmo querida... não sei. Quero que ele me ligue. *Ugh...* — Cerro os olhos com força. — *Porquê?*

— Se calhar passaste muito tempo a ouvir que não eras capaz de te desenvencilhar sem ele — diz o Mo com delicadeza. — Isso explicaria a razão por que o queres de volta, embora não o *queiras*.

Tento arranjar algo para mudar de assunto. O último episódio de *Sherlock*? A nova assistente no trabalho? Mas constato que não tenho sequer energia para uma distração.

O Mo espera pacientemente.

— É verdade, não é? — acaba por insistir. — Quero dizer, pensaste em sair com outra pessoa?

— Eu podia sair com outra pessoa — protesto.

— Hum. — Ele suspira. — Como é que aquele olhar no cruzeiro te fez sentir realmente, Tiffy?

— Ai, não sei. Já foi há séculos. Acho que... qualquer coisa como... sensual? E que era bom sentir-me desejada?

— Não tiveste medo?

— O quê?

— Sentiste medo? O olhar fez-te sentir diminuída?

Franzo o sobrolho.

— Mo, tem lá calma. Foi só um olhar. Ele definitivamente não estava a tentar *intimidar-me*... além disso, telefonei-te para falarmos sobre se ele irá ligar-me ou não, e obrigada, fizeste-me sentir um bocadinho melhor em relação a isso, portanto vamos ficar por aí.

Há um longo silêncio do outro lado da linha. Estou um pouco abalada, apesar de ter tentado controlar-me.

— Essa relação fez-te mal, Tiffy — diz o Mo com cuidado. — Ele deixava-te infelicíssima.

Abano a cabeça. Quero dizer, eu sei que eu e o Justin discutíamos, mas fazíamos sempre as pazes, e as coisas só ficavam mais românticas depois de uma discussão, por isso não contava. Não era como quando outros casais discutiam — era apenas parte da linda e louca montanha-russa que era a nossa relação.

— Tudo isto há de assentar, Tiff — diz o Mo. — Quando isso acontecer, agarra no telefone e liga-me, OK?

Assinto com a cabeça, sem saber ao certo com o que estou a concordar. Do ponto onde me encontro, acabo de encontrar a distração perfeita para como estou a sentir-me agora: o saco de cachecóis debaixo da cama do Leon. O que encontrei na minha primeira noite aqui, que me convenceu de que o Leon devia ser alguma espécie de assassino em série. Tem uma nota que eu tenho a certeza de que não estava aqui quando os vi — diz *PARA A LOJA SOLIDÁRIA*.

— Obrigada, Mo — digo ao telefone. — Vemo-nos no café de domingo. Beijinho.

E desligo, já à procura de uma caneta.

Olá,

Pronto, desculpa por me ter posto a bisbilhotar debaixo da tua/ /nossa cama. Percebo que isso é mesmo inaceitável. Mas estes cachecóis são INCRÍVEIS. Do género, com um design incrível. E eu sei que nunca falámos disto nem nada do género, mas calculo que, se deixas que uma perfeita desconhecida (eu) durma na tua cama, o fazes porque precisas de dinheiro, não por seres um tipo mesmo bonzinho que percebe a dificuldade em arranjar um apartamento barato em Londres.

Por isso, embora seja TOTALMENTE A FAVOR de doar roupa velha a lojas solidárias (afinal, compro a maior parte dos meus pertences em segunda mão — pessoas como eu precisam de pessoas como tu), acho que devias considerar vender estes cachecóis. Provavelmente dão-te 200 libras por cada.

E se quiseres vender um com um desconto de 90% à tua encantadora companheira de casa, não me oponho.

Bjs,

Tiffy

P.S.: Onde é que os arranjaste, afinal? Se não levas a mal que pergunte.

14

Leon

Braços esticados, pernas afastadas. Uma guarda prisional de ar severo revista-me com *grande* entusiasmo. Suspeito de que correspondo ao seu perfil de pessoa que leva drogas ou armas para o centro de visitas. Imagino-a a fazer vistos na sua lista mental. Género: Masculino. Raça: Indeterminada, mas um bocadinho mais escuro do que seria desejável. Idade: Suficientemente jovem para não ter juízo. Aparência: Descuidada.

Tento sorrir de uma forma não ameaçadora, como um bom cidadão. Pensando bem, o mais provável é que lhe pareça arrogante. Começo a sentir-me ligeiramente maldisposto, com a realidade deste lugar a instalar-se, apesar dos esforços que tenho feito para ignorar os rolos de arame farpado por cima de grossas vedações de aço, os edifícios sem janelas, os cartazes agressivos acerca das consequências de contrabandear drogas para dentro das prisões. Apesar de ter feito isto pelo menos uma vez por mês desde novembro.

A caminhada desde a segurança até ao centro de visitas talvez seja a pior parte — envolve um labirinto de betão e arame farpado, e ao longo do caminho é-se levado por diferentes guardas prisionais, todos a pegarem nos porta-chaves pendurados à cintura para abrirem portões e portas, que precisam de voltar a ser trancados antes de se poder sequer dar um passo na direção do seguinte. Está um lindo dia de primavera; o céu, que se entrevê logo acima do arame, é de um azul provocador.

O centro de visitas é melhor. Há miúdos a dar passinhos entre as mesas, ou a soltar guinchinhos quando os pais ridiculamente musculados os levantam acima da cabeça. Os prisioneiros usam fatos de cores garridas para se distinguirem do resto de nós. Homens de fatos cor de laranja fluorescente aproximam-se mais do que as normas permitem das namoradas que vêm visitá-los, entrelaçando bem os dedos. Há mais emoção aqui do que no terminal de chegadas de um aeroporto. Ao *O Amor Acontece* faltou-lhe qualquer coisa.

Sento-me na mesa que me atribuem. Espero. Quando trazem o Richie, o meu estômago dá uma reviravolta peculiar, como se estivesse a tentar virar-se do avesso. Parece cansado e sujo, de faces encovadas e a cabeça rapada à pressa. Está a usar o seu único par de calças de ganga — não quereria receber-me com as calças de fato de treino da prisão —, que, entretanto, já lhe fica demasiado largo na cintura. Detesto isto, detesto isto, detesto isto.

Levanto-me e sorrio, estendendo os braços para o abraçar. Espero que ele se aproxime; não posso abandonar a área que me atribuíram. Há guardas prisionais ao longo das paredes, atentos, inexpressivos.

Richie, a dar-me uma palmada nas costas: Olá, mano, estás com bom aspeto!

Eu: Tu também.

Richie: Mentiroso. Pareço merda requentada. A água não funciona depois de uma cena qualquer na Ala E... não faço ideia de quando voltará, mas, até lá, não recomendaria o uso das casas de banho.

Eu: Anotado. Como tens andado?

Richie: Fantástico. Tiveste notícias do Sal?

Julgava que podia evitar esse tópico durante pelo menos um minuto.

Eu: Sim. Ele lamenta que aqueles documentos estejam a demorar o recurso, Richie. Está a ver se resolve isso.

O rosto do Richie fecha-se.

Richie: Não posso continuar à espera, Lee.

Eu: Queres que eu tente arranjar outra pessoa, eu arranjo.

Um silêncio taciturno. O Richie sabe tão bem quanto eu que o mais provável é que isso abrande ainda mais as coisas.

Richie: Ele conseguiu as gravações da câmara do Aldi?

Será que *requereu* sequer as gravações da câmara do Aldi? Essa é que é a pergunta. Começo a duvidar disso, embora ele me tenha dito que sim. Massajo as têmporas, olho para os sapatos, desejo mais do que nunca que pudéssemos estar em qualquer outro sítio.

Eu: Ainda não.

Richie: Isso é fundamental, meu, é o que te digo. Essa câmara do Aldi vai mostrar-lhes que não sou eu.

Quem me dera que isso fosse verdade. Mas quão boa será a resolução dessa gravação? Quão provável é que seja suficientemente nítida para contradizer a identificação da testemunha?

Falamos do recurso durante quase toda a hora de visita. Não consegui desviá-lo do tema. Investigação forense, provas ignoradas, as gravações da câmara de vigilância... Esperança, esperança, esperança.

Saio com os joelhos a tremer, apanho um táxi para a estação. Preciso de açúcar. Tenho o bolo da Tiffy na mala; como cerca de três mil calorias disso enquanto o comboio avança pela paisagem campestre, campo plano atrás de campo plano, afastando-me do meu irmão e levando-me de volta ao lugar onde toda a gente o esqueceu.

Encontro o saco cheio de cachecóis no meio do quarto quando chego a casa, com a nota da Tiffy colada.

O Sr. Prior faz cachecóis de 200 libras? Nem sequer demora assim tanto! Ahhh. E pensar na quantidade de vezes que recusei a sua oferta de um novo cachecol, um gorro, umas luvas ou um tapa-bule. Podia ser milionário, por esta altura.

Na porta do quarto:

Olá, Tiffy,

OBRIGADO por me dizeres. Sim, preciso do dinheiro. Vou vendê-los — podes recomendar-me onde/como?

É um cavalheiro do sítio onde trabalho que os faz. Basicamente dá-os a toda e qualquer pessoa que os aceite (caso contrário sentir-me-ia mal a aceitar dinheiro por eles...).

Leon

Olá,

Oh, sem dúvida — devias vendê-los no Etsy *ou no* Preloved. *Terão montes de clientes que adorariam estes cachecóis.*

Hum... É uma pergunta esquisita, mas será que esse cavalheiro do sítio onde trabalhas estaria interessado em fazer croché por encomenda?

Bjs,

Tiffy

Não faço ideia do que isso quer dizer. Já agora, escolhe o cachecol que preferires — vou pôr o resto à venda na Internet logo à noite.

Leon

Caído no chão junto à porta do quarto (bastante difícil de localizar):

Bom dia,

Quer dizer que estou a trabalhar num livro chamado Croché à Sua Maneira *(eu sei, é um dos meus melhores títulos) e precisamos de alguém que nos faça quatro cachecóis e oito gorros muito, muito depressa, para podermos fotografá-los e incluí-los no livro. Ele teria de seguir as instruções da minha autora (acerca de cores, pontos, etc.). Posso pagar-lhe, mas não muito. Será que podes dar-me o contacto dele?! Estou mesmo desesperada e é óbvio que ele tem um talento louco.*

Oh, meu Deus, vou passar a usar este cachecol a toda a hora (não importa que tecnicamente já seja primavera). Adoro-o. Obrigada!

Bjs,

Tiffy

De novo na porta do quarto:

Hum. Não sei porque não seria possível, embora deva ter de consultar a enfermeira-chefe. Escreve-me uma carta e eu passo-lha e se ela aprovar, entrega depois ao cavalheiro que tricota.

Se agora andas sempre com esse cachecol, será que podes livrar-te dos 500 que ocupam o teu lado do armário?

Outra novidade: o primeiro cachecol acabou de ser vendido por 235 libras! Estou possesso. Nem sequer é bonito!

Leon

No balcão do pequeno-almoço, ao lado de um envelope aberto:

Olá,

O meu lado é a expressão-chave nessa frase, Leon. É o meu lado, e eu quero tê-lo cheio de cachecóis.

A carta está aqui — diz-me se achares que precisa de alguma alteração. A dada altura somos capazes de ter de dar alguma ordem às notas que trocamos, já agora. O apartamento começa a parecer uma cena de Uma Mente Brilhante.

Bjs

Tiffy

Passo a carta da Tiffy à enfermeira-chefe, que me autoriza a oferecer ao Sr. Prior a oportunidade de fazer tricô para o livro da Tiffy. Ou croché. Não faço mesmo ideia de qual seja a diferença. De certeza que a Tiffy há de escrever-me uma longa nota a dada altura com uma explicação detalhada, sem que eu lha peça. Adora uma explicação longa. Porque há de usar uma cláusula se pode usar cinco? Que mulher mais estranha, ridícula e hilariante.

Uma noite depois, o Sr. Prior já tem dois gorros feitos — têm formato de gorro e são de lã, pelo que presumo que tudo esteja a avançar como é suposto.

A única desvantagem desta situação é que agora o Sr. Prior está fascinado com a Tiffy.

Sr. Prior: Então ela é editora.

Eu: Sim. Segundo consta.

Sr. Prior: Que profissão mais interessante.

Uma pausa.

Sr. Prior: E ela mora consigo?

Eu: Hum.

Sr. Prior: Quão interessante.

Olho para ele de esguelha enquanto escrevo as notas acerca da sua saúde. Ele pestaneja, com os olhos pequeninos e inocentes.

Sr. Prior: Só não o imaginava a viver com outra pessoa. Preza tanto a sua independência. Não era por isso que não queria viver com a Kay?

Tenho de parar de falar da minha vida pessoal com os pacientes.

Eu: Isto é diferente. Nunca tenho de ver a Tiffy. Só deixamos notas um ao outro, na verdade.

O Sr. Prior assente pensativamente com a cabeça.

Sr. Prior: A arte epistolar. Uma coisa profundamente... *íntima,* uma carta, não é?

Fito-o com desconfiança. Não sei onde quer chegar.

Eu: São notas *Post-it* na porta do frigorífico, Sr. Prior, não se trata de correspondência escrita em papel perfumado e entregue em mão.

Sr. Prior: Oh, claro, tenho a certeza de que terá razão. Absolutamente. Notas *Post-it.* Isso não requer arte nenhuma, de certeza.

Na noite seguinte, até a Holly já ouviu falar da Tiffy. Incrível como notícias sem qualquer interesse viajam tão depressa entre alas quando uma proporção significativa das pessoas neste edifício está acamada.

Holly: Ela é bonita?

Eu: Não sei, Holly. Isso importa?

A Holly faz uma pausa. Pensativa.

Holly: É boa pessoa?

Eu, depois de pensar um pouco: Sim, é boa pessoa. Um bocado metediça e esquisita, mas boa pessoa.

Holly: O que é que isso quer dizer, que seja tua «companheira de casa»?

Eu: Quer dizer que partilha o meu apartamento. Vivemos lá os dois.

A Holly, de olhos arregalados: Como namorados?

Eu: Não, não. Ela não é minha namorada. É uma amiga.

Holly: Então dormem em quartos diferentes?

Chamam-me pelo *pager* antes de ter de responder a esta pergunta, felizmente.

Maio

15

Tiffy

Enquanto arranco as notas *Post-it* e pedaços de papel presos com fita-cola a portas de armários, de mesas, paredes e (num caso) à tampa do caixote de lixo, dou por mim a sorrir. Foi uma maneira estranha de conhecer o Leon, escrever todas estas notas ao longo dos últimos meses, e isso acabou por acontecer praticamente sem que eu desse por isso — num minuto estava a escrever-lhe uma nota rápida acerca de sobras, no seguinte já tinha entrado numa correspondência séria e diária.

Contudo, enquanto sigo o rasto de confidências pelas costas do sofá, não posso deixar de reparar que costumo escrever cerca de cinco vezes mais palavras do que o Leon. E que as minhas notas *Post-it* são muito mais pessoais e reveladoras do que as dele. É um bocado estranho reler tudo isto — dá para ver como é falível a minha memória, para começar. Por exemplo, numa das notas, mencionei que tinha sido superembaraçoso ter-me esquecido de entregar o convite da festa de aniversário da Rachel ao Justin, no ano passado, mas agora lembro-me: *convidei-o*, sim. Acabámos a ter uma discussão enorme acerca de eu poder ou não ir. O Justin sempre disse que a minha memória era terrível; irrita-me muito encontrar provas escritas de que ele tinha razão.

São 17h30. Saí cedo do trabalho porque toda a gente foi a uma grande festa de despedida a que não tenho dinheiro para ir, pelo que tomei a decisão executiva de ir para casa, na ausência de quaisquer executivos que pudessem tomar a decisão por mim. Tenho a certeza de que seria o que eles queriam, se existissem.

Julguei que talvez ainda conseguisse apanhar o Leon em casa, já que cheguei por volta das 17 horas. Foi um bocado estranho. Não tenho verdadeiramente autorização para chegar a casa e deparar-me com ele, segundo os termos oficiais do nosso acordo. Eu sabia, quando aceitei esta situação, que nunca estaríamos no apartamento ao mesmo tempo — era isso que tornava a ideia tão boa. Mas não me apercebi de que *literalmente* nunca nos encontraríamos. Tipo, nunca, de todo, durante quatro meses inteiros.

Até pensei passar esta hora no café da esquina, mas depois pensei que... começa a ser um bocado esquisito, sermos amigos mas nunca nos termos realmente encontrado. E é essa a sensação que tenho, a de que somos amigos — acho que não poderia ser de outra maneira, dado que estamos sempre no espaço um do outro. Sei exatamente como é que ele gosta dos ovos estrelados, embora nunca o tenha visto comê-los (há sempre montes de gema líquida espalhada pelo prato). Seria capaz de descrever o estilo que veste com bastante precisão, embora nunca o tenha visto *com* qualquer uma das roupas a secar no estendal da sala de estar. E, o mais estranho de tudo: conheço o seu cheiro.

Não vejo qualquer motivo para não podermos encontrar-nos — isso não alteraria os termos de como vivemos aqui. Só permitiria que eu reconhecesse o meu companheiro de casa se por acaso o visse na rua.

O telefone toca, o que é estranho, porque não tinha noção de que tínhamos telefone. Ao início procuro o meu telemóvel, mas o meu toque é uma canção animada da lista das que a *Samsung* disponibiliza, não o *trrrim trrrim* antiquado que vem de algum lugar invisível na sala de estar.

Acabo por encontrar um telefone fixo na bancada da cozinha, debaixo de um dos cachecóis do Sr. Prior e de uma série de notas acerca de o Leon ter ou não acabado com a manteiga (acabou, definitivamente).

Um telefone fixo! Quem diria! Pensava que ter linha fixa era só uma relíquia pela qual se pagava para se ter Internet de banda larga.

— Estou? — atendo, duvidosa.

— Oh, olá — diz o tipo do outro lado. Parece surpreendido (devo ser mais feminina do que ele esperava) e tem um sotaque estranho — como que meio-irlandês, meio-londrino.

— Sou a Tiffy — digo. — A companheira de casa do Leon.

— Ah! Olá! — Parece ter ficado bastante animado com esse facto. — E não queres dizer companheira de cama?

— Preferimos a expressão «companheiros de casa» — respondo com um esgar.

— Entendido — diz ele, e, de alguma maneira, percebo que está a sorrir. — Bem, é um prazer conhecer-te, Tiffy. Sou o Richie. O irmão do Leon.

— Também é um prazer conhecer-te, Richie. — Não sabia que o Leon tinha um irmão. Mas também imagino que haja uma quantidade enorme de coisas que eu não sei sobre o Leon, ainda que saiba o que anda a ler antes de dormir (*Campânula de Vidro,* muito lentamente). — Acho que deves ter-te desencontrado do Leon. Eu cheguei há meia hora e ele já tinha saído.

— Caramba, esse homem trabalha demasiado — diz o Richie. — Não me tinha apercebido de que já eram 17h30. Qual é a vossa hora de troca de turno?

— Costuma ser às 18 horas — digo —, mas hoje saí cedo do trabalho. Se calhar podes apanhá-lo no telemóvel?

— Ah, pois, estás a ver, Tiffy, isso não posso — diz o Richie.

Franzo o sobrolho.

— Não podes ligar-lhe para o telemóvel?

— Para ser honesto, é uma história um bocado longa. — Ele faz uma pausa. — A versão resumida é que estou numa prisão de segurança elevada e que o único número para o qual consegui que me atribuíssem chamadas foi o fixo do Leon e o da nossa mãe. As chamadas para telemóveis custam o dobro, também, e eu recebo cerca de 14 libras por semana no meu trabalho, a limpar a ala, e já para conseguir isso tive de pagar a alguém... por isso, não dá para muito.

Sinto-me um bocado chocada.

— Merda! — exclamo. — Isso é horrível! Tu estás bem?

Sai-me, simplesmente, e quase de certeza que não é o adequado a dizer nestas circunstâncias, mas eis-nos aqui — é o que estou a pensar e é o que me sai da boca para fora.

Para minha surpresa — e talvez para a sua também —, o Richie desata a rir.

— Estou bem — responde ele, passado um momento. — Mas obrigado. Já se passaram sete meses. Acho que estou... como é que diz o Leon? *A aclimatar-me.* A aprender como viver, para além de ultrapassar cada minuto.

Assinto com a cabeça.

— Bem, isso pelo menos já é qualquer coisa. Como é que é? Numa escala de, sabes, Alcatraz ao Hilton?

Ele volta a rir-se.

— Está definitivamente nessa escala, sim. Onde cai depende de como nos sentimos de dia para dia. Mas tenho bastante sorte, comparado com montes de gente, deixa-me que te diga. Já tenho uma cela só para mim, e posso receber visitas duas vezes por mês.

Do meu ponto de vista, não me parece ter grande sorte.

— Não quero manter-te ao telefone se isso te custa dinheiro. Queres deixar uma mensagem ao Leon?

Há um silêncio irrequieto do outro lado da linha, só o som de barulho de fundo a ecoar.

— Não vais perguntar-me porque estou preso, Tiffy?

— Não — respondo, espantada. — Queres contar-me?

— Sim, até quero — diz o Richie. — Mas as pessoas costumam perguntar.

Encolho os ombros.

— Não me cabe julgar-te... és irmão do Leon e ligaste para falar com ele. E, seja como for, estávamos a falar de como a prisão é um lugar horrível, e isso é verdade independentemente do que tenhas feito. Toda a gente sabe que a prisão não resolve nada. Certo?

— Certo... quero dizer, será que sabem?

— Oh, claro.

Mais silêncio.

— Estou a cumprir pena por assalto à mão armada. Mas não o fiz.

— Meu Deus. Lamento. Isso é mesmo uma merda, então.

— Basicamente, sim — diz o Richie. Espera. E depois pergunta: — Acreditas em mim?

— Nem sequer te conheço. Que importância tem isso?

— Não sei. Só... tem.

— Bem, preciso dos factos antes de poder dizer que acredito em ti. Não teria grande valor de outra maneira, pois não?

— É essa a minha mensagem para o Leon, então. Diz-lhe que gostava que ele te apresentasse os factos, para poderes dizer-me se acreditas em mim.

— Espera. — Levo a mão a um bloco de notas *Post-it* e a uma caneta. — *Olá, Leon* — digo, lendo à medida que escrevo. — *Esta é uma mensagem do Richie. Ele diz...*

— Que quero que a Tiffy saiba o que me aconteceu. Quero que ela acredite que não o fiz. Ela parece muito simpática, e aposto que ainda por cima é bonita, dá para perceber, meu, tem esse tipo de voz — profunda e sexy, sabes como...

Estou a rir.

— Não vou escrever isso!

— Até onde foste?

— «*Sexy*» — admito, e o Richie ri-se.

— Está bem. Podes acabar a nota aí. Mas deixa essa última parte, se não te importares... vai fazer o Leon sorrir.

Abano a cabeça, mas também estou a sorrir.

— Está bem. Vou deixar. Foi bom conhecer-te, Richie.

— A ti também, Tiffy. Cuida do meu irmão por mim, está bem?

Fico calada, surpreendida com o pedido. Para começar, parece que o Richie é que precisa de que cuidem dele, e, em segundo lugar, não estou propriamente na posição ideal para cuidar de qualquer membro da família Twomey, dado que nunca conheci pessoalmente algum deles. Mas quando abro a boca para responder, o Richie já desligou, e tudo o que ouço é o tom de marcação.

16

Leon

Não consigo deixar de me rir. Isto é mesmo típico. Até a partir de uma ala prisional no interior sombrio do país ele tenta ganhar o afeto da minha companheira de apartamento.

A Kay debruça-se sobre o meu ombro, a ler a nota.

Kay: O Richie continua idêntico a si mesmo, estou a ver.

Reteso-me. Ela sente-o e também fica tensa, mas não se afasta nem pede desculpa.

Eu: Está só a tentar manter bom ambiente. Fazer toda a gente rir. É assim o Richie.

Kay: Bem, e a Tiffy está no mercado?

Eu: Ela é um ser humano, não uma vaca, Kay.

Kay: Tu e os teus *princípios,* Leon! Era só uma expressão, «no mercado». Sabes que não estou realmente a tentar vender a coitada da rapariga ao Richie.

Essa frase também tem qualquer coisa de errado, mas estou demasiado cansado para detetar o que será.

Eu: Está sozinha, mas continua apaixonada pelo ex.

A Kay, já interessada: A sério?

Não me passa pela cabeça porque poderá querer saber — sempre que menciono a Tiffy, ela desliga ou fica resmungona. Esta é a primeira vez que estamos no meu apartamento desde há meses, na verdade — a Kay não tem de ir trabalhar hoje de manhã, por isso veio ver-me para o pequeno-jantar antes de eu dormir. Ficou um bocado abespinhada com as notas coladas por todo o lado, vá-se lá saber porquê.

Eu: O ex parece mediano. De longe inferior ao pedreiro transformado em...

A Kay revira os olhos.
Kay: Será que podes *parar* de falar desse maldito livro do trolha?!
Ela não seria tão preconceituosa se o tivesse lido.

Passaram umas semanas e está o tipo de dia soalheiro que só costuma haver em férias no estrangeiro. A Inglaterra não está habituada a este calor, sobretudo quando chega tão de repente. Só estamos em junho, ainda mal é verão. Os trabalhadores apressam-se junto aos edifícios, de cabeça baixa como se estivesse a chover, com camisas azul-claras com manchas escuras de suor em forma de V. Os adolescentes despem as t-shirts até haver braços e peitos brancos como cal e cotovelos espetados por todo o lado. Mal consigo mexer-me sem me ver confrontado com um escaldão e/ou o calor corporal desagradável que emana de um homem de fato.

Estou a voltar da Sala de Pesquisa do Museu Imperial da Guerra, onde estive a seguir uma última pista na demanda pelo Johnny White. Na mochila, tenho uma lista de oito nomes e moradas. As moradas foram recolhidas revirando os registos do gabinete de guerra, contactando familiares e procurando online, pelo que não são inteiramente fiáveis, mas já é um começo — ou melhor, oito começos. O Sr. Prior acabou por me dar bastante para fundamentar a pesquisa. Basta pôr o homem a falar para que recorde muito mais do que afirma lembrar-se.

Todos os homens desta lista se chamam Johnny White. Não sei por onde começar. Escolho o Johnny preferido? O Johnny mais próximo?

Saco do telemóvel e mando uma mensagem de texto à Tiffy. Pu-la a par da busca pelo Johnny White do Sr. Prior no mês passado. Foi depois de uma longa carta dela, acerca dos altos e baixos do livro sobre croché; obviamente, eu estava com vontade de partilhar. É peculiar. É como se o impulso compulsivo da Tiffy para partilhar coisas em demasia fosse contagioso. Sinto-me sempre um bocado envergonhado quando chego à unidade de cuidados paliativos e me lembro do que acabei por revelar na nota rabiscada dessa tarde, escrita enquanto tomava um café antes de sair.

Olá. Tenho oito Johnnies (sing. Johnny) por onde escolher. Como decido por onde começar? Leon

A mensagem chega cerca de cinco minutos depois. Ela anda a trabalhar a tempo inteiro no livro da maluca do croché, e parece estar pouco concentrada. Não me surpreende. O croché é esquisito e tedioso. Até tentei ler parte do manuscrito quando ela o deixou na mesa de centro, para verificar se não seria como o livro do pedreiro, mas não. É só um livro de instruções detalhadas de croché, com resultados finais que parecem muito difíceis de atingir.

Isso é fácil. Um dó Lolita, cara de amen-do-á... Bjs

E dois segundos depois:

Um DÓ LI TÁ. Corretor automático. Acho que não ganhas nada metendo Lolitas ao barulho. Bjs

Que mulher mais peculiar. Não obstante, paro obedientemente à sombra de uma paragem de autocarro para sacar a lista e fazer o *um dó li tá*. Calha-me Johnny White (obviamente). É o que vive perto de Birmingham.

Boa escolha. Posso visitar este da próxima vez que for ver o Richie — está nas imediações de Birmingham. Obrigado. Leon

Uns minutos de silêncio. Caminho pela Londres azafamada e suada que aproveita o calor, de óculos escuros voltados para o céu. Estou acabado. Devia ter ido para a cama há horas. Mas passo tão pouco tempo do dia ao ar livre, e tinha saudades de sentir o sol na pele. Pergunto-me sem grande preocupação se poderei ter uma deficiência de vitamina D, mas depois o meu pensamento muda, e penso quanto tempo ao ar livre terá tido o Richie esta semana. Segundo o governo, deviam deixá-lo passar 30 minutos por dia no exterior. Isso raramente acontece; há escassez de guardas-prisionais, pelo que o tempo fora da cela é ainda mais limitado do que o normal.

Recebeste a minha nota acerca do Richie, a propósito? E de me contares o que lhe aconteceu? Não quero insistir, mas isso já foi há mais de um mês, e só quero que saibas que gostaria de saber, se quiseres contar-me. Bjs

Fico especado a olhar para a mensagem, com o sol a ofuscar o ecrã até as palavras se tornarem quase invisíveis. Faço sombra com uma mão e torno a lê-la. É estranho que tenha chegado assim, precisamente quando eu estava a pensar no Richie.

Não soube o que fazer quanto ao pedido do Richie para lhe contar. Assim que soube que tinham conversado, dei por mim a pensar se a Tiffy achará que ele é inocente, embora ela não o conheça e não saiba nada sobre o caso. Ridículo. Mesmo que soubesse tudo, não deveria fazer qualquer diferença que ela acreditasse ou não. Ainda nem me encontrei com ela. Mas é sempre assim — uma preocupação constante que se sente com toda a gente, quem quer que seja. Está-se a meio de uma conversa perfeitamente normal e depois, no momento a seguir, pensamos: «Acreditarias que o meu irmão é inocente?»

Mas não posso perguntar às pessoas. É uma conversa horrível para se ter e uma pergunta horrível de se ouvir sem aviso, como a Kay poderia testemunhar.

Respondo-lhe numa nota quando chego a casa. Não troco muitas mensagens por telemóvel com a Tiffy; parece-me um bocado estranho. É como mandar e-mails à minha mãe. As notas são só... como nós falamos.

No roupeiro (a nota anterior ficou aqui):

Vou pedir ao Richie que te escreva, se não te importas. Ele conta melhor.

E outra coisa: achas que a tua autora do croché podia ir a St. Marks (é onde trabalho) um dia destes? Estamos a tentar arranjar mais entretenimento

para os pacientes. Parece-me que o croché, apesar de enfadonho, é capaz de interessar a idosos doentes. Bjs

Olá, Leon,

Claro. Quando o Richie quiser.

E sim! Por favor! O departamento de relações públicas está sempre à procura de oportunidades desse género. E deixa-me só que te diga que o momento do teu pedido foi mesmo oportuno, porque a Katherin acabou de se tornar FAMOSA. Vê só este tweet *dela.*

Uma captura de ecrã impressa do *Twitter,* colada por baixo da nota:

Katherin Rosen @KnittingKatherin
Um dos cachecóis fantásticos que vão poder fazer a partir do próximo livro, *Croché À Sua Maneira*. Reservem tempo para a atenção plena e criem algo belo!
117 comentários, 8k *retweets*, 23k gostos.

Nova nota *Post-it* por baixo daquela:

Pois. OITO MIL RETWEETS. *(De um dos cachecóis do Sr. Prior — não te esqueças de lhe dizer!)*

Nota *Post-it* seguinte:

Presumo que não saibas muito acerca do Twitter, *porque o teu portátil há meses que nem sequer muda de sítio, quanto mais ser carregado, mas são muitos* retweets, *Leon. MUITOS. E tudo aconteceu porque uma* YouTuber *incrível, chamada Tasha Chai-Latte,* retweetou *e disse o seguinte:*

Uma captura de ecrã impressa do *Twitter,* colada por baixo da nota (já tão em baixo na porta do roupeiro, que tenho de me agachar para a ler):

Tasha Chai-Latte @ChaiLatteDIY
O croché é mesmo o novo «livros para colorir»! Muita admiração por @KnittingKatherin pelas suas criações incríveis. #atenção-plena #crocheasuamaneira
69 comentários, 32k *retweets*, 67k gostos.

Mais duas notas *Post-it* por baixo:

Ela tem 15 milhões de seguidores. As equipas do marketing e das relações públicas estão basicamente a fazer chichi pelas pernas abaixo, tal é a excitação. Infelizmente, isto quer dizer que tive de explicar o YouTube *à Katherin, e ela ainda é pior do que tu em relação à tecnologia (tem um desses* Nokias *velhos que só os traficantes de droga usam), e para além disso, o odioso do Martin das relações públicas agora publica* tweets *em direto a partir de todos os eventos da Katherin, mas, mesmo assim, é excitante! A minha encantadora e excêntrica Katherin pode ter realmente uma oportunidade de chegar a uma lista dos mais vendidos. Não à lista dos mais vendidos, obviamente, mas uma dessas listas de nicho da* Amazon. *Tipo, em primeiro lugar na lista dos mais vendidos na categoria de trabalhos manuais & origami, ou algo assim.*

Bjs

... Vou esperar até ter dormido antes de tentar responder a isto.

Julho

17

Tiffy

Ainda é de dia quando chego a casa. *Adoro* o verão. Os ténis do Leon não estão por aqui, pelo que suponho que tenha ido a pé para o trabalho hoje — que inveja que eu tenho dele. O metro é ainda mais nojento quando está calor.

Dou a volta ao apartamento em busca de notas novas. Já nem sempre são fáceis de divisar — costuma haver notas *Post-it* coladas a praticamente tudo, a menos que um de nós tenha feito uma limpeza geral.

Acabo por vê-lo na bancada da cozinha: um envelope, com o nome e o número de prisioneiro do Richie de um lado, e a nossa morada do outro. Há uma pequena nota com a letra do Leon ao lado da morada.

Está aqui a carta do Richie.

E depois, lá dentro:

Querida Tiffy,

Era uma noite escura de tempestade...

Pronto, OK, não era nada. Era uma noite escura e abafada no Daffie's Nightclub, em Clapham. Eu já estava bezano quando lá cheguei — vínhamos da festa de um amigo que tinha mudado de casa.

Dancei com algumas raparigas nessa noite. Depois vais perceber porque estou a contar-te isto. Havia gente de todo o lado, montes de rapazes acabados de sair da universidade, montes desses tipos sinistros que ficam parados à volta da pista de dança, à caça de miúdas suficientemente bêbedas para avançarem. Mas ao fundo, numa das mesas, estavam uns tipos que pareciam estar no sítio errado.

É difícil explicar. Pareciam estar ali por um motivo diferente das outras pessoas. Não queriam engatar, não queriam embebedar-se, não queriam dançar.

Agora já sei que queriam fazer negócio. Ao que parece, dão pelo nome de Bloods. Mas só vim a saber isso muito mais tarde, quando já estava preso e a contar a minha história à malta daqui, pelo que presumo que também nunca tenhas ouvido falar deles. Se és uma pessoa da classe média que por acaso vive em Londres e se limita a ir trabalhar e isso, provavelmente nunca saberás da existência de gangues como este.

Mas eles são importantes. Acho que já então eu tinha percebido isso, só de olhar para eles. Mas também estava muito bêbedo.

Um dos tipos foi ao bar com a miúda dele. Só havia duas no grupo, e esta parecia aborrecida até dizer chega, dava para ver. Reparou em mim ao fundo do bar e pareceu muito mais interessada.

Correspondi ao olhar. Se ela estava aborrecida com o tipo, isso é problema dele, não meu. Não vou perder a oportunidade de fazer olhinhos a uma miúda gira só porque o tipo que está ao lado dela parece mais manhoso do que a média dos frequentadores do Daffie's, deixa-me que te diga.

Ele encontrou-me mais tarde, na casa de banho. Empurrou-me contra a parede.

— Nem penses em pôr-lhe as patas em cima, 'tás a ouvir?

Já sabes como é. Estava a gritar-me na cara, com uma veia a latejar-lhe na testa.

— Não faço ideia do que estás a falar — respondi eu. Impávido e sereno.

Ele gritou muito mais. Empurrou-me um bocado. Eu mantive-me firme, mas não o empurrei nem lhe bati. Ele disse que me tinha visto a dançar com ela, o que não era verdade. Sei que não era uma das raparigas com quem eu tinha dançado antes, ter-me-ia lembrado dela.

Ainda assim, ele tinha-me irritado, e quando ela apareceu mais tarde, mesmo antes de a discoteca fechar, eu provavelmente sentia-me mais inclinado a conversar com ela do que noutras circunstâncias, só para o lixar.

Namoriscámos. Paguei-lhe uma bebida. Os Bloods, lá ao fundo, falavam de negócios e não pareciam estar a reparar. Beijei-a. Ela correspondeu. Lembro-me de que estava tão bêbedo, que me senti tonto quando fechei os olhos, por isso beijei-a de olhos abertos.

E isso foi tudo. Ela limitou-se a desaparecer algures dentro do bar — está tudo vago, eu estava mesmo perdido de bêbedo. Não saberia dizer-te ao certo quando é que ela se foi embora, ou eu, ou sei lá como é que foi.

Deste ponto em diante, não consigo ter a certeza de nada. Se conseguisse, obviamente não estaria a escrever-te isto a partir daqui, estaria a curtir uma chávena de café com demasiado leite, como o Leon gosta de tomar enquanto está sentado no teu famoso pufe, e isto não passaria de um episódio engraçado que eu contaria no bar.

Mas, seja como for, eis o que eu acho que se passou.

Eles seguiram-nos, a mim e aos meus amigos, quando fomos embora. Os outros apanharam autocarros noturnos, mas eu não vivia longe, por isso fui a pé. Entrei na loja de conveniência da Clapham Road que fica aberta a noite toda e comprei cigarros e seis cervejas. Nem sequer queria aquilo — e definitivamente não precisava de nada. Eram quase 4 horas da manhã e eu provavelmente nem conseguia andar a direito. Mas entrei, paguei em dinheiro, e fui para casa. Nem sequer os vi, mas não podiam estar muito longe quando saí, porque, segundo a câmara da loja, «voltei a entrar» dois minutos depois, desta vez com o capuz na cabeça e uma máscara a tapar-me a cara.

Quando se vê a gravação, o tipo realmente parece-se um bocado comigo. Mas, como realcei no julgamento... quem quer que seja, tem um equilíbrio muito melhor do que eu tinha nessa noite. Eu estava demasiado bêbedo para conseguir contornar os expositores das promoções e tirar a faca da parte de trás das calças ao mesmo tempo.

Eu não soube que isto tinha acontecido até dois dias depois, quando fui detido no trabalho.

Obrigaram a miúda que estava na caixa a destrancar o cofre. Havia 4500 libras lá dentro. Eram espertos, ou talvez apenas experientes — não falaram mais do que era necessário, pelo que, quando a miúda testemunhou, pouco tinha a relatar. Para além da faca apontada à cara, obviamente.

Eu aparecia na gravação de videovigilância. Tinha cadastro. Detiveram-me.

Depois de me terem acusado, não me deixaram sair sob fiança. O meu advogado aceitou o caso porque se interessou e tinha confiança na única testemunha, a rapariga da caixa, mas eles acabaram por apanhá-la também. Esperávamos que ela falasse e dissesse que o tipo que tinha aparecido pela segunda vez não se parecia nada comigo. Que já me tinha visto na loja de conveniência e que eu sempre tinha sido perfeitamente amável, sem nunca ter tentado roubar o que quer que fosse.

Mas ela apontou para mim no tribunal. Disse que tinha sido eu, de certeza. Foi como um pesadelo acordado, nem consigo explicar-te. Estava a ver aquilo a desenrolar-se e a assistir à forma como as caras dos jurados mudavam, mas não podia fazer nada. Tentei levantar-me e falar, mas o juiz limitou-se a gritar-me: «Não pode falar sem ser na sua vez.» Mas parecia que a minha vez nunca ia chegar. Quando finalmente me fizeram perguntas, já toda a gente estava decidida.

O Sal fez-me perguntas estúpidas e eu não tive sequer a possibilidade de dizer alguma coisa de jeito, de tal maneira estava desorientado, pois nunca tinha pensado que chegasse a tanto. A procuradoria serviu-se do meu cadastro de alguns anos antes — tinha-me metido em algumas brigas à noite, quando tinha 19 anos e estava num mau momento da minha vida (isso é outra história, e não é tão má quanto parece). Pintaram-me como se eu fosse violento. Até desencantaram um tipo com quem trabalhei e que me odiava mesmo — tínhamo-nos desentendido por causa de uma miúda de quem ele gostava na faculdade e que eu tinha acabado por levar ao baile de finalistas ou outra treta do género. Foi inacreditável, vê-los dar a volta àquilo. Percebo porque é que o júri acreditou que eu era culpado. Aqueles advogados eram mesmo bons a fazer com que tudo aquilo parecesse verdadeiro.

Condenaram-me a oito anos por assalto à mão armada.

Por isso, eis-me aqui. Nem consigo descrever-te. De cada vez que o escrevo ou conto a alguém, já nem acredito, se é que isso faz sentido. Só fico mais zangado.

Não foi um caso complicado. Todos julgávamos que o Sal resolveria isto no recurso. (O Sal é o advogado, já agora.) Mas ele ainda nem chegou ao recurso, foda-se. Estou aqui desde novembro e não há recurso algum à vista. Sei que o Leon está a tentar tratar disto, e adoro-o por isso, mas a verdade é que ninguém quer saber se eu saio ou não para além dele. E talvez da nossa mãe, imagino.

Vou ser honesto contigo, Tiffy, estou a tremer, agora. Tenho vontade de gritar. Estas alturas são as piores — não há para onde ir. Fazer elevações ajuda, mas às vezes é preciso correr, e quando tudo o que separa a cama da sanita são três passos, não há muito espaço para fazer isso.

Seja como for. A carta já vai muito longa e sei que demorei bastante a escrevê-la — se calhar por esta altura já te esqueceste da nossa conversa toda. Não tens de responder, mas, se quiseres fazê-lo, o Leon pode enviar a tua carta juntamente com a próxima dele, se calhar — e, se escreveres, por favor manda também selos e envelopes.

Espero que acredites em mim, ainda mais do que costumo esperar. Talvez por seres importante para o meu irmão e o meu irmão ser a única pessoa que é realmente importante para mim.

Com carinho,
Richie

Na manhã seguinte releio a carta na cama, com o edredão puxado à minha volta como um ninho. Sinto um frio no estômago e estou com pele de galinha. Tenho vontade de chorar por este homem. Não sei por que razão isto está a afetar-me tanto, mas o que quer que seja fez com que esta carta me acordasse às 5h30 de uma manhã de sábado. É sinal de quanto não suporto a situação. É tão *injusta*.

Levo a mão ao telemóvel antes de pensar sequer no que estou a fazer.

— Gerty, sabes o teu trabalho?

— Estou familiarizada com ele, sim. Sobretudo como sendo a razão para eu acordar às 6 horas da manhã quase todos os dias. Menos aos sábados.

Olho para o relógio. São 6 horas da manhã.

— Meu Deus, desculpa. Mas... diz-me outra vez que tipo de direito é que exerces.

— Direito penal, Tiffy. Exerço direito penal.

— Pois, pois. Mas o que é que isso *quer dizer*?

— Vou dar-te o benefício da dúvida e partir do princípio de que isto é urgente — diz a Gerty. Está a ranger audivelmente os dentes. — Lidamos com crimes contra as pessoas e a propriedade.

— Como assalto à mão armada?

— Sim. Esse é um bom exemplo, muito bem.

— Detestas-me, não detestas? Estou mesmo nos primeiros lugares da tua lista de gente que detestas.

— É a única oportunidade que tenho de dormir até mais tarde e tu deste cabo dela, por isso, sim, ultrapassaste o Donald Trump e o motorista da Uber que às vezes me calha e passa o caminho todo a trautear.

Merda. As coisas não estão a ir bem.

— Sabes os casos *pro bono* que aceitas? Aqueles que fazes de graça, ou por menos dinheiro, ou seja lá como for?

A Gerty demora a responder.

— O que é que se passa, Tiffy?

— Ouve-me só. Se eu te passar uma carta de um tipo condenado por assalto à mão armada, podes só lê-la? Não tens de fazer nada. Não tens de o aceitar nem nada, obviamente, eu sei que tens resmas de casos mais importantes. Mas podes só ler a carta e se calhar escrever uma lista de perguntas?

— Onde é que arranjaste essa carta?

— É uma longa história e isso não interessa. Basta que saibas que não te pediria se não fosse importante.

Segue-se um silêncio demorado e ensonado do outro lado da linha.

— Claro que a leio. Vem cá almoçar e traz a carta.

— Adoro-te.

— Eu detesto-te.

— Eu sei. Mas levo-te um *latte* do Moll's. O Donald Trump nunca te levaria um *latte* do Moll's.

— Está bem. Tomo a minha decisão em relação à tua colocação relativa na lista de pessoas que detesto quando souber quão quente está o café. Não voltes a ligar-me antes das 10 horas. — E desliga.

O apartamento da Gerty e do Mo foi completamente Gertyficado. Quase não dá para ver que o Mo vive aqui. O seu quarto na casa dos pais era uma mistura de roupas lavadas e por lavar (sem qualquer sistema) e de documentos que provavelmente eram confidenciais, mas, aqui, cada objeto tem um propósito. O apartamento é minúsculo, mas não reparo nisso tanto como da primeira vez que o vi — não sei como, a Gerty conseguiu desviar a atenção dos tetos baixos para as janelas enormes, que enchem a cozinha e sala de jantar com uma luz suave de verão. E está tudo tão *limpo*. Tenho um respeito revitalizado pela Gerty e pelo que ela é capaz de alcançar através de pura força de vontade, ou talvez de coação.

Passo-lhe o café. Ela toma um golinho e aprova com um aceno da cabeça. Espeto um punho no ar, ao tornar-me oficialmente um ser humano menos odioso do que o homem que quer construir um muro entre o México e os EUA.

— Carta — diz ela, estendendo a mão livre.

Nunca foi dada à conversa de circunstância, a Gerty. Remexo na mala e passo-lha. Ela dirige-se de imediato para a mesa para a ler, pegando nos óculos que estão no aparador junto à porta da rua, onde, por incrível que pareça, ela nunca se esquece de os deixar.

Inquieto-me. Ando sem rumo no espaço. Desordeno um pouco a pilha de livros na outra ponta da mesa de jantar, só porque sim.

— Vai-te embora — diz ela, sem sequer erguer a voz. — Estás a distrair-me. O Mo está naquele café da esquina que serve café medíocre. Ele entretém-te.

— Está bem. Pronto. Então... mas estás a ler? O que achas?

Ela não responde. Reviro os olhos, e depois saio apressada, com receio de que ela tenha reparado.

Ainda nem cheguei ao café quando o meu telemóvel toca. É a Gerty.

— Mais vale que voltes — diz ela.

— Então?

— A transcrição do julgamento vai demorar 48 horas a chegar, mesmo com o serviço de urgência. Não posso dizer-te nada útil até o ter lido.

Dou por mim a sorrir.

— Solicitaste a transcrição do julgamento?

— É bastante comum as pessoas terem histórias muito convincentes da sua inocência, Tiffy, e eu não recomendaria de forma alguma acreditar nos resumos dos seus próprios julgamentos. São, como é óbvio, extremamente parciais, para além de que tendem a não serem tão versados nas particularidades do direito.

Ainda estou a sorrir.

— Mas solicitaste a transcrição do julgamento.

— Não dês esperanças a ninguém — diz a Gerty, já com uma voz grave. — Estou a falar a sério, Tiffy. Vou só lê-la. Não digas nada a este homem, por favor. Seria cruel dar-lhe esperanças infundadas.

— Eu sei — digo, perdendo o sorriso. — E não vou dizer. E obrigada.

— Bem, não tens de quê. O café estava excelente. Agora volta cá para casa. Se tenho de estar acordada tão cedo num sábado, ao menos gostaria de ser entretida.

18

Leon

A caminho para conhecer Johnny White, o Primeiro. É muito cedo — são quatro horas de viagem até lá, e depois três autocarros desde a casa do Johnny White, o Primeiro, até à Prisão de Sua Majestade em Groundsworth, onde tenho uma visita marcada com o Richie para as 15 horas da tarde. Sinto as pernas perras de assentos de comboio com espaço limitado; as costas suadas de carruagens sem ar condicionado. Quando enrolo mais as mangas da camisa, descubro uma nota *Post-it* antiga da Tiffy presa no pulso. É qualquer coisa do mês passado, acerca do que fará o homem estranho do Apartamento 5 às 7 horas da manhã. Hum. Embaraçoso. Tenho de passar a verificar as roupas para garantir que não saio de casa com notas coladas.

Greeton, a terra do Johnny White, é um vilarejo surpreendentemente bonito, que se espalha nas planícies verdes do interior. Caminho do terminal de autocarros até à morada do JW. Trocámos uns quantos e-mails, mas não sei o que esperar ao conhecê-lo pessoalmente.

Quando chego, um Johnny White muito grande e intimidante resmunga-me que entre; dou por mim a obedecer de imediato e a segui-lo até uma sala de estar escassamente mobilada. A única caraterística distintiva é um piano a um canto. Está destapado e parece bem tratado.

Eu: Toca?

JW, o Primeiro: Fui pianista profissional nos meus tempos. Já não toco muito, mas mantenho a velhota aqui. Não me parece uma casa sem ela.

Sinto-me encantado. É perfeito. Pianista profissional! É a profissão mais fixe do mundo! E não há fotos de uma mulher ou filhos à vista — excelente.

JW, o Primeiro, oferece-me chá; o que aparece é uma caneca grossa e lascada de chá forte com leite, que me traz à memória o chá da minha mãe. Segue-se um estranho momento em que sinto saudades de casa — tenho de ir visitá-la mais vezes.

Instalamo-nos no sofá e no cadeirão, um em frente ao outro. De repente, dou-me conta de que é um assunto potencialmente difícil de abordar. Teve um caso com um homem nas trincheiras durante a Segunda Guerra Mundial? Talvez isso não seja algo de que este homem queira falar com um desconhecido de Londres.

JW, o Primeiro: Então, o que procurava, ao certo?

Eu: Gostava de saber... Hum...

Pigarreio.

Eu: Combateu no exército na Segunda Guerra Mundial, não é verdade?

JW, o Primeiro: Dois anos, com uma pequena pausa para que me desenterrassem uma bala da barriga.

Dou por mim a fitar-lhe a barriga. JW, o Primeiro, dirige-me um sorriso surpreendentemente dinâmico.

JW, o Primeiro: Está a pensar que se devem ter visto e desejado para a encontrar, não está?

Eu: Não! Estava a pensar que há uma série de órgãos vitais na barriga.

JW, o Primeiro, a rir: Os sacanas dos alemães não acertaram neles, sorte a minha. De qualquer maneira, eu estava mais preocupado com as mãos do que com a barriga. Dá para tocar piano sem baço, mas se as queimaduras de gelo nos deixam sem dedos, acabou-se.

Fito-o com uma expressão de espanto e terror. Ele volta a rir.

JW, o Primeiro: Ah, não quer as minhas velhas e terríveis histórias de guerra. Disse que andava a investigar a história da sua família?

Eu: Não é da minha. De um amigo. Robert Prior. Combateu no mesmo regimento que o senhor, embora não saiba ao certo se terá sido na mesma altura. Por acaso lembra-se dele?

JW, o Primeiro, pensa afincadamente. Franze o nariz. Inclina a cabeça.

JW, o Primeiro: Não. Não me diz nada. Lamento.

Bom, as probabilidades eram baixas. Mas depois deste ainda faltam outros sete.

Eu: Obrigado, Sr. White. Não vou tomar-lhe mais tempo. Só uma pergunta — alguma vez foi casado?

JW, o Primeiro, mais ríspido do que nunca: Não. A minha Sally morreu num ataque aéreo em 1941 e para mim acabou-se. Nunca encontrei ninguém como a minha Sally.

Quase fico com lágrimas nos olhos. O Richie haveria de se rir de mim — está sempre a chamar-me um romântico incurável. Ou coisas mais grosseiras que querem dizer o mesmo.

A Kay, do outro lado da linha: A sério, Leon. Acho que, se levasses a tua avante, todos os teus amigos teriam mais de 80 anos.

Eu: Era um homem interessante, só isso. Gostei de falar com ele. E... pianista profissional! É a profissão mais fixe do mundo, não?

Um silêncio divertido da Kay.

Eu: Mas ainda faltam sete.

Kay: Sete quê?

Eu: Sete Johnny Whites.

Kay: Oh, pois.

Depois de uma pausa:

Kay: Vais passar todos os teus fins de semana a palmilhar a Grã-Bretanha à procura do namorado de um velhote, Leon?

Desta vez, sou eu quem precisa de uma pausa. Tinha mais ou menos planeado fazer isso, sim. De que outra forma hei de encontrar o Johnny do Sr. Prior? Não posso ir durante a semana.

Eu, com hesitação: ... não?

Kay: Ainda bem. Porque já raramente te vejo, com todas as visitas que tens de fazer e os teus turnos. Percebes isso, não percebes?

Eu: Sim. Desculpa. Eu...

Kay: Sim, sim, gostas do teu trabalho, o Richie precisa de ti, eu sei isso tudo. Não estou a tentar ser difícil, Leon. Só sinto que... deveria incomodar-te mais. Tanto quanto me incomoda a mim. Que não nos vejamos com frequência.

Eu: Incomoda-me! Mas ainda hoje de manhã nos vimos...?

Kay: Por uma meia hora, para um pequeno-almoço muito à pressa.

Um laivo de irritação. Abri mão de meia hora de uma sesta revigorante de três horas para poder tomar o pequeno-almoço com a Kay. Inspiro profundamente. Espreito pela janela para ver onde estou.

Eu: Tenho de ir. Estou a chegar à prisão.

Kay: Está bem. Falamos depois. Depois dizes-me em que comboio regressas?

Isto não me agrada — prestar contas, mandar mensagens acerca de comboios, saber sempre onde a outra pessoa vai estar. Mas... estou a ser irrazoável, não posso protestar. A Kay já acha que tenho fobia ao compromisso. É um dos seus termos preferidos dos últimos tempos.

Eu: Digo.

Mas acabo por não dizer. Tinha toda a intenção de o fazer, mas não o faço. É a pior discussão que temos desde há séculos.

19

Tiffy

— É o sítio perfeito, Katherin — exclama o Martin, espalhando as fotos em cima da mesa.

Eu sorrio de forma encorajadora. Embora ao início tenha pensado que tudo aquilo era ridículo, começo a ver a coisa pela sua perspetiva. Vinte vídeos diferentes foram publicados no *YouTube*, nos quais várias celebridades da Internet usam peças que reclamam ter sido elas próprias a fazer a partir das instruções e dos padrões da Katherin. Depois de uma reunião improvisada com o diretor, em que a diretora de relações públicas foi bastante convincente a fingir que sabia o que era este livro, já para não falar de ter orçamento reservado para ele, agora toda a Butterfingers está a par da coisa e a vibrar de excitação. Parece que todos se esqueceram de que ainda na semana passada não queriam saber do croché para nada; ontem ouvi a diretora comercial a declarar: «Sempre suspeitei que este livro seria um vencedor.»

A Katherin está perplexa com tudo isto, especialmente com a intervenção da Tasha Chai-Latte. Primeiro reagiu como literalmente toda a gente ao ver uma pessoa qualquer a ganhar bateladas de dinheiro no *YouTube*. («Eu podia fazer isso!», anunciou. Disse-lhe que começasse por investir num smartphone. Um passo de cada vez.) Agora está só irritada por o Martin ter assumido o controlo da sua conta de *Twitter* («Não podemos confiar-lhe isto! Precisamos de *manter o controlo!*», gritava o Martin à Ruby hoje de manhã.)

— Então, como *é* um lançamento de livro como deve ser? — pergunta a Katherin. — Quero dizer, eu costumo limitar-me a andar por ali a comer canapés, a beber vinho e a conversar com qualquer velhota que se tenha dado ao trabalho de aparecer. Mas como é que se faz quando há toda esta gente? — E aponta para a foto que mostra um salão gigantesco em Islington.

— Ah, bom, Katherin — diz o Martin —, ainda bem que pergunta. Eu e a Tiffy vamos levá-la a um lançamento de outro grande autor nosso daqui a duas semanas. Só para que veja como estas coisas se fazem.

— Vai haver bebidas grátis? — pergunta a Katherin, mais animada.

— Oh, claro, montes de bebidas grátis — responde o Martin, que antes me tinha dito que não haveria de todo.

Olho de relance para o relógio enquanto o Martin regressa à tarefa de convencer a Katherin a fazer o lançamento no sítio enorme. Ela está muito preocupada com o facto de as pessoas mais ao fundo não conseguirem ver. Já eu, por outro lado, estou muito preocupada com o facto de chegarmos a horas à unidade de cuidados paliativos do Leon.

É a tarde da nossa visita. O Leon vai estar lá, o que quer dizer que, esta noite, depois de cinco meses e meio a vivermos juntos, vamos finalmente encontrar-nos.

Estou estranhamente nervosa. Mudei de roupa três vezes hoje de manhã, o que é invulgar — regra geral, não imagino o dia a poder ser diferente depois de já me ter vestido. Agora não sei se terei escolhido bem. Aligeirei o vestido amarelo-limão com um blusão de ganga, *leggings* e as minhas botas dos lírios, mas continuo vestida com algo que uma miúda de 16 anos poderia levar ao baile de finalistas. Fundamentalmente, o tule revela demasiado esforço.

— Não acham que devíamos ir andando? — digo, interrompendo o Martin a meio de uma treta qualquer. Quero chegar à unidade de cuidados paliativos a tempo de encontrar o Leon e agradecer-lhe antes de começarmos. Preferia que ele não aparecesse a meio como o Justin, enquanto a Katherin me espeta alfinetes.

O Martin lança-me um olhar furioso, virando a cabeça para que a Katherin não veja como é virulento o olhar que me dispara. Ela, claro está, dá conta mesmo assim, e anima-se, rindo-se para dentro da caneca de café. Estava irritada comigo quando cheguei porque (claramente) voltei a ignorar a sua instrução para usar «roupas neutras». A minha desculpa de que usar bege me suga a vida não colou. «Todos temos de fazer sacrifícios pela nossa arte, Tiffy!», disse-me, a acenar com um dedo. Lembrei-lhe que esta não é realmente a *minha* arte, e sim a dela, mas ela ficou tão ressentida, que desisti e lhe disse que, à laia de meio--termo, ia tirar o saiote de tule.

É bastante bom ver que o nosso desagrado mútuo pelo Martin voltou a unir-nos.

Não sei ao certo porque acho que sei como será uma unidade de cuidados paliativos — nunca estive numa. Mesmo assim, esta corresponde a alguns dos itens da minha lista: linóleo nos corredores, equipamento médico com fios e tubos, arte de má qualidade em molduras tortas nas paredes. Mas também é um ambiente mais amistoso do que eu esperava. Todos parecem conhecer-se: médicos que dirigem comentários sardónicos uns aos outros quando se cruzam nos corredores, pacientes que riem com os companheiros de ala, e, a dada altura, ouço uma enfermeira a ter uma discussão bastante acesa com um idoso de Yorkshire acerca de qual será o melhor sabor de arroz doce do menu do jantar.

A rececionista conduz-nos por um desconcertante labirinto de corredores até uma espécie de área comum. Há uma mesa de plástico de ar instável para os nossos materiais, montes de lugares de aspeto desconfortável e uma televisão parecida com a de casa dos meus pais — quadradona e enorme atrás, como se estivessem a guardar ali os canais extra de televendas.

Largamos os sacos com lã e agulhas de croché. Alguns dos pacientes com maior mobilidade entram na sala. É evidente que a notícia se espalhou, provavelmente por intermédio dos enfermeiros e dos médicos, que parecem correr em direções totalmente aleatórias a toda a hora, como bolas de flíperes. Faltam 15 minutos para começarmos — tempo suficiente para encontrar o Leon e dizer-lhe olá.

— Desculpe — pergunto a uma enfermeira cuja trajetória de flíper a fez atravessar por breves instantes a sala —, o Leon já chegou?

— O Leon? — pergunta ela, com um ar distraído. — Sim. Está cá. Precisa dele?

— Oh, não, não se preocupe — digo. — Não é, tipo, uma questão médica. Só queria cumprimentá-lo e agradecer-lhe por nos ter permitido fazer isto.

Aceno com um braço na direção do Martin e da Katherin, que vão desemaranhando lã com graus variados de entusiasmo.

A enfermeira anima-se e observa-me com atenção.

— É a Tiffy?

— Hum. Sim?

— Oh! Olá. Ena, olá. Se quer vê-lo, acho que ele deve estar na Ala Dorsal. É só seguir os sinais.

— Muito obrigada — digo, enquanto ela se esgueira de novo.

Ala Dorsal. OK. Consulto a tabuleta afixada à parede: ao que parece, é para a esquerda. E depois para a direita. E depois esquerda, esquerda, direita, esquerda, direita, direita — com o caraças. Este lugar não tem fim.

— Desculpe — pergunto a alguém de farda hospitalar por quem passo —, estou no caminho certo para a Ala Dorsal?

— Está, sim — responde ele sem abrandar. Hum. Não tenho a certeza se terá ligado à minha pergunta. Suponho que quem trabalhe aqui esteja mesmo farto de visitas a pedir indicações. Fito a tabuleta seguinte: agora a Ala Dorsal desapareceu por completo.

O tipo de farda volta a aparecer ao meu lado, tendo regressado pelo mesmo corredor. Assusto-me.

— Desculpe, por acaso não é a Tiffy, é? — pergunta-me.

— Sim... Olá?

— A sério! Caramba. — Olha-me de cima a baixo de forma bastante descarada, e depois apercebe-se do que está a fazer e faz uma careta. — Meu Deus, desculpe, é só que aqui ninguém acreditava bem. O Leon deve estar na Ala Kelp... vire na próxima à esquerda.

— Acreditava no quê? — pergunto-lhe, mas ele já se foi embora, deixando umas portas duplas a abanar atrás de si.

Isto é... esquisito.

Quando me viro, entrevejo um enfermeiro de pele morena e cabelo escuro, cuja farda azul-escura parece puída até a esta distância — já reparei em quão puída está a farda do Leon, quando a deixa a secar no estendal. Fitamo-nos por uma fração de segundo, mas depois ele vira a cabeça, consulta o *pager* que traz à cintura, e segue num passo apressado pelo corredor em frente. É alto. Se calhar era ele? Estávamos demasiado longe para ter a certeza. Acelero o passo para o seguir, fico ligeiramente ofegante, e depois começo a sentir que estou a persegui-lo, pelo que me obrigo a abrandar de novo. Merda. Acho que passei pelo sítio onde era para virar para a Ala Kelp.

Detenho-me a meio do corredor. Sem o saiote de tule, o meu vestido perdeu o volume, agarrando-se ao tecido das minhas *leggings*; estou afogueada e com calor e, para ser honesta, completamente perdida.

O sinal seguinte diz para virar à esquerda para ir para a Sala de Convívio, que foi onde comecei. Suspiro e vejo as horas. Só faltam cinco minutos para o espetáculo começar — é melhor voltar para lá. Depois procuro o Leon, espero eu que sem encontrar mais desconhecidos ligeiramente assustadores que sabem como me chamo.

Já se formou uma assistência significativa quando volto à sala; a Katherin vê-me, aliviada, e dá logo início à apresentação. Sigo obedientemente as suas instruções e, enquanto a Katherin exalta com todo o entusiasmo as virtudes do ponto fechado, perscruto a sala. Os pacientes são uma mescla de senhores e senhoras idosos, dois terços dos quais em cadeiras de rodas, e umas quantas senhoras de meia-idade que parecem encontrar-se muito mal, mas estão muito mais interessadas no que a Katherin está a dizer do que as outras pessoas. Também há três crianças. Uma delas é uma menina cujo cabelo só agora recomeça a crescer, depois da quimioterapia, calculo eu. Tem uns olhos enormes, e eu reparo neles porque ela não está a fitar a Katherin, como todos os outros, mas sim a observar-me com um sorriso.

Aceno-lhe discretamente. A Katherin bate-me na mão.

— Hoje está uma modelo terrível! — ralha-me ela e, de súbito, sou atirada de volta para o momento naquele cruzeiro em fevereiro, a última vez que a Katherin me manuseou em várias posições desconfortáveis a pretexto de proporcionar educação sobre croché. Por um instante, consigo recordar a expressão do Justin tal como quando os nossos olhares se cruzaram — não a forma como surge na memória, apagada e alterada pelo passar do tempo, mas como foi de facto. Sou percorrida por um calafrio.

A Katherin lança-me um olhar curioso e, a custo, livro-me da memória, conseguindo esboçar um sorriso tranquilizador. Ao olhar para cima vejo um homem alto e de cabelo escuro, de farda hospitalar, empurrando uma porta para uma das outras alas, e o meu coração sobressalta-se. Mas não é o Leon. Quase fico contente. Estou agitada, despistada — não é propriamente o momento em que quero encontrá-lo.

— Braços para cima, Tiffy! — chilreia-me a Katherin ao ouvido e, a abanar a cabeça, volto a seguir as suas instruções.

20

Leon

Tenho a carta amarrotada no bolso das calças. A Tiffy pediu-me que a lesse antes de a enviar ao Richie. Mas ainda não a li. É doloroso. De repente, tenho a certeza de que ela não vai compreender. De que vai dizer que ele é um criminoso calculista, tal como o juiz disse. Que as justificações dele não fazem sentido e que, tendo em conta o seu caráter e o seu passado, ele é exatamente o que todos deveríamos ter esperado que fosse.

Estou ansioso, de ombros tensos. Mal a entrevi, mas não consigo livrar-me da impressão de que a ruiva na outra ponta do corredor para a Ala Dorsal era capaz de ser ela. Se era, espero que não tenha ficado a pensar que fugi. Obviamente, fugi. Mas, ainda assim, preferiria que ela não o soubesse.

Só... não quero enfrentá-la antes de ter lido a carta.

Por isso... Claramente, tenho de ler a carta. Entretanto, talvez me esconda na Ala Kelp para evitar encontros imprevistos a meio do corredor, não vá ela andar mesmo à minha procura.

Passo pela receção a caminho da Ala Kelp e sou bombardeado pela June, que está ao balcão.

June: A tua *amiga* já chegou!

Só disse a umas quantas pessoas que esta apresentação de croché foi organizada pela minha companheira de casa. Isso revelou-se um mexerico incrivelmente interessante. Toda a gente parece insultuosamente surpreendida por eu ter uma companheira de casa; ao que parece, tenho o ar de um homem que vive sozinho.

Eu: Obrigado, June.

June: Está na Sala de Convívio!

Eu: Obrigado, June.

June: Ela é tão bonita...

Pestanejo. Não tinha dedicado qualquer pensamento à aparência da Tiffy, para além de me perguntar se usará cinco vestidos em simultâneo (isso explicaria o número de peças penduradas no nosso roupeiro). Por um instante, sinto vontade de perguntar se será ruiva, mas depois arrependo-me.

June: Que jovem encantadora. Mesmo encantadora. Fico *tão* contente por teres encontrado uma jovem tão encantadora com quem viver.

Fito-a com desconfiança. Ela sorri-me de orelha a orelha. Gostava de saber com quem terá andado a falar... Com a Holly? Essa miúda ficou estranhamente obcecada pela Tiffy.

Trato disto e daquilo na Ala Kelp. Faço uma inusitada pausa para café. Não posso adiar mais. Nem sequer tenho pacientes que se sintam gravemente mal e me mantenham ocupado — não tenho nada que fazer, para além de ler esta carta.

Desdobro-a. Desvio o olhar, com o coração apertado. Isto é ridículo. Que importância tem, afinal?

Pronto. Estou a olhar para a carta. A confrontar a carta, como um adulto a enfrentar a opinião de outro adulto que lhe pediu que lesse uma coisa, e cuja opinião nem sequer devia importar.

Mas a verdade é que importa. Devo ser honesto comigo mesmo: gosto de voltar a casa e encontrar as notas da Tiffy, e ficarei triste se a perder por ela ser cruel para o Richie. Não que ela vá ser. Mas... já pensei o mesmo de outros. Nunca se sabe como as pessoas reagirão até lhes vermos a reação.

Querido Richie,

Muito obrigada pela tua carta. Fez-me chorar, o que te põe na mesma categoria que o livro Viver Depois de Ti, *o meu ex-namorado e cebolas. Portanto, bastante impressionante. (O que quero dizer é que não choro por dá cá aquela palha — é preciso um verdadeiro alvoroço emocional e/ou enzimas vegetais esquisitas para me deixar lacrimosa.)*

Não acredito na situação de treta em que te encontras. Quero dizer, sabe-se que este tipo de coisas acontece, mas acho que é difícil identificarmo-nos até ouvirmos a história toda da boca/caneta de alguém a quem isso aconteceu. Não me disseste nada acerca do que sentiste ao estares naquele tribunal, de como tem sido a prisão para ti... pelo que suponho que as partes que deixaste de fora me fariam chorar ainda mais.

Mas de nada serve que eu te diga só que isto é uma merda (isso tu já sabes) e que lamento imenso (provavelmente ouves muito isso). Estava a pensar isso antes de te escrever esta carta, e a sentir-me bastante inútil. Não podia escrever-te só para dizer «Lamento, isto é mesmo uma merda para ti», pensei eu. Por isso liguei à minha melhor amiga, a Gerty.

A Gerty é um ser humano soberbo, da forma menos óbvia que se possa imaginar. Trata mal quase toda a gente, é totalmente obcecada com o trabalho e, se se desentender contigo, risca-te por completo da vida dela. Mas é uma pessoa de princípios profundamente arreigados, é muito boa para os amigos e valoriza a honestidade acima de tudo.

Por acaso, também é advogada. E, a julgar pela sua carreira ridiculamente bem-sucedida, é muitíssimo boa no que faz.

Vou ser honesta: ela leu a tua carta a meu pedido. Mas depois leu a transcrição do teu julgamento por si mesma e — acho eu — por ti também. Ela não diz que vá aceitar o teu caso (vais ver isso na nota dela, que aqui incluo), mas tem algumas perguntas às quais gostaria que respondesses. Fica perfeitamente à vontade para as ignorares — provavelmente tens um advogado fantástico que já viu todas essas coisas. Quero dizer, se calhar meter a Gerty ao barulho foi mais por minha causa do que por tua, por querer sentir que estava a fazer qualquer coisa. Por isso, estás à vontade para me mandar bugiar.

Mas, se quiseres responder à Gerty, manda qualquer coisa na tua próxima carta para o Leon e nós passamos-lhe isso. E se calhar...

não fales do assunto ao teu advogado. Não sei o que é que os advogados acham de os clientes falarem com outros advogados — será como adultério?

Mando-te aqui montes de selos (mais uma vítima do impulso de «querer ajudar» com que ando aqui a debater-me).

Com afeto,

Tiffy

Caro Sr. Twomey,

Chamo-me Gertrude Constantine. Suspeito que a Tiffany já terá feito uma introdução grandiosa de mim na sua carta, pelo que vou direta ao assunto.

Por favor, permita-me que deixe isto bem claro: isto não é uma proposta de representação. Trata-se de uma carta informal, não de uma consulta legal oficial e registada. Se lhe oferecer conselhos, é como amiga da Tiffany.

- *Pela transcrição do julgamento, parece que os amigos com quem foi ao Daffie's, a discoteca em Clapham, não foram chamados como testemunhas nem pela acusação, nem pela defesa. Por favor, confirme.*
- *Os «Bloods» não são mencionados por si ou por qualquer outra pessoa na transcrição do julgamento. A partir da sua carta, entendo que só ficou a par do nome escolhido por este gangue quando já estava preso. Pode confirmar que informação o levou a acreditar que o grupo que viu na discoteca e o homem que o agrediu na casa de banho eram membros desse gangue?*
- *Apresentou queixa da agressão na casa de banho da discoteca?*
- *Os porteiros da discoteca testemunharam que o gangue (como lhe chamaremos) deixou o bar pouco depois de o senhor ter saído. Não lhes foram feitas mais perguntas. De onde se encontravam, poderiam ter indicado se o senhor e o gangue seguiam numa direção idêntica ou similar?*

- *Parece que o júri tomou a sua decisão baseando-se apenas num segmento de gravação de uma câmara de videovigilância no interior do estabelecimento. As gravações das câmaras da Clapham Road, do parque de estacionamento do Aldi e da lavandaria adjacente foram requisitadas pelo seu representante legal?*

Com os melhores cumprimentos,
Gertrude Constantine

21

Tiffy

Quando chega à parte em que levamos agulhas de croché e lã à assistência, encaminho-me para a menina que estava a fitar-me antes. Vendo-me a aproximar, ela sorri-me com uns grandes dentes da frente e cheia de genica.

— Olá — diz-me, ao aceitar a lã. — És a Tiffy?

Fico a olhar para ela e depois agacho-me para ficar ao nível da sua cadeira de rodas, porque ficar de pé a fazer-lhe sombra parece estranho.

— Sou! Estão todos fartos de me perguntar isso hoje. Como é que adivinhaste?

— És *mesmo* bonita! — diz ela, contente. — Também és boazinha?

— Oh, sou horrível, na verdade — respondo. — Porque é que achaste que eu era capaz de ser a Tiffy? E... — ocorre-me depois perguntar — bonita?

— Disseram o teu nome no início — lembra-me ela. Oh, pois, claro. Embora isso não explique a estranheza das enfermeiras. — E não és nada horrível. Acho que és boazinha. Foi simpático teres deixado aquela senhora medir-te as pernas.

— Foi, não foi? — digo eu. — Acho que essa simpatia até agora tinha passado bastante despercebida, por isso, obrigada. Queres aprender a fazer croché?

— Não — responde ela.

Rio-me. Pelo menos é honesta, ao contrário do homem atrás dela, que está corajosamente a tentar fazer um nó corredio sob a supervisão da Katherin.

— Então o que é que queres fazer?

— Quero falar-te do Leon — diz ela.

— Ah! Conheces o Leon!

— Sou a paciente preferida dele.

Sorrio.

— Aposto que és. Então ele falou de mim, foi?

— Não muito.

— Oh. Certo. Bem...

— Mas eu disse-lhe que ia descobrir se eras bonita.

— Ai disseste?! Ele pediu-te para fazeres isso?

Ela pensa um pouco.

— Não. Mas eu acho que ele queria saber.

— Acho que não... — Apercebo-me de que não sei como se chama.

— Holly — diz ela. — Como azevinho em inglês.

— Bem, Holly, eu e o Leon somos só amigos. Os amigos não precisam de saber se os amigos são bonitos.

De repente, o Martin aparece junto ao meu ombro.

— Podes posar com ela, Tiffy? — murmura-me ao ouvido. Meu Deus, este homem é mesmo capaz de aproximações furtivas. Devia usar um guizo, como os gatos que comem pássaros.

— Posar? Com a Holly?

— A miúda com leucemia, sim — diz o Martin. — Para o comunicado de imprensa.

— Eu consigo ouvir-te, sabes? — declara a Holly em voz alta.

O Martin tem ao menos a decência de parecer envergonhado.

— Olá — diz ele, um bocado atrapalhado. — Sou o Martin.

A Holly encolhe os ombros.

— Muito bem, *Martin*. A minha mãe não te deu autorização para me tirares fotos. Eu não quero que me tires fotos. As pessoas ficam sempre com pena de mim porque não tenho muito cabelo e pareço doente.

Vejo o Martin a pensar que, basicamente, a ideia era essa. Sou acometida por uma vontade súbita, mas não inusitada, de lhe dar um murro ou, pelo menos, um pontapé nas canelas. Se calhar podia tropeçar na cadeira de rodas da Holly e fingir que foi um acidente.

— Está bem — resmunga o Martin, já a afastar-se na direção da Katherin, sem dúvida na esperança de que ela tenha localizado um paciente similarmente adorável e com menos pejo quanto a ser escarrapachado por toda a Internet para que o Martin possa avançar na carreira.

— *Ele* é horrível — diz a Holly, num tom factual.

— Sim — digo, sem sequer pensar. — É, não é?

Vejo as horas; acabamos daqui a dez minutos.

— Queres ir procurar o Leon? — pergunta-me a Holly, lançando-me um olhar bastante astuto.

Olho de novo para a Katherin e para o Martin. Quero dizer, o meu trabalho de modelo já terminou, e nem sequer tenho qualquer jeito para fazer croché, quanto mais para ensinar outras pessoas a fazê-lo. Vão demorar séculos a arrumar toda esta lã e seria bastante bom não estar aqui para essa parte.

Escrevo uma mensagem rápida à Katherin.

Vou só ver se encontro o meu companheiro de casa para lhe agradecer por ter organizado isto. Volto a tempo de arrumar. Bjs

(Definitivamente não volto.)

— Por ali — diz a Holly, e depois, quando eu pura e simplesmente não consigo fazer a cadeira de rodas andar, ela ri-se e aponta para o travão. — *Toda a gente* sabe que é preciso soltar o travão.

— Achei só que eras mesmo pesada — digo-lhe.

A Holly solta um risinho.

— O Leon deve estar na Ala Coral. Não sigas os sinais, levam-nos pelo caminho mais longo. Vira à esquerda!

Assim faço.

— Conheces mesmo os cantos à casa, não conheces? — comento, depois de ser dirigida por um labirinto de corredores e, a certa altura, através de uma arrecadação.

— Estou cá há sete meses — diz a Holly. — E sou amiga do Sr. Robbie Prior. Ele está na Ala Coral e foi muito importante numa guerra.

— O Sr. Prior! Ele tricota?

— *A toda a hora* — responde ela.

Excelente! Vou a caminho de conhecer o meu tricotador salva-vidas *e* o meu companheiro de casa com quem troco notas escritas. Pergunto-me se ele falará como escreve, todo conciso e com frases curtas.

— Olá, doutora Patel! — grita a Holly de súbito a uma médica que vai a passar. — Esta é a Tiffy!

A Dra. Patel detém-se, baixa os óculos para a cana do nariz e depois sorri-me.

— Ora, nunca pensei. — É tudo o que ela diz, antes de desaparecer para o quarto mais próximo.

— Muito bem, menina Holly — digo, virando-lhe a cadeira de rodas, de maneira a ficarmos de frente uma para a outra. — O que é que se passa? Porque é que parece que toda a gente sabe como me chamo? E porque é que todos ficam surpreendidos quando me veem?

A Holly faz um ar malandro.

— Ninguém acredita que sejas a sério — diz ela. — Eu *disse* a toda a gente que o Leon vive com uma rapariga e que lhe escreve notas e que ela o faz rir, e *ninguém* acreditou em mim. Todos disseram que o Leon não era capaz de... — Franze muito o nariz. — ... *tolerar* uma companheira de casa. Acho que isso quer dizer que ele não quereria partilhar a casa com ninguém por ser tão calado. O que ninguém sabe é que, *na verdade,* ele guarda toda a conversa para as pessoas mesmo boas, como tu e eu.

— A sério? — Abano a cabeça, com um sorriso de orelha a orelha, e continuo o caminho pelo corredor. É engraçado ouvir outra pessoa falar do Leon. Até agora, a minha única referência tem sido a Kay, que raramente aparece hoje em dia.

Com as instruções da Holly, chegamos finalmente à Ala Coral. Ela olha em volta, agarrando-se aos braços da cadeira para se inclinar e ver melhor.

— Onde está o Sr. Prior? — pergunta.

Um cavalheiro idoso sentado a uma cadeira junto à janela vira-se e sorri à Holly; o seu rosto é um aglomerado de rugas profundas.

— Olá, Holly.

— Sr. Prior! Esta é a Tiffy. É bonita, não é?

— Ah! Menina Moore — diz o Sr. Prior, tentando levantar-se, de mão estendida. — Que prazer.

Acorro-lhe, desesperada para que volte a sentar-se na cadeira. Parece que desdobrá-lo daquela posição não seria sensato.

— Que honra conhecê-lo, Sr. Prior! Tenho de lhe dizer que *adoro* o seu trabalho... e não posso agradecer-lhe o suficiente por nos ter feito todos aqueles gorros e cachecóis para o livro da Katherin.

— Oh, fi-los com muito gosto. Teria ido à apresentação, mas... — Dá umas palmadinhas no peito. — Não estava a sentir-me bem à altura do desafio, lamento.

— Oh, não se preocupe — digo-lhe. — Também não precisa que ninguém lhe dê lições. — Faço uma pausa. — Por acaso não terá visto...

O Sr. Prior sorri.

— O Leon?

— Bem, sim. Só queria encontrá-lo para lhe dizer olá.

— Hum... — faz o Sr. Prior. — Há de perceber que o nosso Leon é um pouco esquivo. Na verdade, ele acaba de se esgueirar. Acho que alguém lhe terá dado a dica de que a menina vinha a caminho.

— Oh. — Fito o chão, embaraçada. Não queria andar a persegui-lo pela unidade de cuidados paliativos. O Justin sempre disse que eu não sabia quando devia parar. — Se ele não quer ver-me, se calhar o melhor será eu...

O Sr. Prior acena com uma mão.

— Não me percebeu, minha querida — diz ele. — Não é isso de todo. Parece-me que o Leon está bastante nervoso quanto a conhecê-la em pessoa.

— Porque haveria ele de estar nervoso? — pergunto, como se eu própria não tivesse passado o dia numa pilha de nervos.

— Não lhe sei dizer ao certo — responde o Sr. Prior —, mas o Leon não gosta de que as coisas... mudem. Eu diria que lhe agrada muito viver consigo, menina Moore, e pergunto-me se não terá medo de estragar isso. — Faz uma pausa. — Sugiro-lhe que, se quiser introduzir uma mudança na rotina do Leon, o faça muito depressa, e de uma vez só, para que ele não tenha forma de se esquivar.

— Como uma surpresa — diz a Holly num tom solene.

— Certo — digo. — Bem, seja como for, foi um prazer conhecê-lo, Sr. Prior.

— Mais uma coisa, menina Moore — diz ele. — O Leon estava com um ar algo comovido. E tinha uma carta na mão. Por acaso não sabe nada acerca disso, pois não?

— Oh, meu Deus, espero não ter dito algo errado — exclamo, desesperada por me lembrar do que pus naquela carta para o Richie.

— Não, não, ele não estava zangado. Só em alvoroço. — O Sr. Prior tira os óculos e limpa-os à camisa com dedos trémulos e nodosos. — Se tivesse de adivinhar, diria que ele estava bastante... — Os óculos regressam ao nariz. — ... surpreendido.

22

Leon

É demasiado. Estou a tremer. Há meses que não sentia tanta esperança, e já me tinha esquecido de como lidar com esta emoção — as minhas entranhas estão todas trémulas e a pele toda fria e quente ao mesmo tempo. Há uma boa hora que estou com o ritmo cardíaco acelerado. E não abranda.

Devia ir agradecer pessoalmente à Tiffy. Ela anda à minha procura e eu só me tenho escondido, o que, obviamente, é infantil e ridículo. Só me sinto muito esquisito em relação a isto. Como se, se nos encontrássemos, tudo passasse a ser diferente e não fosse possível voltar a como era. E eu gosto de como era. É.

Eu: June, onde é que está a Tiffy?

June: A tua encantadora companheira de casa?

Eu, pacientemente: Sim. A Tiffy.

June: Leon, é quase 1 hora da manhã. Ela foi-se embora depois da apresentação.

Eu: Oh. E... deixou algum recado? Ou qualquer coisa?

June: Desculpa, querido. Mas andou a tentar encontrar-te, se isso serve de algum consolo.

Não serve. E também não me deixou nenhuma nota. Sinto-me um tolo. Perdi a oportunidade de lhe agradecer; provavelmente também a terei entristecido. Isso não me agrada. Mas... ainda estou em alta por causa da carta, que me anima durante o resto da noite, sendo a animação apenas interrompida pela memória ocasional e embaraçosa de me escapulir pelos corredores para evitar interação social (um comportamento antissocial extremo, até para mim. Faço um esgar só de pensar no que o Richie dirá disto).

No fim do turno, saio a correr e sigo para a paragem do autocarro. Ligo à Kay assim que passo a porta. Mal posso esperar por lhe falar da carta, da amiga que é advogada especializada em direito penal, da lista de perguntas.

A Kay está invulgarmente silenciosa.

Eu: Isto é incrível, não?

Kay: Essa advogada não fez nada, na verdade, Leon. Não aceitou o caso... nem sequer disse que acreditava que o Richie estivesse inocente, afinal.

Quase tropeço, como se alguém tivesse estendido uma mão para me travar.

Eu: Mas é *qualquer coisa.* Há muito tempo que não havia nada.

Kay: E eu achava que tu nunca ias encontrar-te com a Tiffy. Essa foi a primeira regra que estabelecemos quando concordei com esta coisa do apartamento partilhado.

Eu: O quê... nunca? *Nunca* vou poder conhecê-la? Ela é a minha companheira de casa.

Kay: Não digas isso como se eu estivesse a ser irrazoável.

Eu: Não me apercebi de que querias... Olha, isto é um disparate. Seja como for, não estive com ela. Só te liguei para te contar as novidades do Richie.

Mais um silêncio demorado. Franzo o sobrolho, abrando o passo.

Kay: Quem me dera que aceitasses a situação do Richie, Leon. Suga-te tanta energia, tudo isto... tem-te mudado nos últimos meses. Acho que o mais saudável... para ser sincera... é procurar aceitar. E tenho a certeza de que vais aceitar, é só que... já se passou algum tempo. E está mesmo a pesar-te. E em nós também.

Não percebo. Será que não ouviu? Não se dá o caso de eu estar a dizer as mesmas coisas de sempre, a agarrar-me a velhas esperanças — estou a dizer que há uma nova esperança. Há coisas novas.

Eu: O que é que estás a sugerir? Que nos limitemos a desistir? Mas há novas provas para arranjar, agora que sabemos o que procurar!

Kay: Tu não és advogado, Leon. E o Sal é advogado, e tu próprio disseste muitas vezes que ele fez o melhor que podia e, pessoalmente, acho que não está certo que essa mulher apareça e interfira e vos dê esperança quando o caso foi tão simples e direto. Todos os jurados o consideraram culpado, Leon.

Uma frieza cresce-me bem no fundo do estômago. A frequência cardíaca volta a subir e, desta vez, por todos os motivos errados. Estou a ficar zangado. Aquela sensação outra vez, a raiva presa e odiosa ao ouvir alguém que se tenta tanto amar a dizer as piores coisas.

Eu: O que é que se passa, Kay? Não consigo perceber o que queres de mim.

Kay: Quero-te de volta.

Eu: O quê?

Kay: Quero-te de *volta,* Leon. Presente. Na tua vida. Comigo. Tu... tu deixaste de me ver. Entras e sais e passas o teu tempo livre aqui, mas não estás realmente comigo. Estás sempre com o Richie. Preocupas-te sempre com o Richie... mais do que te preocupas comigo.

Eu: É claro que me preocupo mais com o Richie.

A pausa é como silêncio após o disparo de uma arma. Cubro a boca com a mão. Não queria dizer aquilo; não sei de onde veio.

Eu: Não era isso que eu queria dizer. Só queria... O Richie precisa mais da minha... preocupação neste momento. Não tem ninguém.

Kay: Sobra-te alguma dessa... *preocupação* para mais alguém? Para ti?

O que ela quer dizer é: *para mim*?

Kay: Por favor. Pensa mesmo nisso. Pensa mesmo em nós os dois.

Ela começa a chorar. Sinto-me mesmo mal, mas aquela sensação quente e fria no fundo do estômago continua a arder.

Eu: Continuas a achar que ele é culpado, não continuas?

Kay: Raios, Leon, estou a tentar falar de nós, não sobre o teu irmão.

Eu: Preciso de saber.

Kay: Não podes só ouvir-me? Estou a dizer-te que esta é a única forma de poderes recuperar. Podes continuar a acreditar que ele não o fez, se quiseres, mas precisas de aceitar que está na prisão e que vai lá ficar por uns bons anos. Não podes continuar a *resistir.* Isso está a destruir-te a vida. Tudo o que fazes é trabalhar, escrever ao Richie e obcecar-te com coisas, seja o namorado de um velho qualquer, seja o mais recente pormenor do recurso do Richie. Tu costumavas *fazer* coisas. Sair. Passar tempo comigo.

Eu: Nunca tive muito tempo livre, Kay. O que tenho sempre foi para ti.

Kay: Agora vais visitá-lo fim de semana sim, fim de semana não.

Será que ela está mesmo zangada comigo por ir visitar o meu irmão à prisão?

Kay: Eu sei que não posso levar-te isso a mal. Eu sei isso. Mas eu só... O que quero dizer é, tens muito pouco tempo, e agora parece-me que recebo uma fração ainda mais pequena desse tempo, e...

Eu: Continuas a achar que o Richie é culpado?

Há silêncio. Acho que agora também estou a chorar, há algo molhado e frio nas minhas faces enquanto mais um autocarro passa a acelerar e eu não sou capaz de entrar.

Kay: Porque é que voltamos sempre a isto? Que importância tem isso? A nossa relação não devia ter tanto do teu irmão.

Eu: O Richie faz parte de mim. Somos família.

Kay: Bem, nós somos namorados. Isso não quer dizer nada?

Eu: Tu sabes que te amo.

Kay: Engraçado. Não tenho a certeza de saber isso.

O silêncio prolonga-se. O trânsito vai passando. Arrasto os pés, a fitar o pavimento abrasado pelo sol, com uma sensação de irrealidade.

Eu: Diz-me só.

Ela espera. Eu espero. Outro autocarro espera e depois segue caminho.

Kay: Eu acho que o Richie o fez, Leon. Foi o que o júri concluiu, com toda a informação. É o género de coisa que ele faria.

Fecho lentamente os olhos. A sensação não é a que esperava — é estranho, mas é quase um alívio. Há meses que a ouço dizer isto em silêncio, desde A Discussão. Este é um fim para as entranhas interminavelmente feitas num nó, para a espera interminável à espreita em todas as conversas, para o interminável saber, mas tentar não saber.

A Kay está a soluçar. Eu ouço-a, ainda de olhos fechados, e é como se estivesse a flutuar.

Kay: Acabou, não foi?

É óbvio, de repente. Acabou. Não posso continuar a fazer isto. Não posso ter isto a consumir o meu amor pelo Richie, não posso estar com uma pessoa que não o ama também.

Eu: Sim. Acabou.

Agosto

23

Tiffy

No dia a seguir à minha visita à unidade de cuidados paliativos, cheguei a casa e deparei-me com a nota mais comprida e incoerente que alguma vez recebi do Leon, deixada na bancada da cozinha ao lado de um prato de esparguete por comer.

Olá, Tiffy,

Estou um bocado à nora, mas muito obrigado pela carta para o Richie. Não posso agradecer-te o suficiente. Precisamos mesmo de toda a ajuda que consigamos arranjar. Ele vai ficar encantado.

Desculpa não nos termos visto no trabalho. A culpa foi toda minha — só fui à tua procura tarde demais, queria ler a tua carta para o Richie primeiro, mas demorei séculos, depois baralhei-me todo e adiei demasiado, demoro sempre um bocado a assimilar as coisas... desculpa, vou só deitar-me, se não te importas, até logo, bjs

Fico um bom bocado a olhar para aquilo. Bem, ao menos não passou a noite toda a evitar-me porque não queria ver-me. Mas... deixar o jantar por comer? E estas frases compridas? O que quererá isto dizer?

Deixo uma nota *Post-it* ao lado da nota dele, colando-a com cuidado à bancada.

Olá, Leon,

Estás bem?! Vou fazer bolo de caramelo, só por via das dúvidas.

Bjs,

Tiffy

A verbosidade da carta do Leon é realmente um caso único. Nas duas semanas seguintes, as suas notas tornam-se ainda mais monossilábicas e com menos pronomes pessoais do que é habitual. Não quero insistir, mas qualquer coisa o afetou, de certeza. Será que ele e a Kay se zangaram? Ela não tem aparecido, e há semanas que ele não a menciona. Mas não sei como ajudar enquanto ele não me contar o que se passa, pelo que me limito a fazer mais bolos e a não me queixar por ele não andar a limpar o apartamento como deve ser. Ontem a caneca de café dele não estava nem à esquerda *nem* à direita do lava-loiça — continuava no armário, e ele deve ter ido trabalhar sem tomar cafeína de todo.

Num rasgo de inspiração, deixo-lhe o novo manuscrito do meu pedreiro-transformado-em-designer, o que escreveu o *Feito*. O segundo livro — *Arranhar os Céus* — é capaz de ser ainda melhor, e espero que o anime.

Chego a casa e vejo a seguinte nota em cima do manuscrito encadernado com argolas:

Este homem. Que gajo!

Obrigado, Tiffy. Desculpa-me pelo apartamento em pantanas. Vou limpá-lo em breve. Prometo.

Bj,

Leon

Considero que aquele ponto de exclamação é um grande sinal de melhoria.

É o dia da festa de lançamento a que vamos levar a Katherin, para o departamento de relações públicas tentar convencê-la de que uma enorme festa de lançamento é tudo o que ela sempre quis.

— Sem collants — diz a Rachel num tom decidido. — Estamos em agosto, por amor da santa.

Estamos a arranjar-nos numa das casas de banho do escritório. De vez em quando, alguém entra com a intenção fazer chichi e solta um pequeno grito ao ver que o espaço foi transformado num camarim. Temos as nossas bolsas de maquilhagem despejadas pelos lavatórios e o ar está turvo de perfume e laca. Ambas temos três escolhas de roupa penduradas nos espelhos, mais as que estamos a usar agora (as nossas escolhas finais: a Rachel está a usar um vestido justo de seda verde-lima, e eu um vestido de alças num padrão enorme do *Alice no País das Maravilhas* — encontrei o tecido numa loja solidária de Stockwell e consegui que uma das nossas *freelancers* mais prestáveis mo transformasse num vestido).

Retorço-me e tiro os collants. A Rachel acena com a cabeça, em jeito de aprovação.

— Melhor. Mais perna é bom.

— Tinhas-me de biquíni, se eu deixasse.

Ela dirige-me um sorriso descarado pelo espelho enquanto aplica o batom.

— Bem, podes conhecer um nórdico jovem e atraente — diz ela.

Esta noite é completamente dedicada a *Silvicultura para o Homem Comum*, a mais recente aquisição do nosso editor de madeiras. O autor é um eremita norueguês. É bastante significativo que tenha deixado a sua casa de madeira durante o tempo suficiente para vir a Londres. Eu e a Rachel estamos a contar que se passe por completo e se atire ao Martin, que está a organizar este evento, e que realmente deveria ter interpretado o estilo de vida do autor como sinal de que provavelmente não quer fazer um discurso perante um salão cheio de fanáticos por trabalhos em madeira.

— Não sei se estou preparada para nórdicos jovens e atraentes. Não sei. — Dou por mim a pensar no que o Mo me disse acerca do Justin aqui há uns meses, quando lhe liguei em polvorosa por não saber se o Justin alguma vez voltaria a entrar em contacto comigo. — Estou a ter dificuldades em sentir-me... preparada para sair com alguém. Apesar de o Justin se ter ido embora há *séculos*.

A Rachel para a meio da aplicação do batom para me fitar com um ar preocupado.

— Mas estás bem?

— Acho que sim — respondo. — Sim, acho que estou bem.

— Então é por causa do Justin?

— Não, não, não era isso que queria dizer. Se calhar só não sinto que precise disso na minha vida agora.

Sei que isso não é verdade, mas digo-o mesmo assim, porque a Rachel está a olhar para mim como se eu estivesse doente.

— Precisas sim — diz-me ela. — Só não fazes sexo há tanto tempo que te esqueceste de como é excecional.

— Acho que não me esqueci do que é sexo, Rachel. Não é, tipo, como andar de bicicleta?

— É parecido — concede a Rachel —, mas tu ainda não estiveste com ninguém desde o Justin, o que acabou, quê, em novembro do ano passado? Isso significa que se passaram mais do que... — Ela conta pelos dedos. — Nove meses.

— *Nove meses?* — Uau. Isso é mesmo muito tempo. Dá para ter um bebé inteiro nesse tempo. Não que eu vá ter um, obviamente, caso contrário este vestido *não* me serviria.

Perturbada, aplico o blush com um bocadinho de energia a mais e acabo a parecer que tenho um escaldão. Ai. Vou ter de começar tudo outra vez.

O Martin do departamento de relações públicas pode ser um chato, mas conseguiu criar uma festa cujo tema são as madeiras. Estamos num pub de Shoreditch com vigas expostas nos tetos baixos; há pilhas de toros como centros de mesa em cada mesa e o bar está decorado com ramos de pinheiro.

Olho em redor, supostamente em busca da Katherin, mas na verdade a tentar localizar o autor norueguês que não vê outro ser humano há seis meses. Começo pelos cantos, onde desconfio que estará encolhido.

A Rachel arrasta-me até ao balcão para descobrirmos, de uma vez por todas, se as bebidas são de graça. São, durante a primeira hora, ao que parece — amaldiçoamo-nos por termos chegado 20 minutos atrasadas e pedimos gins tónicos. A Rachel cai nas boas graças do barman falando de futebol, o que na verdade funciona uma quantidade surpreendente de vezes, apesar de ser o tópico menos original em que um homem poderia estar interessado.

Obviamente bebemos muito depressa, sendo essa a única reação razoável a uma janela temporal de uma hora com bebidas à borla, pelo que, quando a Katherin chega, lhe dou um abraço particularmente efusivo. Ela parece satisfeita.

— Isto é um bocado excessivo — diz ela. — O livro deste homem vai pagar isto? — Não há dúvida de que estará a pensar nos cheques de direitos de autor que recebeu até agora.

— Oh, não, Katherine — responde a Rachel num tom displicente, fazendo sinal ao seu novo melhor amigo e companheiro de torcida do Arsenal (a Rachel apoia o West Ham) para que lhe encha outra vez o copo. — Isso não é provável. Mas às vezes é preciso fazer este tipo de coisa, caso contrário toda a gente passa a fazer edições de autor.

— Chiu — sibilo. Não quero que a Katherin fique com ideias.

Vários gins tónicos depois, a Rachel e o barman já são mais do que amigos, e outras pessoas têm mesmo dificuldade em serem servidas. Para minha surpresa, a Katherin está como peixe na água. Neste momento, está a rir-se de algo que a diretora de relações públicas disse, o que eu sei que é fingido, porque ela nunca tem graça.

Estes eventos são ótimos para observar as pessoas. Giro no meu banco do bar para ver melhor a sala. Há de facto bastantes nórdicos atraentes por aqui. Considero a possibilidade de me fazer notar na sala até alguém se achar na obrigação de me apresentar a um deles, mas simplesmente não sou capaz.

— É um bocado como observar formigas, não é? — diz alguém ao meu lado. Viro-me; está um tipo bem-vestido encostado ao bar, à minha esquerda. Sorri-me com um ar arrependido. Tem o cabelo muito curto, do mesmo tamanho que a barba a crescer, e os olhos de um azul-acinzentado bonito, com algumas rugas dos lados. — Isto soou muito pior em voz alta do que na minha cabeça.

Volto a fitar a multidão.

— Percebo o que quer dizer — respondo. — Todas as pessoas parecem tão... atarefadas. E com um propósito.

— Exceto ele — diz o homem, a indicar com a cabeça um tipo no canto oposto, que acaba de ser abandonado pela jovem com quem estava a falar.

— É uma formiga perdida — concordo. — O que lhe parece... será o nosso eremita norueguês?

— Oh, não sei — diz o homem, lançando-lhe um olhar avaliador. — Não é suficientemente bem-parecido, acho eu.

— Viu a fotografia do autor? — pergunto.

— Sim. Um tipo atraente. Impressionante, até, haverá quem diga.

Fito-o de olhos semicerrados.

— É você, não é? Você é o autor.

Ele sorri e as pequenas rugas nos cantos dos seus olhos alongam-se em minúsculos pés de galinha.

— Culpado.

— Está muito bem-vestido para eremita — afirmo, num tom um pouco acusador. Sinto-me enganada. Nem sequer tem sotaque norueguês, caramba.

— Se tivesse lido isto — diz-me ele, acenando com um dos folhetos disponíveis à entrada —, saberia que, antes de ter escolhido viver sozinho em Nordmarka, trabalhei para um banco de investimentos em Oslo. A última vez que usei este fato foi no dia em que me demiti.

— A sério? E o que é que o levou a fazer isso?

Ele abre o folheto e começa a ler:

— *Farto da vida corporativa, Ken teve uma epifania depois de um fim de semana nas montanhas com um antigo amigo dos tempos da escola, que ganhava a vida a trabalhar madeira. Ken sempre gostou de usar as mãos* — e o olhar que me lança é *definitivamente* sedutor —, *e quando voltou à oficina do amigo, sentiu-se subitamente em casa. Momentos depois, tornou-se evidente que era um extraordinário artífice.*

— Se ao menos tivéssemos sempre uma biografia previamente escrita quando conhecemos pessoas novas — digo, arqueando uma sobrancelha. — Assim é muito mais fácil vangloriarmo-nos.

— Dê-me a sua, então — diz ele, fechando o folheto com um cativante sorriso.

— A minha biografia? Hum. Vejamos. *Tiffy Moore escapou à pequenez da sua infância numa vila pela grande aventura que é Londres assim que pôde. Ali, encontrou a vida com que sempre sonhara: café demasiado caro, habitações esquálidas e uma extraordinária falta de empregos para licenciados que não envolvessem folhas de cálculo.*

O Ken ri-se.

— Tem jeito. Também trabalha em relações públicas?

— Sou do editorial — digo-lhe. — Se fosse do departamento de relações públicas, teria de estar ali com as formigas.

— Bem, ainda bem que não é — comenta ele. — Prefiro estar afastado da multidão, mas não me parece que pudesse ter resistido a ir falar à linda mulher no vestido de Lewis Carroll.

Ele dirige-me um olhar. Um olhar muito intenso. O meu estômago agita-se. Mas… eu posso fazer isto. Porque não?

— Hum, quer ir apanhar um bocadinho de ar? — dou por mim a dizer. Ele acena com a cabeça, e eu pego no casaco que tinha pousado e encaminho-me para o jardim do pub.

Está uma noite de verão perfeita. O ar ainda comporta o calor do sol, apesar de este se ter posto há horas; o pub tem fios de pequenas lâmpadas pendurados entre as árvores e estas emitem um brilho suave e amarelado no jardim. Há umas quantas pessoas aqui fora, na maioria fumadoras — têm aquele ar encolhido e curvado dos fumadores, como se o mundo estivesse contra eles. Eu e o Ken sentamo-nos num banco de piquenique.

— Então, quando diz «eremita»… — começo.

— Coisa que não disse — ressalva ele.

— Pois. Mas o que é que isso envolve ao certo?

— Viver sozinho, em algum lugar isolado. Muito poucas pessoas.

— Muito poucas?

— Um ou outro amigo, a mulher que entrega as compras da mercearia. — Encolhe os ombros. — Não é tão silencioso como se imagina.

— A mulher que entrega as compras da mercearia, hã? — Desta vez, sou eu quem lhe dirige um olhar.

Ele ri-se.

— Admito que essa é uma desvantagem da solidão.

— Oh, por favor. Não é preciso viver sozinho numa casa da árvore para não ter sexo.

Comprimo os lábios. Não sei bem de onde é que aquilo veio — talvez do último gin tónico? Mas o Ken limita-se a sorrir, um sorriso lento e mesmo muito sensual, e, de repente, inclina-se para me beijar.

Enquanto fecho os olhos e me inclino, sinto-me estonteada pelas possibilidades. Nada me impede de ir para casa com este homem, e é um daqueles momentos em que o sol passa por entre as nuvens — como se algo tivesse deixado de me pesar. Agora posso fazer o que quiser. Sou livre.

E então, quando o beijo se aprofunda, lembro-me de uma coisa com tanta rapidez que fico desorientada.

O Justin. Estou a chorar. Acabámos de ter uma discussão e a culpa foi toda minha. O Justin tornou-se frio, virando-se de costas para mim na nossa cama enorme e branca, que segue todas as tendências de algodão penteado e almofadas sem fim.

Sinto-me profundamente infeliz. Mais do que alguma vez me lembro de ter estado antes, mas não me parece de todo uma sensação desconhecida. O Justin vira-se para mim e, de repente, alegremente, as suas mãos estão no meu corpo e começamos a beijar-nos. Fico baralhada, perdida. Estou tão grata por ele já não estar zangado comigo. Ele sabe exatamente onde tocar-me. A infelicidade não desapareceu, continua presente, mas ele quer-me, agora, e o alívio faz com que tudo o resto pareça insignificante.

De novo aqui, no jardim em Shoreditch, o Ken afasta-se do beijo. Está a sorrir. Acho que nem se apercebeu de que fiquei com a pele pegajosa e o coração acelerado por motivos completamente errados.

Merda. *Merda*. Que porra foi aquela?

24

Leon

Richie: Como te sentes, meu?

Como me sinto? Sem amarras. Como se alguma coisa algures dentro do meu peito se tivesse deslocado e o meu corpo já não funcionasse bem como devia. Como se estivesse sozinho.

Eu: Triste.

Richie: Há meses que não estás apaixonado pela Kay, estou-te a dizer. Fico mesmo contente por teres saído dessa relação, meu... era uma coisa de hábito, não de amor.

Pergunto-me porque será que o facto de ele ter razão não minora a dor de nenhuma maneira significativa. Sinto falta da Kay quase constantemente. É como uma dor surda. Piora de cada vez que pego no telefone para lhe ligar e depois não tenho a quem ligar.

Eu: Seja como for. Tiveste notícias da advogada amiga da Tiffy?

Richie: Ainda não. Não consigo deixar de pensar nisso. Sabes que não houve nenhuma coisa na carta dela que não me fizesse pensar: «Oh, pois, merda, porque é que não nos lembrámos disto?»

Eu: A mim também.

Richie: Passaste a minha resposta? Garantiste que ela a recebia?

Eu: A Tiffy deu-lhe a tua carta.

Richie: Tens a certeza?

Eu: Tenho.

Richie: OK. Está bem. Desculpa. É só que...

Eu: Eu sei. Eu também.

Nos últimos dois fins de semana, servi-me do Airbnb para andar pelo Reino Unido na minha busca pelo namorado do Sr. Prior. Foi uma excelente distração. Conheci dois Johnny Whites radicalmente diferentes — um amargurado, furioso e assustadoramente de direita, o outro a viver numa caravana e a fumar erva à janela enquanto falávamos da sua vida desde a guerra. Ao menos tem proporcionado entretenimento para a Tiffy — as notas sobre os Johnny Whites suscitam sempre boas respostas. Recebi esta depois de lhe descrever a viagem para ir conhecer o Johnny White, o Terceiro:

Se não tiveres cuidado, vou encomendar-te um livro sobre isto. É claro que, para fazer sentido no meu programa editorial, teria de introduzir algum elemento de faça-você-mesmo — poderias aprender um trabalho manual diferente com cada Johnny, ou qualquer coisa do género? Sabes, tipo, o Johnny White, o Primeiro, ensinava-te espontaneamente a fazer uma estante, e depois ias ter com o Johnny White, o Segundo, e ele estava a fazer glacê e tu acabas a fazer também... Oh, meu Deus, será que esta é a melhor ideia que alguma vez tive? Ou talvez a pior? Não consigo mesmo decidir. Bjs

Muitas vezes penso que deve ser cansativo ser a Tiffy. Até nas notas ela parece gastar imensa energia. Mas é bastante animador chegar a casa e lê-las.

A visita deste fim de semana ao Richie foi cancelada — não têm pessoal suficiente na prisão. Vão passar-se cinco semanas entre visitas. Isso é demasiado para ele e, dou-me conta, para mim também. Sem a Kay e com o Richie a poder telefonar ainda menos do que o habitual — falta de pessoal na prisão significa mais tempo fechados, menos acesso aos telefones —, vejo que até eu posso sofrer por não falar o suficiente. Não é que não tenha amigos a quem possa ligar. Mas não são... as pessoas com quem posso falar.

Tinha reservado um Airbnb perto de Birmingham para a visita ao Richie, mas cancelei-o, e agora vejo-me obrigado a enfrentar o facto de que, no fim de semana que aí vem, vou precisar de um sítio onde ficar. Torna-se evidente que fui demasiado complacente quanto ao estado da minha relação quando tratei desta situação do apartamento. Agora sou sem-abrigo ao fim de semana.

Dou a volta à cabeça em busca de opções. Não há nada a fazer. Vou a caminho do trabalho; vejo as horas no telemóvel. É praticamente a única altura do dia em que posso ligar à minha mãe. Saio uma paragem antes e telefono-lhe enquanto caminho.

Mãe, ao atender: Não me telefonas tanto quanto devias, Lee.

Fecho os olhos. Inspiro fundo.

Eu: Olá, mãe.

Mãe: O Richie liga-me mais do que tu. Da *prisão*.

Eu: Desculpa, mãe.

Mãe: Sabes o quanto isto me custa, Leon? Ter os meus meninos tão longe, nunca falarem comigo?

Eu: Estou a ligar-te agora, mãe. Tenho uns minutos antes de entrar ao trabalho — quero falar-te de uma coisa.

Mãe, subitamente em alerta: É o recurso? O Sal telefonou-te?

Não lhe falei da advogada amiga da Tiffy. Não quero que fique esperançada antes de sabermos se isso vai dar em alguma coisa.

Eu: Não. É sobre mim.

Mãe, desconfiada: Sobre ti?

Eu: Eu e a Kay acabámos, mãe.

A minha mãe derrete-se. De repente, toda ela é compaixão. É disto que precisa: de um filho a ligar-lhe e a pedir ajuda com algo com que ela possa lidar. A minha mãe tem jeito para lidar com desgostos românticos. Tem montes de experiência pessoal.

Mãe: Oh, querido. Porque é que ela acabou contigo?

Ligeiramente ofendido.

Eu: Fui eu que acabei com ela.

Mãe: Oh! Acabaste? Então porquê?

Eu: É que...

Oh. Isto é surpreendentemente difícil, mesmo com a minha mãe.

Eu: Ela não aguentava os meus horários, mãe. Não gostava de como eu era... queria que eu fosse mais sociável, que saísse mais, que lhe desse mais atenção. E... não acreditava que o Richie fosse inocente.

Mãe: O *quê?*

Espero. Silêncio. Entranhas retorcidas; parece-me terrível denunciar a Kay, mesmo agora.

Mãe: A vaca. Sempre se achou superior a nós.

Eu: Mãe!

Mãe: Bem, não lamento nada. Que vá para o diabo que a carregue.

De certa forma, é como falar mal dos mortos. Fico desejoso de mudar de assunto.

Eu: Posso passar aí o fim de semana?

Mãe: Passar? Aqui? Na minha casa?

Eu: Sim. Costumava passar os fins de semana com a Kay. Faz parte do... acordo de partilha do apartamento. Com a Tiffy.

Mãe: Queres vir para casa?

Eu: Sim. Só por...

Mordo a língua. Não é só este fim de semana. É até arranjar uma solução. Mas é automático pôr um termo firme nestas coisas; é a única forma de me sentir capaz de lhes escapar. Quando chegar a casa, a minha mãe vai receber-me, e não vai largar-me.

Mãe: Querido, podes ficar o tempo que precisares e sempre que precisares, está bem?

Eu: Obrigado.

Um momento de silêncio. Ouço a sua satisfação; torno a sentir as entranhas a retorcerem-se. Devia visitá-la mais.

Eu: Mãe, posso perguntar... Tens... Há mais alguém? A viver aí?

Mãe, embaraçada: Mais ninguém, querido. Estou sozinha há uns meses.

Isso é bom. Invulgar e bom. A mãe tem sempre algum homem, que parece sempre viver com ela, independentemente de quem seja. É quase sempre alguém que o Richie despreza e que eu preferia não ter de ver. A nossa mãe tem mau gosto inequívoco. Sempre foi uma boa mulher desencaminhada por um mau homem, vezes e vezes sem conta.

Eu: Vemo-nos no sábado à noite.

Mãe: Mal posso esperar, querido. Vou encomendar comida chinesa, está bem?

Silêncio. Era o que fazíamos quando o Richie ia a casa: sexta à noite com comida chinesa do restaurante ao fundo da rua dela.

Mãe: Ou indiana. Apetece-me uma coisa diferente, a ti não?

25

Tiffy

— Estás bem? — pergunta-me o Ken.

Estou praticamente paralisada. Com o coração a latejar.

— Sim. Desculpa, sim, estou bem.

Tento sorrir.

— Queres sair daqui? — pergunta ele, hesitante. — Quero dizer, a festa já está quase a acabar...

Será que quero? Queria, há cerca de um minuto. Agora, mesmo com a sensação daquele beijo ainda quente nos meus lábios, tenho vontade de fugir. Não estou realmente a pensar — o meu cérebro está apenas a produzir uma nota de pânico de um só tom que não ajuda nada, como um *uuuuuhhh* que me percorre a cabeça de um lado ao outro.

Alguém me chama. Reconheço a voz, mas não a ligo à pessoa até me virar e ver o Justin.

Ele está à porta entre o jardim e o pub, com uma camisa com o colarinho desapertado e a sua velha sacola de pele ao ombro. Parece-me dolorosamente familiar, mas também há algumas coisas diferentes: tem o cabelo mais comprido do que durante o tempo que passámos juntos, e os sapatos citadinos e empresariais são novos. Tenho a impressão de que o conjurei só de pensar nele — de que outra forma poderia estar aqui?

Os seus olhos demoram-se um momento no Ken e depois regressam a mim. Atravessa o relvado entre nós. Fico colada ao banco, de ombros tensos e encolhida, com o Ken a meu lado.

— Estás linda.

Isto, incrivelmente, é a primeira coisa que ele diz.

— Justin. — É tudo o que consigo dizer. Olho para o Ken e não há dúvida de que o meu rosto é o retrato da infelicidade.

— Deixa-me adivinhar — diz ele com ligeireza. — Namorado?

— Ex — digo eu. — Ex! Eu nunca... eu...

O Ken faz-me um sorriso simples e sensual, e depois dirige um igualmente bem-disposto ao Justin.

— Olá — diz ele, estendendo a mão para a do Justin. — Ken.

O Justin mal olha para ele; aperta-lhe a mão durante aproximadamente meio segundo antes de se virar novamente para mim.

— Posso falar contigo?

Olho para ele e para o Ken. Nem acredito que tenha sequer pensado em ir para casa com o Ken. É claro que não posso fazer isso.

— Desculpa — começo. — Eu ia mesmo...

— Então, não te preocupes com isso — diz o Ken, levantando-se. — Tens os meus contactos se quiseres apanhar-me enquanto estou em Londres. — Acena com o folheto. — Gosto em conhecê-lo — diz ele, extremamente educado, na direção do Justin.

— Pois. — É tudo o que este diz.

Enquanto o Ken se afasta, o *uuuhhh* sossega e sinto-me a despertar um pouco, como se estivesse a sair de alguma espécie de transe. Ponho-me de pé, com os joelhos a tremer, e enfrento o Justin.

— O que raio estás aqui a fazer?

O Justin não reage à ira na minha voz. Em vez disso, encosta a mão às minhas costas e começa a encaminhar-me para o portão lateral. Mexo-me mecanicamente, sem pensar, e depois afasto-o de mim assim que entendo o que está a acontecer.

— Então, calma! — Fita-me quando paramos junto ao portão. O ar da noite está quente, quase abafado. — Estás bem? Desculpa se te surpreendi.

— E deste-me cabo da noite.

Ele sorri.

— Vá lá, Tiffy. Precisavas de ser resgatada. Nunca irias para casa com um tipo assim.

Abro a boca para falar e torno a fechá-la. Ia dizer que ele já não me conhece, mas, por algum motivo, não me sai.

— O que é que estás aqui a fazer? — É o que consigo dizer.

— Vinha só tomar um copo. Venho bastante a este sítio.

Quero dizer, isto é simplesmente ridículo. Não acredito nisto. O cruzeiro poderia ter sido coincidência — uma coincidência muito esquisita, mas ainda assim plausível —, mas isto?

— Isto não te parece estranho?

Ele fica confuso. Inclina a cabeça, como quem diz *hã?* Sinto uma reviravolta no estômago — eu costumava adorar aquela pequeno trejeito dele.

— Cruzámo-nos duas vezes nos últimos seis meses, Justin. Uma delas *num cruzeiro.*

Preciso de uma explicação para isto que não seja «o Justin aparece quando tens pensamentos desagradáveis acerca dele», que é aquilo em que o meu cérebro parcialmente paralisado consegue acreditar neste momento. Estou a assustar-me um pouco.

Ele sorri com complacência.

— Tiffy. Vá lá. O que estás a sugerir? Que eu entrei naquele cruzeiro para te ver? Que apareci aqui esta noite só para te ver? Se quisesse fazer isso, porque não telefonar-te? Ou aparecer no teu trabalho?

Oh. Eu... suponho que isso faça sentido. Fico com as bochechas coradas; de repente, estou envergonhada.

Ele aperta-me o ombro.

— Mas é ótimo ver-te, Tiffy. E sim, é uma coincidência bastante louca. O destino, talvez? Realmente estava a perguntar-me porque me teria apetecido de repente uma cerveja, logo nesta noite. — Faz uma exagerada expressão misteriosa e eu não posso deixar de sorrir. Tinha-me esquecido de como ele é giro quando se põe na palhaçada.

Não. Sorrir, não. Nada giro. Penso no que a Gerty e o Mo diriam e recupero a determinação.

— Sobre o que querias falar comigo?

— Estou contente por te ter encontrado — diz ele. — Estava mesmo... tenho querido ligar-te. Mas é tão difícil saber por onde começar.

— Sugeria-te que começasses por pressionar o ícone do telefone e procurasses pelo nome nos contactos — digo-lhe. A voz treme-me um pouco, e espero que ele não note.

Ele ri-se.

— Tinha-me esquecido de como és divertida quando te zangas. Não, quero dizer que não queria contar-te isto por telefone.

— Contar-me o quê? Deixa-me adivinhar. Que acabaste com a mulher por quem me deixaste?

Apanhei-o desprevenido. Sinto uma pequena excitação ao ver o seu sorriso perfeito e confiante a vacilar, e depois uma impressão de qualquer coisa diferente... mais semelhante a ansiedade. Não quero fazê-lo zangar-se. Inspiro profundamente.

— Eu não *quero* ver-te, Justin. Isso não muda nada. Continuas a ter-me deixado por ela, continuas a... a...

— Eu nunca te traí — diz ele imediatamente. Começámos a andar, não sei para onde; ele para-me de novo e pousa-me as mãos nos ombros, virando-me para que eu tenha de lhe fitar os olhos. — Nunca te faria isso, Tiffy. Sabes como sou louco por ti.

— Era.

— O quê?

— Sabes como *era* louco por ti, era o que querias dizer.

Já me arrependo de não ter aproveitado a oportunidade para lhe dizer que o motivo para não o querer ver, na verdade, não está minimamente relacionado com a Patricia. Embora não tenha a certeza de *porque* será. É por... por todas as outras coisas, o que quer que tenham sido. Sinto-me muito baralhada de repente. A presença do Justin faz-me sempre isto — deixa-me completamente confusa até que perco todo o raciocínio. Isso fazia parte do romance, acho eu, mas agora a sensação não é nada boa.

— Não me digas o que eu quero ou não quero dizer. — Ele afasta o olhar por um momento. — Olha, estou aqui, agora. Não podemos só ir tomar uma bebida a algum sítio e falar do assunto? Vá lá. Podemos ir àquele bar de champanhe ali na esquina, onde servem as bebidas em latas de tinta. Ou podemos ir para o terraço do Shard, lembras-te de quando te levei lá para te surpreender? O que me dizes?

Fito-o. Os seus olhos grandes e castanhos, sempre tão sérios, sempre a brilharem com aquele entusiasmo louco que me afetava todas as vezes. A linha perfeita do seu maxilar. O seu sorriso confiante. Esforço-me muito por não pensar na memória horrível que me ocorreu quando beijei o Ken, mas parece que se infiltrou no meu sistema e que só piorou agora que o Justin está aqui. Tenho a pele arrepiada só de pensar nisso.

— Porque é que não me ligaste?

— Já te disse — responde ele, já impaciente. — Não sabia como falar-te disto.

— E porque é que estás aqui?

— Tiffy — diz ele com rispidez —, só vim tomar um copo.

Estremeço, e depois volto a inspirar profundamente.

— Se queres falar comigo, ligas antes e marcamos uma hora. Não é agora.

— Então quando? — pergunta ele, a franzir o sobrolho, com as mãos ainda pesadas nos meus ombros.

— Só... preciso de tempo. — Sinto a cabeça turva. — Não quero falar contigo agora.

— Tempo... como um par de horas?

— Como um par de meses — digo, antes de poder pensar, e de repente mordo a língua, porque agora estabeleci um prazo para nós.

— Eu quero ver-te *agora* — diz ele, e, de súbito, as mãos que estavam nos meus ombros passaram a tocar-me no cabelo, no braço.

Aquela memória continua a passar pelos meus olhos. Afasto-me dele.

— Experimenta um pouco de gratificação adiada, Justin. É o único tipo que vais obter, e tenho a sensação de que te fará bem.

E, sem mais, viro-lhe costas antes que mude de ideias e cambaleio de volta para o bar.

26

Leon

A Holly tem uma cabeleira quase completa agora. Parece um Harry Potter do sexo feminino, com cabelo espetado por toda a cabeça, por mais que a mãe tente alisá-lo.

A sua cara também está diferente, está mais cheia, mais viva. Os olhos parecem menos desproporcionados ultimamente.

Sorri-me.

Holly: Vieste despedir-te?

Eu: Vim ver das tuas análises.

Holly: Pela última vez?

Eu: Depende do que revelarem.

Holly: Estás resmungão. Não queres que me vá embora.

Eu: Claro que quero. Quero que fiques bem.

Holly: Não, não queres. Não gostas que as coisas mudem. Queres que eu fique aqui.

Não digo nada. É irritante ser completamente compreendido por alguém tão pequeno.

Holly: Também vou ter saudades tuas. Vais visitar-me a casa?

Olho de relance para a mãe dela, que esboça um sorriso cansado, mas muito feliz.

Eu: Vais andar demasiado ocupada com a escola e todas as atividades extracurriculares. Não vais querer visitas.

Holly: Vou, vou.

Mãe da Holly: Adoraria que viesse jantar connosco. A sério... e a Holly também. Só para lhe agradecermos.

Euforia pura rodeia a mãe da Holly como uma nuvem de perfume.

Eu: Bem, talvez. Obrigado.

A mãe da Holly está a ficar com os olhos marejados. Nunca lido bem com estas situações. Começo a entrar em pânico; aos poucos, aproximo-me da porta.

Ela abraça-me antes que eu consiga escapar. De repente, sinto-me muito instável. Não sei se é por causa da Holly ou da Kay que tenho vontade de chorar, mas o facto de alguém me abraçar está a fazer qualquer coisa que me afeta as glândulas lacrimais.

Limpo os olhos e espero que a Holly não dê por isso. Despenteio-lhe o desalinhado cabelo castanho.

Eu: Porta-te bem.

A Holly sorri. Fico com a impressão de que ela tem outros planos.

Saio do trabalho a tempo de ver os últimos resquícios de um nascer do sol verdadeiramente glorioso por trás dos arranha-céus de Londres e refletido no cinzento-aço do Tamisa, tornando-o azul e rosa. Parece que tenho imenso tempo, agora que a Kay se foi. Isso faz-me pensar se realmente lhe daria tão pouco tempo quanto ela reclamava sempre — se isso é verdade, de onde terão vindo todas estas horas?

Decido parar em algum sítio para um chá e depois ir para casa a pé — só demora uma hora e meia, e está uma daquelas manhãs em que apetece estar na rua. Há pessoas a ir e vir de todas as direções, a caminho do trabalho, com copos de café para levar na mão. Deixo que todas passem por mim. Caminho por ruas secundárias na medida do possível; estão um pouco mais modorrentas do que as principais.

Dou por mim na Clapham Road sem me aperceber de como aqui cheguei. Fico gelado quando vejo a loja de conveniência. Mas obrigo-me a parar. Parece um gesto de respeito, como tirar o chapéu quando um carro funerário passa.

Não posso deixar de reparar que as câmaras de videovigilância do Aldi realmente apontam para todas as direções possíveis, incluindo esta. Uma sensação de expetativa apodera-se de mim. Lembro-me da verdadeira razão pela qual eu e a Kay acabámos. Tenho andado demasiado triste para me lembrar de que há esperança para o Richie.

Talvez por esta altura a Gerty já lhe tenha escrito. Avanço, já mais depressa, com vontade de chegar a casa. Ele é capaz de tentar ligar-me, julgando que chegaria à hora habitual. Fico com a certeza de que o fez; sinto-me furioso comigo mesmo por não estar lá.

Respirações profundas. Atrapalho-me com a chave na porta, mas esta, estranhamente, não está trancada — a Tiffy nunca se tinha esquecido. Olho rapidamente em volta quando entro, para me assegurar de que não fui assaltado, mas a televisão e o portátil ainda ali estão, pelo que vou direto ao telefone fixo e verifico se há chamadas perdidas ou mensagens de voz.

Nada. Expiro. Estou suado da caminhada apressada sob o sol já alto no céu; atiro as chaves para o sítio do costume (agora vivem debaixo do mealheiro do *Bolinha*) e dispo a t-shirt enquanto me encaminho para a casa de banho. Afasto a fila de velas multicoloridas para as laterais da banheira para poder tomar um duche. Depois ligo a água quente e fico ali, a lavar-me de mais uma semana.

27

Tiffy

Oh, meu Deus.

Acho que nunca me senti tão mal. Acho que ainda estou pior do que com a ressaca com que fiquei depois do vigésimo quinto aniversário da Rachel. É pior do que aquela vez na faculdade em que bebi duas garrafas de vinho e vomitei em frente ao gabinete dos professores. É pior do que gripe suína.

Ainda estou a usar o vestido do *Alice no País das Maravilhas.* Dormi por cima do edredão, só por baixo da minha manta de Brixton. Ao menos tive o discernimento de tirar os sapatos e de os deixar à porta.

Oh, meu Deus.

A linha visual de onde estou até aos sapatos junto à porta cruza-se com o despertador. Anuncia uma hora que não pode ser a correta. Diz que são 08h59.

Eu devia estar no trabalho dentro de um minuto.

Como é que isto aconteceu? Levanto-me, com o estômago a protestar e a cabeça às voltas, e enquanto ando à procura da mala — oh, boa, ao menos não a perdi, e, ah, sim, aspirina — lembro-me de como tudo isto começou.

Voltei para dentro depois de virar costas ao Justin, e arrastei a Rachel da cara do barman para poder chorar-lhe no ombro durante um bocado. Ela não era a melhor pessoa com quem falar — é a única que resta na Equipa Justin. (Não referi aquele *flashback* esquisito do beijo. E também não quero estar a pensar nisso agora.) A príncipio, ela queria que eu voltasse lá fora e ouvisse o que ele tinha a dizer, mas depois convenceu-se com a minha estratégia de gratificação adiada, que a Katherin também aprovou — oh, meu Deus, contei à Katherin...

Tomo uma aspirina e tento não me engasgar. Terei vomitado ontem à noite? Tenho memórias vagas e desagradáveis de estar demasiado perto de uma sanita na casa de banho daquele bar.

Digito uma mensagem rápida a pedir desculpa ao diretor editorial, com o pânico a aumentar. Nunca me atraso tanto para o trabalho. E todos vão saber que é por estar ressacada. Se não souberem, tenho a certeza de que o Martin terá todo o prazer em informá-los.

Não posso ir trabalhar assim, apercebo-me, no meu primeiro momento de clareza desta manhã. Preciso de tomar banho e de mudar de roupa. Abro o fecho do vestido e atiro-o para o lado, já a deitar a mão à toalha pendurada na parte de trás da porta.

Não ouço a água a correr. Há um zumbido constante nos meus ouvidos que já parece o som de um chuveiro, e estou num pânico tal que acho que não repararia se o meu elefante de peluche ganhasse vida no cadeirão e começasse a dizer-me que preciso de uma desintoxicação.

Só me dou conta de que o Leon está no duche quando o vejo ali. A nossa cortina de duche é *quase* opaca, mas dá definitivamente para ver. Quero dizer, contornos.

Ele faz a coisa natural: entra em pânico e abre a cortina para ver quem está ali. Fitamo-nos. A água continua a correr.

O Leon recupera a sensatez mais depressa do que eu e volta a fechar a cortina.

— Ahhh — diz ele. É mais um som gargarejado do que uma palavra.

Eu estou a usar a minha roupa interior extremamente pequena, rendada, de sair à noite. Nem sequer me embrulhei na toalha — tenho-a num braço. Não sei porquê, mas isso parece-me muito pior do que não ter qualquer forma de me tapar — foi por tão pouco que não me expus, mas acabou por acontecer.

— Oh, meu Deus — guincho. — Desculpa... lamento imenso.

Ele para a água. Provavelmente não me ouve com o barulho. Vira-me costas e o facto de eu reparar nisso faz-me aperceber de que devia mesmo deixar de estar especada a olhar para o contorno atrás da cortina. Também lhe viro costas.

— Ahhh — diz ele outra vez.

— Eu sei — digo. — Oh, meu Deus. Não era assim... que eu imaginava conhecer-te.

Faço um esgar. Isso parece um bocado ávido demais.

— Tu... — começa ele.

— Não vi nada — apresso-me a mentir.

— Bom. OK. Eu também não — afirma o Leon.

— Eu devia... estou *tão* atrasada para o trabalho.

— Oh, precisas do duche?

— Bem, eu...

— Eu já acabei.

Ainda estamos de costas voltadas um para o outro. Tiro a toalha do braço e agora — com um atraso de uns cinco minutos — envolvo-me nela.

— Bem, se tens a certeza... — digo.

— Hum. Preciso da minha toalha.

— Oh, claro — respondo, tirando-a do toalheiro e virando-me.

— *Olhos fechados!* — grita ele.

Paraliso e fecho os olhos.

— Estão fechados! Estão fechados!

Sinto-o a tirar-me a toalha da mão.

— OK. Já podes abrir os olhos.

Ele sai do duche. Quero dizer, agora está decente, mas continua a não ter muito a cobri-lo. Vejo-lhe o peito todo, por exemplo. E grande parte da barriga.

É uns cinco centímetros mais alto do que eu. Molhado, o seu cabelo espesso e encaracolado continua a não ficar colado à cabeça; está alisado por trás das orelhas e pinga-lhe sobre os ombros. Tem feições finas e uns olhos de um castanho profundo, uns quantos tons mais escuros do que a sua pele; tem rugas de riso e as orelhas um bocado saídas, como se tivessem ganhado esse hábito por terem de manter sempre aquele cabelo afastado da cara.

Ele vira-se para passar por mim de lado. Está a fazer tudo o que pode, mas não há mesmo espaço para duas pessoas aqui, e quando desliza por mim, a pele quente das suas costas rasa-me o peito. Inspiro, esquecida da ressaca. Apesar do soutien de renda e da toalha entre nós, arrepiei-me, e algo começou a fervilhar-me no fundo da barriga, onde as melhores sensações tendem a acumular-se.

Ele olha para mim por cima do ombro, e é um olhar intenso, em parte nervoso, em parte curioso, que só me deixa mais quente. Não consigo evitá-lo. Quando ele se vira para a porta, olho para baixo.

Será que ele está... Aquilo parecia...

Não pode ter sido. Devia ser a toalha amarfanhada.

Ele fecha a porta e eu encosto-me ao lavatório por um segundo. A realidade dos últimos dois minutos é tão dolorosamente embaraçosa, que dou por mim a dizer «Oh, meu Deus» em voz alta e a pressionar os olhos com a base das mãos. Isso não faz nada de bom pela minha ressaca, que voltou em força agora que o homem nu saiu da casa de banho.

Meu Deus. Estou afogueada, toda cheia de calores, arrepiada e ofegante — não, estou *excitada*. Não estava nada à espera disso. Decerto a situação foi demasiado incómoda para isso ser sequer possível? Sou uma adulta! Não aguento ver um homem nu? Deve ser por não fazer sexo há tanto tempo. É algum mecanismo biológico, como quando o cheiro a bacon nos deixa a salivar, ou como pegar nos bebés de outras pessoas de súbito nos faz querer pôr fim à carreira e começar imediatamente a procriar.

Com um pânico repentino, viro-me para me ver ao espelho, limpando a condensação da superfície para revelar o meu rosto pálido e consumido. O batom fixou-se na pele seca dos meus lábios, e a sombra e o rímel misturaram-se numa amálgama preta à volta de cada olho. Pareço uma menina pequena que tentou usar a maquilhagem da mãe.

Gemo. Isto é um desastre. Isto não podia ter corrido pior. Estou *terrível*, e ele estava real e impressionantemente com ótimo aspeto. Penso no dia em que o procurei no *Facebook* — não me lembro de o ter achado atraente. Como posso não ter reparado? Oh, meu Deus, e que importância tem isso? É o Leon. Leon, o meu companheiro de casa. Leon, que tem namorada.

Certo. *Tenho* de tomar um duche e ir trabalhar. Amanhã lido com as minhas hormonas e esta situação incrivelmente embaraçosa.

Oh, meu Deus. Estou *tão* atrasada.

28

Leon

A*hhh.*

Ahhh.

Deitado na cama, imobilizado por uma latejante vergonha. Não consigo pensar em palavras. *Ahhh* é o único som adequado para expressar horror suficiente.

A Kay não tinha dito que a Tiffy não era atraente? Era o que eu achava! Ou... ou... nem sequer tinha pensado nisso, na verdade. Mas, caramba. Ela é... Ahhh.

Não se pode atirar uma mulher pouco vestida a um homem no duche. Não se pode. Não é justo.

Não consigo associar aquela mulher de roupa interior vermelha à mulher a quem escrevo notas e que me desarruma a casa. Só nunca tinha...

O telefone fixo toca. Paraliso. O fixo está na cozinha. Probabilidade de voltar a deparar-me com a Tiffy: alta.

Recupero o movimento e sacudo-me. Tenho de atender, obviamente — é o Richie. Saio do quarto, a segurar bem a toalha à cintura, e encontro o telefone debaixo de uma pilha de gorros do Sr. Prior no aparador da cozinha; atendo enquanto me apresso a voltar para o quarto.

Eu: 'Tou.

Richie: Estás bem?

Emito um gemido.

Richie, em alerta: O que foi? O que aconteceu?

Eu: Não, não, nada de mal. Só... conheci a Tiffy.

Richie, animado: Oh! É gira?

Repito o gemido.

Richie: É! Eu *sabia*.

Eu: Não devia ser. Parti do princípio de que a Kay garantiria que não era!

Richie: É minimamente parecida com a Kay?

Eu: Hã?

Richie: A Kay nunca acharia uma mulher gira a menos que fosse parecida com ela.

Faço um esgar, mas até percebo o que ele quer dizer. Não consigo tirar a imagem da Tiffy da cabeça. Cabelo ruivo despenteado por todo o lado, como se tivesse acabado de se levantar. Umas sardas acastanhadas na pele, a polvilhar-lhe os braços e o peito. Um soutien vermelho de renda. Uns seios ridiculamente perfeitos.

Ahhh.

Richie: Onde é que ela está agora?

Eu: Duche.

Richie: E tu?

Eu: Escondido no quarto.

Richie: Tens noção de que é para aí que ela vai a seguir, certo?

Eu: Merda!

Sento-me na cama, rápido como um fuso. Começo à procura da roupa. Só encontro coisas dela. Vejo o vestido caído no chão, com o fecho aberto.

Eu: Um segundo. Tenho de me vestir.

Richie: Espera, o quê?

Pouso o telefone na cama enquanto enfio uns boxers e umas calças de fato de treino. Estou horrivelmente ciente do meu traseiro voltado para a porta enquanto o faço, mas é uma opção melhor do que estar de frente. Encontro um colete velho e visto-o, e só então respiro.

Eu: OK. Pronto. Acho que é mais seguro... ir para a cozinha. Ela não passa por lá entre a casa de banho e o quarto. Depois posso esconder-me na casa de banho até ela ir embora.

Richie: Que raio é que aconteceu? Porque é que não estavas vestido? Levaste-a para a cama, meu?

Eu: *Não!*

Richie: Está bem. Era uma pergunta razoável.

Avanço pela sala até à cozinha. Encolho-me o mais possível atrás do frigorífico, para não ser visto do caminho da casa de banho para o quarto.

Eu: Tivemos um encontro inesperado no duche.

O Richie solta uma boa gargalhada que me faz sorrir a contragosto.

Richie: Ela estava nua?

Gemo.

Eu: Quase. Mas eu estava.

O riso do Richie aumenta.

Richie: Ah, meu, já me fizeste ganhar o dia. Então o que é que ela tinha? Uma toalha?

Eu: Roupa interior.

Desta vez o Richie também geme.

Richie: Boa?

Eu: Não vou falar disto!

Richie: Bem visto. Ela ouve-te?

Faço uma pausa. Escuto. *Ahhh.*

Eu, a sibilar: O duche parou!

Richie: Não queres estar lá quando ela sair enrolada numa toalha? Porque é que não voltas para o quarto? Não vai parecer que o fizeste de propósito. Quero dizer, quase o fizeram sem querer... Se ficarem assim juntos mais uma vez, nunca se...

Eu: Não vou pôr-me *de atalaia* para apanhar a coitada da mulher, Richie! Já me viu nu, não foi? Deve estar traumatizada.

Richie: Pareceu-te traumatizada?

Penso. Ela parecia... *Ahhh.* Tanta pele. E uns grandes olhos azuis, sardas à volta do nariz, aquela pequena inspiração de ar quando passei por ela para chegar à porta, demasiado perto para ser confortável.

Richie: Vais ter de falar com ela.

O som da porta da casa de banho a destrancar-se.

Eu: Merda!

Escondo-me mais atrás do frigorífico e depois, quando não ouço mais sons, espreito.

Ela não olha na minha direção. Tem a toalha bem apertada e enrolada por baixo dos braços, e o cabelo comprido escurecido a pingar-lhe para as costas. Desaparece dentro do quarto.

E respiro.

Eu: Está no quarto. Vou para a casa de banho.

Richie: Porque é que não sais do apartamento, se estás tão preocupado, meu?

Eu: Porque nesse caso não posso falar contigo! Não aguento isto sozinho, Richie!

Ouço-o a sorrir.

Richie: Há qualquer coisa que não estás a contar-me, não há? Não, deixa-me adivinhar... ficaste um bocado excitado...?

Faço o meu gemido mais alto e humilhado até agora. O Richie rebenta a rir.

Eu: Ela apareceu do nada! Eu não estava preparado! Há muitas semanas que não tenho sexo!

Richie, a rir histericamente: Oh, Lee! Achas que ela reparou?

Eu: Não. De certeza que não. Não.

Richie: Então se calhar reparou.

Eu: Não. Não pode. É demasiado embaraçoso pensar nisso.

Tranco a porta da casa de banho depois de entrar e baixo a tampa da sanita para me sentar. Fito as minhas próprias pernas, de coração a mil.

Richie: Tenho de desligar.

Eu: Não! Não podes deixar-me! O que é que eu faço agora?!

Richie: O que é que queres fazer agora?

Eu: Fugir!

Richie: Vá, então, Lee! Acalma-te.

Eu: Isto é terrível! *Moramos juntos!* Não posso andar com uma ereção em frente à minha companheira de casa! É... é... é obsceno! Deve ser crime!

Richie: Se é, então devo mesmo estar aqui. Vá lá, meu. Não te passes com isso. Como tu próprio disseste, tu e a Kay acabaram há umas semanas, e já não iam para a cama há bastante tempo antes disso...

Eu: Como é que sabias?

Richie: Então. Era óbvio.

Eu: Há meses que não nos vias juntos!

Richie: O que interessa é que não tem grande importância. Viste uma miúda nua e começaste a pensar com o... espera aí, meu, dá-me...

Ele suspira.

Richie: Tenho de ir. Mas tem calma. Ela não viu nada, isso não quer dizer nada, relaxa e pronto.

E desliga.

29

Tiffy

A Rachel está positivamente a vibrar de entusiasmo.

— Estás a gozar! Estás a gozar! — diz ela, a saltar no lugar. — Não acredito que ele estivesse teso!

Gemo e massajo as têmporas, coisa que já vi pessoas cansadas a fazer na televisão, pelo que espero que me faça sentir melhor. Não resulta. Como será que a Rachel está tão espevitada? Tinha a certeza de que ela tinha bebido tanto quanto eu.

— Não tem graça — digo-lhe. — E eu disse que *se calhar* estava. Não tenho a certeza.

— Oh, poupa-me — replica ela. — Não estás tão fora da ação que te tenhas esquecido de como isso é. Três homens numa noite! Estás literalmente a viver o sonho!

Ignoro-a. Por sorte, o diretor editorial achou graça ao meu atraso, mas ainda tenho uma pilha de coisas para fazer hoje, e ter chegado uma hora atrasada não ajudou nada a minha lista de afazeres.

— Para de fingir que revês essas provas — diz a Rachel. — Precisamos de um plano de ação!

— Para quê?

— Bem, então e agora? Vais ligar ao Ken, o eremita? Vais tomar um copo com o Justin? Ou vais saltar para o duche com o Leon?

— Vou voltar para a minha secretária — digo-lhe, agarrando na pilha de provas. — Esta não foi uma sessão produtiva.

Ela canta a canção *Maneater* enquanto eu me afasto.

Mas a Rachel tem razão acerca do plano de ação. Preciso de resolver o que raio vou fazer acerca da situação do Leon. Se não falarmos em breve, corremos o risco sério de esta manhã poder cabo de tudo — de acabar com as notas, com as sobras, deixar apenas um desconforto silencioso e doloroso. A humilhação é como bolor: se o ignorarmos, toda a casa fica verde e malcheirosa.

Tenho de... tenho de lhe mandar uma mensagem.

Não, tenho de lhe ligar, decido. Vejo as horas. Bem, por esta hora ele deve estar a dormir — são 14 horas — pelo que tenho mais ou menos umas gloriosas quatro horas durante as quais não posso realmente fazer nada em relação a esta situação. Suponho que deveria tentar usar este tempo para rever as provas do livro da Katherin, sobretudo porque, com toda a atividade nas redes sociais acerca do croché, existe de facto o perigo de que muita gente o compre.

Em vez disso, depois de uma longa noite e manhã a esforçar-me muito por não o fazer, penso no Justin.

E depois, porque não sou boa a pensar sozinha, ligo ao Mo para falar do Justin. Ele parece um pouco grogue quando atende, como se tivesse acabado de acordar.

— Onde estás? — pergunto.

— Em casa. Porquê?

— Pareces esquisito. Não era o dia de folga da Gerty?

— Sim, ela também está aqui.

— Oh.

É estranho pensar nos dois juntos sem mim. É só que... a combinação não funciona. Desde a semana dos caloiros na universidade que éramos sempre eu e a Gerty, inseparáveis; acolhemos o Mo debaixo da nossa asa coletiva no final do primeiro ano, depois de o vermos a dançar sozinho e com grande entusiasmo ao som de *Drop it Like it's Hot*, tendo decidido que qualquer pessoa que se mexesse assim tinha de passar a fazer parte das nossas noitadas. Depois disso, fazíamos tudo em trio, e nas raras ocasiões em que éramos só um par, era sempre eu e a Gerty ou eu e o Mo.

— Podes pôr em alta-voz? — peço, tentando não parecer petulante.

— Espera. Pronto, já está.

— Deixa-me adivinhar — diz a Gerty —, apaixonaste-te pelo irmão do Leon.

Faço uma pausa.

— O teu radar costuma ser bastante bom, mas estás muito longe.

— Caramba. Foi pelo Leon, então?

— Não posso só ligar para estar na palheta?

— Isto não é para estarmos na palheta — diz a Gerty. — Tu não ligas às duas da tarde para estarmos na palheta. Para isso usas o *WhatsApp*.

— Foi por isso — digo-lhe — que liguei ao Mo.

— Então, qual é o drama? — pergunta a Gerty.

— O Justin — digo eu, demasiado cansada para discutir com ela.

— Ooh! Uma história velha, mas das boas.

Reviro os olhos.

— Será que podes deixar que o Mo intervenha com alguma coisa compreensiva, pelo menos *ocasionalmente*?

— O que aconteceu, Tiffy? — pergunta o Mo.

Ponho-os a par da minha noite. Ou, pelo menos, de uma versão resumida — não menciono o terrível incidente do beijo. É demasiado drama para encaixar num só telefonema, sobretudo quando se tenta verificar os números das páginas ao mesmo tempo que se fala.

Para além disso, há toda aquela coisa de estar desesperada por não pensar nisso.

— Tudo isso parece um comportamento bastante típico do Justin, Tiffy — diz o Mo.

— Fizeste *muito bem* recusar ir com ele — comenta a Gerty, com um fervor surpreendente. — É sinistro como tudo que ele tenha aparecido no cruzeiro, e agora isto? Quem me dera que percebesses que... — Há um barulho abafado e a Gerty para de falar. Fico com a impressão de que o Mo é capaz de a ter picado.

— Não foi bem recusar, na verdade — ressalvo, a fitar os meus próprios pés. — Disse-lhe «daqui a um par de meses».

— Continua a ser bem melhor do que largares tudo para voltares a desaparecer com ele.

Segue-se um silêncio demorado. Sinto a garganta contraída. Preciso de falar sobre aquele beijo, sei que preciso, mas parece que não consigo chegar lá.

— Gerty — acabo por dizer —, importavas-te se eu falasse só com o Mo? Por um instante?

Há outro silêncio abafado.

— Está bem, claro — diz a Gerty. É percetível que está a tentar não parecer melindrada.

— Já sou só eu — avisa-me o Mo.

Engulo em seco. Não quero falar disto aqui — encaminho-me para a porta do escritório, desço as escadas e saio do edifício. Na rua, todos se movem um pouco mais devagar do que é habitual, como se o calor tivesse acalmado Londres.

— Uma vez disseste-me que a minha... que eu e o Justin... que estar com ele me fazia mal.

O Mo não diz nada, limita-se a esperar.

— Disseste que isso acabaria por se tornar claro para mim. E disseste para te ligar quando isso acontecesse.

Mais silêncio, mas é silêncio ao estilo do Mo, isto é, incrivelmente tranquilizador. Como um abraço auditivo. Ele não precisa de palavras, o Mo — os seus talentos estão para além disso.

— Aconteceu uma coisa estranha ontem à noite. Eu estava... eu e aquele tipo, o Ken, beijámo-nos e depois... bem, lembrei-me...

Porque é que não sou capaz de o dizer?

— Lembrei-me de ir para a cama com o Justin depois de uma discussão. Eu estava tão infeliz.

As lágrimas rasam-me os olhos; fungo, esforçando-me muito para não chorar.

— Como é que te sentiste? — pergunta o Mo. — Quando a recordação te ocorreu, quero dizer.

— Assustada — admito. — Não me lembro de a nossa relação ser assim. Mas agora acho que sou capaz de ter, tipo... não dado importância a isso? Esquecido essas partes? Não sei, isso é possível, sequer?

— O cérebro é capaz de fazer coisas incríveis para se proteger da dor — diz-me ele. — Mas vai custar-lhe continuar a ocultar-te os segredos que guarda. Já tinhas tido esta sensação de te lembrares de uma versão diferente dos acontecimentos desde que deixaste o Justin?

— Não muito.

Mas, bem, um *pouco*. Por exemplo, aquela nota que escrevi acerca de não ter convidado o Justin para a festa da Rachel, apesar de saber que o fiz. Sei que parece uma loucura, mas acho que o Justin é capaz de me ter levado a acreditar que não o tinha convidado, porque assim já podia estar zangado comigo por eu ir...? E, ultimamente, ando sempre a encontrar coisas — roupas, sapatos, joias — que me lembro de o Justin dizer que eu tinha vendido ou dado. Costumava atribuir isso à minha memória fraca, mas há meses que tenho uma sensação incómoda de algo estar errado, o que não se tem aliviado com a orientação incessante e irritantemente apoiante do Mo de cada vez que falamos do Justin. Mas eu tenho muito jeito para não pensar nas coisas, pelo que me tenho limitado, com grande determinação, a... não pensar nisso.

O Mo fala de manipulação psicológica e de estímulos. Remexo-me, desconfortável, e por fim uma lágrima consegue escapar-se das pestanas inferiores e escorrer-me pela face. É oficial, estou a chorar.

— É melhor ir andando — digo-lhe, a limpar o nariz.

— Pensa só no que te disse, está bem, Tiffy? E lembra-te de como foste perfeitamente capaz de o enfrentar ontem à noite... já percorreste um longo caminho. Deves sentir-te orgulhosa disso.

Volto para o escritório, subitamente exausta. Este último dia tem sido demasiado. Altos e baixos, altos e baixos... Ai. E a ressaca está a matar-me.

Quando finalmente acabo de rever as provas do livro da Katherin, já atirei os pensamentos desagradáveis sobre o Justin para a sua caixa do costume, e sinto-me muito mais calma. Também já comi três pacotes de fritos de queijo, que a Rachel afirmou serem a melhor cura para a ressaca, e que de facto parecem ter-me levado de estado zombie para parcialmente consciente. Por isso, quando largo o *Croché À Sua Maneira* na secretária da Rachel, regresso à minha e faço o que tenho passado o dia inteiro com vontade de fazer: voltar à página de *Facebook* do Leon.

Lá está ele. Sim, é ele. Está a sorrir para a câmara, com o braço por cima dos ombros de alguém no que parece ser uma festa de Natal — há fios com luzinhas penduradas por trás deles e uma sala cheia de gente. Vou passando pelas suas fotografias de perfil e lembro-me de as ter visto antes. Não o tinha achado atraente de todo — e é verdade que é demasiado desengonçado e tem o cabelo demasiado comprido para fazer o meu estilo. Mas claramente trata-se de uma daquelas pessoas que, de súbito e ao vivo, se torna interessante.

Talvez tenha sido só o choque inicial e a nudez. Talvez da segunda vez tudo seja agradável e platónico, e eu possa esquecer isto e ligar ao Ken, o eremita norueguês sensual. Se bem que não seria capaz disso, depois da forma como o Justin me humilhou à sua frente. Ai, não, não penses no Justin...

— Quem é esse? — pergunta o Martin, atrás de mim. Sobressalto--me com a interrupção e entorno café por cima das minhas notas *Post-it* com mensagens muito urgentes.

— Porque é que me apareces sempre do nada? — disparo, fechando a janela e limpando o café com um lenço.

— Tu é que és assustadiça. Então, quem era?

— O meu amigo Leon.

— *Amigo?*

Reviro os olhos.

— E desde quando é que te interessas minimamente pela minha vida, Martin?

Ele dirige-me um olhar estranhamente presunçoso, como se soubesse alguma coisa que eu não saiba, ou talvez tenha apenas algum problema intestinal.

— De que é que precisas? — pergunto-lhe por entre dentes cerrados.

— Oh, nada, Tiffy. Não queria interromper-te. — E vai-se embora.

Recosto-me de novo na cadeira e inspiro profundamente. A Rachel espreita por cima do seu computador, boqueja-me: «Ainda não acredito!

Estava teso!», e depois espeta os dois polegares no ar. Afundo-me mais no meu lugar, com a ressaca a reinstalar-se, e concluo que nunca, mas mesmo nunca mais voltarei a beber.

30

Leon

A minha mãe ao menos proporciona-me uma distração da memória pavorosa e paralisante desta manhã.

Está a fazer um esforço impressionante. E parece que estava a ser sincera em relação a estar sozinha — não há quaisquer sinais reveladores de haver um homem na casa (ainda na infância, eu e o Richie tornámo-nos muito bons a identificá-los), e ela não mudou de penteado nem de roupas desde a última vez que a vi, o que quer dizer que não anda a tentar acomodar-se a outra pessoa.

Falo-lhe da Kay. Faz-me surpreendentemente bem. Ela acena com a cabeça sempre que deve e dá-me palmadinhas na mão, com os olhos a marejarem-se ocasionalmente, e depois prepara-me batatas no forno com panados de frango, e tudo isso me faz sentir de novo com 10 anos. O que não é desagradável, no entanto. É bom que cuidem de nós.

O mais estranho é voltar ao quarto que eu e o Richie partilhámos quando nos mudámos para Londres, ainda adolescentes. Só aqui estive uma vez desde o julgamento. Vim passar uma semana cá depois disso: achei que a mãe não aguentaria sozinha. Mas não fiz falta durante muito tempo — ela conheceu o Mike, que estava desejoso de ter a casa só para eles, pelo que regressei ao apartamento.

O quarto está na mesma. Dá a sensação de uma concha sem a sua criatura marinha. Está cheio de buracos onde deviam estar coisas: marcas de fita-cola de cartazes há muito retirados, livros descaídos na diagonal, sem que haja suficientes para os segurar. As coisas do Richie ainda encaixotadas, desde que os seus antigos companheiros de casa as trouxeram.

Requer um imenso esforço mental não me pôr a ver o que têm dentro. Seria desnecessariamente perturbador e ele detestaria que o fizesse.

Deito-me na cama e dou pela minha mente a regressar à imagem da Tiffy — primeiro naquela roupa interior vermelha, depois a entrar descalça no quarto, embrulhada numa toalha. Parece ainda mais inaceitável estar a pensar na segunda imagem, já que ela nem sabia que eu a estava a ver. Remexo-me, desconfortável. É errado sentir-me tão atraído por ela. Deve ser uma reação ao fim da relação com a Kay.

O telefone toca. Entro um pouco em pânico. Olho para o ecrã: é a Tiffy.

Não quero atender. O telefone toca e toca — parece nunca mais parar.

Ela desliga sem deixar mensagem. Sinto-me estranhamente culpado. O Richie disse-me que eu tinha de falar com ela. Mas prefiro a opção de voltar ao silêncio total ou, no máximo, a uma ou outra nota deixada na chaleira ou na parte de dentro da porta.

Volto a deitar-me. Reflito nisto. Pergunto-me se será verdade.

O telefone vibra. Uma mensagem.

Olá. Então. Hum. Parece-me que devíamos falar sobre esta manhã? Bjs, Tiffy

A memória atinge-me de novo e dou por mim a gemer outra vez. Devia mesmo responder. Pouso o telefone. Fito o teto.

O telefone volta a vibrar.

Devia realmente ter começado por pedir desculpa. Eu é que não devia estar em casa, segundo as regras do nosso acordo. E depois ainda te apanhei de surpresa no duche. Por isso, peço muita, muita desculpa! Bjs

Por estranho que pareça, sinto-me muito melhor depois de ver esta mensagem. Não passa a impressão de estar traumatizada, e a forma de falar parece típica dela, pelo que é mais fácil imaginá-la a vir da Tiffy que eu tinha na cabeça antes de conhecer a verdadeira. Essa era mais ou menos... não irrelevante, exatamente, mas estava no «espaço seguro» da minha cabeça. Uma pessoa com quem falar, sem pressões ou implicações. Descontraída e nada exigente.

Agora a Tiffy já não está definitivamente num espaço seguro.

Arranjo coragem para começar uma resposta.

Não peças desculpa. Em alguma altura havíamos de nos cruzar! Não te preocupes — já está esquecido.

Apago a última parte. Evidentemente, isso não é verdade.

Não peças desculpa. Em alguma altura havíamos de nos cruzar! Não te preocupes — não se fala mais nisso, se estiveres de acordo. Bj, Leon

Envio-a e depois arrependo-me do beijo. Será que costumo mandar beijos? Não me lembro. Subo para ver as últimas mensagens e verifico que sou completamente inconsistente, o que é provavelmente o melhor resultado. Recosto-me na cama e espero.

E espero.

O que é que ela estará a fazer? Costuma responder depressa. Vejo as horas — onze da noite. Poderá ter adormecido? De facto, parecia que tinha saído até tarde ontem. Mas, finalmente:

Vamos esquecer tudo! Prometo que não torna a acontecer (entrar sem aviso OU deixar-me dormir até tarde, quero dizer). Espero que a Kay não se tenha passado por completo por eu ter infringido as regras da partilha do apartamento... E, bem, apanhar o namorado dela no duche... Bjs

Respiro profundamente.

Eu e a Kay acabámos há umas semanas. Bj

A resposta é quase imediata.

Oh, merda, lamento imenso. Realmente calculava que algo se passava — andavas bem menos conversador nas notas (do que de costume, quero dizer!). Como tens estado?

Penso na pergunta dela. Como tenho estado? Estou deitado na cama, em casa da minha mãe, a fantasiar com a minha companheira de casa nua, tendo esquecido por breves instantes, mas de forma genuína, todos os pensamentos acerca da minha ex-namorada. Provavelmente não é lá *muito* saudável, mas... melhor do que ontem? Opto por escrever:

Vou andando. Bjs

Há uma longa pausa depois disto. Pergunto-me se deveria ter dito um pouco mais. Não que isso alguma vez tenha dissuadido a Tiffy de falar.

Bem, isto é capaz de te animar: no meu estado ressacado de hoje, fui contra a impressora no trabalho.

Resfolego. Um segundo depois, surge no ecrã a imagem da impressora industrial. É enorme. Provavelmente caberiam quatro Tiffys lá dentro.

Não... a viste?

Acho só que perdi a capacidade de parar de andar no momento indicado. Mas tinha acabado de desligar uma chamada com o meu lindo pedreiro-transformado--em-designer, por isso...

Ah. Ainda devias ter os joelhos a tremer.

Provavelmente! Foi um dia assim. Bjs

Fito esta frase até o ecrã do telefone desligar. *Um dia assim.* Assim como? De ficar com os joelhos a tremer? Mas porquê? Porque ela...

Não, não, não há de ser por minha causa. Isso é ridículo. Mas... o que *é* que ela queria dizer, então?

Espero que não seja assim que vou ficar a partir de agora sempre que comunicar com a Tiffy. É absolutamente esgotante.

31

Tiffy

O meu pai gosta de dizer: «A vida nunca é simples.» É um dos seus aforismos preferidos.

Mas, na verdade, acho que isso não é correto. A vida é simples com frequência, mas não reparamos em como era simples até se tornar incrivelmente complicada, tal como nunca nos sentimos gratos pela saúde até adoecermos, ou nunca damos valor à gaveta dos collants até rasgarmos um par e não termos outro para o substituir.

A Katherin acaba de participar como convidada num *vlog* da página da Tasha Chai-Latte acerca de como fazer um biquíni de croché. A Internet passou-se. Nem consigo manter registo de todas as pessoas influentes que fizeram *retweet* — e como a Katherin detesta o Martin, sempre que entra em pânico ou precisa de ajuda para alguma coisa, liga-me. Eu, que nada sei de relações públicas, tenho de ir falar com Martin e depois informar a Katherin. Se isto fosse um divórcio e eu a filha deles, os serviços sociais já teriam sido chamados.

A Gerty liga-me quando estou a sair.

— Só agora é que saíste? Já pediste um aumento? — pergunta-me. Vejo as horas: são 19h30. Como posso ter passado quase 12 horas a trabalhar e, mesmo assim, ter conseguido tão pouco?

— Não há tempo — digo-lhe. — E eles aqui não aumentam ninguém. Provavelmente despediam-me, se o pedisse.

— Ridículo.

— Mas afinal o que é que se passa?

— Oh, nada. Achei só que eras capaz de querer saber que consegui antecipar três meses o recurso do Richie — diz a Gerty num tom ligeiro.

Estaco de repente. Alguém atrás de mim dá-me um encontrão e pragueja (parar abruptamente no centro de Londres é um crime terrível, que dá de imediato permissão às pessoas à nossa volta para nos pontapear).

— Aceitaste o caso dele?

— O advogado que ele tinha era horrendo — diz a Gerty. — A sério. Estive quase para fazer queixa dele à Ordem. Também vamos ter de lhe arranjar outro assistente, sobretudo porque passei por cima deste e o deixei pior que estragado, mas...

— *Aceitaste o caso dele?*

— Acompanha-me, Tiffy.

— Obrigada. Mesmo. Meu Deus, eu... — Não consigo parar de sorrir. — O Richie já disse ao Leon?

— O Richie provavelmente ainda nem sabe — diz a Gerty. — Só lhe escrevi ontem.

— Posso contar ao Leon?

— Isso poupava-me trabalho — responde ela. — Por isso, força.

O meu telemóvel vibra praticamente assim que desligo. É o Leon; o meu coração tem uma espécie de pequeno espasmo. Ele não me disse nada nem deixou notas desde que trocámos mensagens no fim de semana.

Aviso: um enorme ramo de flores no átrio, do teu ex. Não sabia se havia de estragar a surpresa (boa ou má?) mas, se fosse eu, quereria saber de antemão. Bj

Torno a estacar de repente; desta vez, um executivo numa *scooter* passa-me por cima do pé.

Não tinha notícias do Justin desde quinta. Nem telefonemas, nem mensagens, nada. Acabava de me convencer de que ele tinha levado a sério o que lhe disse, quanto a não dever contactar-me, mas já devia saber que não seria assim — isso teria sido completamente atípico. Isto, contudo... isto é muito mais típico.

Eu não *quero* um grande ramo de flores do Justin. Só quero que ele desapareça — é tão difícil continuar a recuperar quando ele passa a vida a aparecer. Enquanto avanço para o prédio, comprimo os lábios e preparo-me.

É mesmo um enorme ramo de flores. Tinha-me esquecido de quão rico ele é e de como gosta de gastar dinheiro em coisas ridículas. Para o meu jantar de aniversário do ano passado, comprou-me um vestido de gala de um estilista, uma coisa caríssima de seda prateada e lantejoulas; quando o usei, foi como se saísse mascarada de outra pessoa.

Entre as flores está colada uma nota que diz: *Para a Tiffy — falamos em outubro. Com amor, Justin*. Pego no ramo e levanto-o para ver se traz algum cartão, mas não. Isso seria demasiado direto — um gesto gigante e dispendioso corresponde muito mais ao estilo do Justin.

Isto deixou-me mesmo irritada, vá-se lá saber porquê. Talvez porque nunca lhe disse onde moro, para começar. Talvez por ignorar de forma tão flagrante o que lhe pedi quando falámos na quinta-feira, e por ter transformado o meu «preciso de uns meses» num «falo contigo daqui a dois meses».

Enfio as flores numa jarra ornamental onde costumo guardar as lãs. Estava à espera que o Justin fizesse isto — que aparecesse com as suas justificações e os seus gestos perdulários e tornasse a dar-me a volta à cabeça. Mas aquela mensagem no *Facebook*, o noivado... Isso foi mesmo a gota de água, e eu agora estou num ponto muito diferente daquele em que estava da última vez em que ele tentou reconquistar-me.

Deixo-me cair no sofá e fito as flores. Penso no que o Mo disse, e no facto de, contra a minha própria vontade, ter começado a lembrar-me de coisas. Da forma como o Justin ralhava comigo por eu me esquecer de coisas, e como isso me deixava confusa. Da sensação mesclada de excitação e ansiedade que eu sentia todos os dias quando ele chegava a casa. A realidade da volta que me deu ao estômago quando, no pub, na quinta-feira, ele me pousou a mão no ombro e me disse com maus modos que fosse tomar um copo com ele.

Aquele *flashback*.

Meu Deus, não quero voltar a tudo isso. Estou mais contente agora — gosto de viver aqui, a salvo neste apartamento que tornei meu.

Daqui a duas semanas o meu contrato chega ao fim — o Leon não o mencionou, por isso eu também não trouxe isso à baila, porque *não* quero mudar-me. Tenho dinheiro, para variar, mesmo que a maior parte vá para pagar a dívida ao banco. Tenho um companheiro de casa com quem posso conversar — que interessa que não seja frente a frente? E tenho uma casa que me dá mesmo a sensação de ser 50 por cento *minha*.

Levo a mão ao telemóvel e respondo ao Leon:

Má surpresa. Obrigada pelo aviso. Agora temos montes de flores no apartamento. Bjs

Ele responde quase imediatamente, o que é invulgar:

Fico contente por saber. Bj

E cerca de um minuto depois:

Que temos flores no apartamento, não que a surpresa foi má, obviamente. Bj

Sorrio.

Tenho uma boa notícia para te dar. Bjs

A altura é ótima — estou na pausa para café. Conta. Bj

Ele não percebe — acha que é uma noticiazinha boa, como se eu tivesse feito um *crumble* ou qualquer coisa assim. Espero um pouco, com os dedos a pairar sobre o teclado. Isto é a coisa perfeita para me animar — e o que é mais importante, os altos e baixos da minha antiga relação, ou a realidade imediata do caso do Richie?

Posso ligar-te? Do género, se te ligar, tu atendes? Bjs

A resposta demora um pouco mais desta vez.

Claro. Bj

Sou tomada por uma vaga muito abrupta e intensa de nervos, e tenho um *flashback* do Leon, nu, a pingar, com o cabelo puxado para trás. Carrego na tecla para fazer a chamada porque já não há opção, a menos que invente uma desculpa muito bizarra e rebuscada.

— Olá — diz ele, numa voz um pouco baixa, como se estivesse em algum sítio onde não pudesse fazer barulho.

— Olá — respondo. Esperamos. Penso nele nu, e depois esforço-me muito por não pensar nisso. — Como vai o turno?

— Sossegado. Daí a pausa para café.

O sotaque dele é praticamente idêntico ao do Richie e completamente diferente do de qualquer outra pessoa. É como se a pronúncia do sul de Londres tivesse tido um caso com a da Irlanda. Recosto-me no sofá, subo os joelhos e abraço-os.

— Então, hã... — começa ele.

— Desculpa — digo eu, quase ao mesmo tempo. Tornamos a esperar, e dou por mim a fazer um risinho esquisito que tenho a certeza de que nunca tinha feito antes. Que altura excelente para estrear uma risada estúpida.

— Começa tu — diz ele.

— Vamos só... eu não liguei para falarmos do outro dia — começo —, por isso, durante esta conversa, vamos só fingir que aquela cena toda do duche foi um estranho sonho partilhado, para eu poder dar-te a minha boa notícia sem nos sentirmos incrivelmente embaraçados?

Parece-me que o oiço sorrir.

— Combinado.

— A Gerty aceitou o caso do Richie.

Tudo o que oiço é uma inspiração abrupta e depois silêncio. Espero até já se ter passado um tempo dolorosamente longo, mas tenho a sensação de que o Leon é do género de pessoa que precisa de tempo para assimilar as coisas, tal como o Mo, pelo que resisto ao impulso de dizer mais alguma coisa até ele estar pronto.

— A Gerty aceitou o caso do Richie — repete ele, de forma algo insegura.

— Sim. Aceitou. E essa nem sequer é a boa notícia! — Quando dou por mim, vejo que estou a saltitar ligeiramente nas almofadas do sofá.

— Qual... qual é a boa notícia? — pergunta ele, numa voz um pouco débil.

— Ela conseguiu antecipar o recurso para três meses antes! Vocês contavam que fosse em janeiro do próximo ano, não era? Por isso agora vai ser, o quê...

— Outubro. Outubro. Isso é...

— Em breve! Falta mesmo pouco!

— Isso é daqui a *dois meses*! Não estamos prontos! — diz o Leon, de súbito a parecer aflito. — E se... ela...

— Leon. Respira.

Mais silêncio. Parece-me que ouço o som distante do Leon a inspirar profunda e lentamente. Começam a doer-me as bochechas, de tanto suprimir um sorriso imenso.

— Ela é uma advogada impressionante — digo-lhe. — E nunca aceitaria o caso se não achasse que o Richie tinha uma oportunidade. A sério.

— Não me faças isto... se ela vai... desistir, ou... — A voz sai-lhe estrangulada e embargada pela emoção, e eu sinto um aperto de compaixão no estômago.

— Não estou a dizer-te que ela vai de certeza tirá-lo de lá, mas parece-me que há motivos para voltar a ter esperança. Não diria isso se não fosse o que penso.

Ele deixa escapar uma respiração longa e lenta, quase a rir.

— O Richie sabe?

— Acho que ainda não. Ela escreveu-lhe ontem... quanto tempo demoram as cartas a chegar-lhe?

— Depende... tendem a ficar retidas na prisão antes de lhe serem entregues. Mas isso quer dizer que posso ser eu a contar-lhe.

— A Gerty também há de querer falar contigo acerca do caso — digo.

— Uma advogada que quer falar do caso do Richie — diz o Leon. — Advogada. Que. Quer. Falar...

— Sim — interrompo-o eu, a rir.

— Tiffy — diz ele, subitamente muito sério. — Nunca poderei agradecer-te o suficiente.

— Não, chiu... — começo eu.

— A sério. Isto... não consigo dizer-te como é importante... para o Richie. E para mim.

— Eu só passei a carta do Richie.

— Foi mais do que qualquer pessoa alguma vez fez de livre vontade pelo meu irmão.

Remexo-me, nervosa.

— Bem, diz ao Richie que me deve uma carta.

— Ele vai escrever-te. Eu tenho de ir. Mas... obrigado, Tiffy. Estou tão contente por teres sido tu e não o traficante de droga ou o homem do ouriço.

— Como?

— Não ligues — apressa-se ele a dizer. — Até logo.

32

Leon

Nova corrente de notas (a Tiffy usa sempre várias, nunca lhe chega o espaço de uma):

Leon, posso perguntar-te... O que se passa com os vizinhos daqui?! Até agora só vi o homem estranho do Apartamento 5 (achas que ele sabe do buraco que tem naquelas calças de ginástica, já agora? Ele vive sozinho, se calhar ninguém lhe disse!).

Acho que o Apartamento 1 é daquelas duas velhotas que costumam estar na paragem de autocarro da esquina a ler policiais grotescos baseados em casos da vida real. Mas e os Apartamentos 2 e 4? Bjs

O Apartamento 4 é de um senhor de meia-idade muito simpático que infelizmente é viciado em craque. Achei sempre que o Apartamento 2 era das raposas.

Escrito nas costas de um manuscrito em cima da mesa de centro:

Ah, sim! As raposas. Bem, espero que paguem renda. Reparaste que a Raposa Fatima teve três raposinhos pequeninos?

Por baixo:

... Raposa Fatima?

E, por falar em renda: tenho um alarme no telemóvel a dizer-me que chegámos aos seis meses desde que te mudaste para cá. Tecnicamente, é o fim do contrato, acho eu? Queres ficar?

E acrescentado ao fim do dia, depois de ter dormido:

Que é como quem diz, espero que queiras ficar. Já não preciso tanto do dinheiro, com as vendas dos cachecóis e a nova advogada gratuita e inacreditavelmente excelente. Mas já não sei como seria o apartamento sem ti. Para começar, não seria capaz de sobreviver sem o pufe. Bj

Por baixo disto, a Tiffy esboçou um grupo de raposas num sofá, com um cabeçalho a dizer *Apartamento 2*. Cada raposa está cuidadosamente identificada.

A Raposa Fatima! É a mamã raposa. A mais matreira de todas, se quiseres ver a coisa assim.

A Raposa Florentina. A vice-comandante atrevida. O seu local habitual de caça é o canto malcheiroso ao pé dos caixotes.

A Raposa Fliss. A jovem caprichosa e aventureira. Costuma ser encontrada a tentar entrar no prédio por uma janela.

O Raposo Fabio. O macho residente.

Os novos bebés, a que ainda não dei nome. Gostarias de fazer as honras?

Por baixo disto:

Sim, por favor, eu e o pufe adoraríamos ficar mais algum tempo. Podemos acordar mais seis meses? Bjs

Mais seis meses. Perfeito. Combinado. Bjs

Nova nota, ao lado do prato de bolo vazio.

Desculpa, O QUÊ? Noggle, Stanley e Archibald? Esses nomes nem sequer começam por F!

Na mesma nota, agora ao lado de uma grande travessa de empadão:

Que queres que te diga? O Raposo Fabio gostava de Noggle. Os outros dois foram ideia da Fatima.

Além disso, desculpa, mas não pude deixar de reparar no conteúdo do caixote da reciclagem quando o fui despejar hoje. Estás bem? Bj

O empadão desapareceu. Nova nota:

Sim, não te preocupes, estou mesmo bem, de verdade. Foi uma purga de recordações relacionadas com o ex que já devia ter sido feita há muito, e que também libertou muito mais espaço debaixo da cama para se guardar cachecóis. (No caso de teres dúvidas, já não somos mesmo da Equipa Ex.) Bjs

Ah, não? Devo dizer que de qualquer maneira já gostava menos do ex. Seja como for, mais espaço para cachecóis é sempre bem-vindo. Ainda ontem fiquei com o pé preso num — estava caído no chão do quarto à espreita de algum incauto que pudesse apanhar. Bj

Ups, desculpa, desculpa. Tenho de parar de deixar roupa no chão do quarto. Já agora, desculpa se isto é demasiado pessoal, mas renovaste COMPLETAMENTE os teus boxers? De repente, os antigos com desenhos engraçados deixaram de aparecer no estendal, e o apartamento transformou-se num altar ao Sr. Klein sempre que lavas roupa.

E, já que estamos a falar dos ex... Tens tido notícias da Kay? Bjs

Nova nota *Post-it* dupla. Muito raramente, acaba-se-me o espaço. Para além disso, tive de pensar muito acerca do que havia de dizer nesta.

Vi-a no fim de semana passado, no casamento de um velho amigo. Foi esquisito. Agradável. Conversámos como amigos e foi bom.

O Richie tinha razão: a relação tinha acabado muito antes de ter acabado.

Hum. Sim, fiz uma reformulação geral da roupa. Apercebi-me de que não comprava roupa há uns cinco anos. Além disso, de repente fiquei muito ciente de que uma mulher vive neste apartamento e vê a roupa que eu lavo.

Parece que tu também foste às compras. Gosto do vestido azul e branco que está na parte de trás da porta. Parece uma coisa que Os Cinco poderiam usar quando fossem numa das suas aventuras. Bj

Obrigada ☺ Parece-me a altura ideal para um vestido de aventuras. É verão, estou solteira, as raposas andam a saltitar pelo asfalto, os pombos cantam nos algerozes... A. Vida. É. Boa. Bjs

33

Tiffy

Estou sentada na varanda a chorar como uma criança pequena que deixou cair o seu gelado. Choro baba e ranho, com soluços e a boca bem aberta.

As recordações súbitas atingem-me agora em alturas completamente aleatórias, aparecendo do nada e deixando-me absolutamente de rastos. Esta última foi particularmente má: estava eu descansadinha da vida a aquecer sopa e de repente, *ZÁS*, lá veio a memória — da noite em que o Justin apareceu lá em casa, em fevereiro, antes da mensagem pelo *Facebook*, e levou a Patricia. Olhou para mim com um ar de desprezo total, praticamente sem me dirigir a palavra. Depois, enquanto a Patricia estava no corredor, despediu-se de mim com um beijo nos lábios, e a mão na minha nuca. Como se eu fosse dele. Por um momento, enquanto o recordava, senti, com um terror absoluto, que continuava a ser.

Portanto. Apesar de, tecnicamente, estar muito mais feliz, esta coisa das recordações passa a vida a acontecer e a dar cabo disso. É evidente que tenho aqui alguns problemas para confrontar, e que as minhas ferramentas de distração já não me servem. Preciso de pensar nisto.

Pensar nisto significa que preciso do Mo e da Gerty. Eles chegam juntos, cerca de uma hora depois de eu lhes mandar uma mensagem. Enquanto a Gerty serve copos de vinho branco, apercebo-me de que estou nervosa. Não quero falar. Mas assim que começo, já não consigo mesmo parar, e tudo me sai numa grande confusão emaranhada: as memórias, as coisas antigas mesmo do início, até chegar às flores que ele me enviou na semana passada.

Acabo por me calar, exausta. Bebo o resto do copo de vinho.

— Vamos lá deixar-nos de paninhos quentes — diz a Gerty, que literalmente nunca esteve com paninhos quentes em toda a sua vida. — Tens um ex-namorado louco que sabe onde vives.

A minha pulsação começa a acelerar; tenho a ligeira impressão de ter algo preso no peito.

O olhar que o Mo lança à Gerty é do género que só a Gerty costuma poder lançar a outras pessoas.

— Eu falo — diz ele —, e tu cuidas do vinho. OK?

A Gerty fica com o ar de alguém acabado de esbofetear. Mas depois, curiosamente, desvia o olhar, e de onde me encontro consigo ver que está a sorrir.

Esquisito.

— Quem me dera não lhe ter dito que ia beber um copo com ele em outubro — digo, observando o rosto atento do Mo à minha frente. — Porque fui eu dizer isso?

— Não tenho a certeza de que o tenhas dito, tu tens? Eu acho que ele escolheu dar essa interpretação às tuas palavras — diz o Mo. — Mas não tens de o ver. Não lhe deves nada.

— Vocês lembram-se disto tudo? — pergunto abruptamente. — Não estou a imaginar?

O Mo demora um pouco a responder, mas a Gerty nem pestaneja.

— É claro que nos lembramos, Tiffy. Eu lembro-me de cada maldito minuto disso. Ele tratava-te horrivelmente. Dizia-te onde ir e como chegar lá, e depois levava-te ele mesmo porque tu não serias capaz de encontrar o caminho por ti mesma. Distorcia todas as discussões para que a culpa fosse tua e não parava até que te sentisses arrependida. Largava-te e voltava a pegar-te sem aviso. Dizia-te que eras gorda e esquisita e que mais ninguém te quereria, embora sejas claramente uma deusa e ele devesse sentir-se um felizardo por te ter. Era terrível. Nós *detestávamo-lo*. E se não me tivesses proibido de falar dele, eu ter-te-ia dito isto todos os dias, caramba.

— Oh — digo eu, com a voz sumida.

— Era isso que sentias? — pergunta o Mo, com o ar de um faz-tudo com ferramentas limitadas, a tentar remendar os estragos causados por uma bomba.

— Eu... eu lembro-me de ser mesmo feliz com ele — digo. — Para além de andar, sabem, mesmo miserável.

— Ele não era horrível contigo *a toda a hora* — começa a Gerty.

— Não teria sido capaz de te manter com ele se fosse — continua o Mo. — Ele sabia isso. É um tipo esperto. Sabia como...

— Manipular-te — acaba a Gerty.

O Mo faz um esgar com a palavra escolhida.

— Mas eu acho que em algum momento fomos felizes juntos.

Não sei porque é que isto me parece importante. Não me agrada a ideia de toda a gente me ver nessa relação e me julgar uma idiota por estar com alguém que me tratava assim.

— Claro — diz o Mo, a acenar com a cabeça. — Sobretudo no início.

— Certo — confirmo. — No início.

Bebericamos o vinho em silêncio durante algum tempo. Sinto-me muito estranha. Como se devesse estar a chorar, e até quero chorar, mas há uma tensão invulgar nos meus olhos que impossibilita que as lágrimas surjam.

— Bem. Obrigada. Sabem, por tentarem. E desculpem por... vos ter obrigado a pararem de falar dele — digo, a fitar os pés.

— Não faz mal. Pelo menos assim continuavas a estar connosco — diz o Mo. — Tinhas de chegar a esta conclusão sozinha, Tiff. Por tentador que fosse intervir e afastar-te dele, tu terias simplesmente voltado.

Reúno a coragem necessária para olhar para a Gerty. Ela corresponde ao meu olhar; a sua expressão é quase feroz. Nem consigo imaginar como terá sido difícil para ela manter-se fiel à sua palavra e não mencionar o Justin.

Pergunto-me como raios o Mo terá conseguido persuadi-la a deixar-me fazer isto por mim mesma. Mas ele tinha razão — eu pura e simplesmente tê-los-ia afastado se eles me dissessem para deixar o Justin. A ideia é ligeiramente nauseante.

— Estás a ir muito bem, Tiff — diz o Mo, enchendo-me de novo o copo. — Atém-te só àquilo que vais percebendo. Pode ser complicado lembrares-te de tudo a toda a hora, mas é importante. Por isso, dá o teu melhor.

Não sei porquê, mas, quando o Mo diz alguma coisa, isso parece torná-la verdade.

Custa-me tanto lembrar. Uma semana sem memórias súbitas ou aparições inesperadas do Justin e eu já hesito. Vacilo. Quase dou o dito pelo não dito e concluo que inventei tudo.

Felizmente, posso conversar com o Mo. Revemos os incidentes à medida que os recordo — discussões aos gritos, remoques subtis, as formas ainda mais subtis de como a minha independência foi sendo erodida. Não consigo acreditar em como a minha relação com o Justin era má, mas, mais do que isso, não consigo acreditar que não tivesse *reparado* nisso. Acho que só isso ainda vai demorar a ser assimilado.

E graças a Deus pelos amigos e companheiros de casa. O Leon não faz ideia de que tudo isto se passa, claro, mas parece ter percebido que preciso de alguma distração — anda a cozinhar mais e, se passarmos algum tempo sem falar, ele dá início a uma nova corrente de notas. Costumava sempre ser eu quem fazia isso — tenho a impressão de que iniciar uma conversa não é algo que agrade muito ao Leon, por norma.

Esta está no frigorífico quando chego do trabalho com a Rachel, que veio comigo para eu lhe preparar o jantar (diz que lhe devo um número indeterminado de refeições à borla porque lhe arruinei a vida ao ter encomendado o *Croché À Sua Maneira*):

A caça ao Johnny White anda a correr mal. Acabei perdido de bêbedo com o Johnny White, o Quarto, num bar muito encardido perto de Ipswich. Ia havendo uma repetição da nossa memorável colisão na casa de banho: dormi mais do que devia e cheguei incrivelmente atrasado. Bj

A Rachel olha para mim e arqueia as sobrancelhas, enquanto lê por cima do meu ombro.

— Memorável, hã?

— Oh, cala-te. Sabes o que ele quer dizer.

— Acho que sei — responde ela. — Quer dizer: *ainda não parei de pensar em ti em roupa interior. Tu pensas em mim nu?*

Atiro-lhe uma cebola.

— Corta lá isso e torna-te útil — digo-lhe, mas não consigo deixar de sorrir.

Setembro

34

Leon

Já é setembro. O verão começa a arrefecer. Nunca julguei que fosse possível que o tempo passasse depressa estando o Richie preso, mas ele diz o mesmo — que os seus dias avançam como devem, em vez de se arrastarem e demorarem, obrigando-o a sentir cada minuto.

É tudo por causa da Gerty. Só estive com ela um par de vezes, mas falamos por telefone a intervalos de poucos dias; é comum o assistente também participar na chamada. Eu mal tinha falado com o anterior. Este parece estar sempre a fazer coisas e mais coisas. Incrível.

A Gerty é tão brusca, que ultrapassa a má-educação, mas gosto dela — parece não ter capacidade para tretas (o oposto do Sal). Vai muitas vezes ao apartamento e ganhou o hábito de escrever-me notas ao mesmo tempo que a Tiffy. Felizmente, é muito fácil distingui-las. Estas duas estão lado a lado na bancada do pequeno-almoço:

Olá! Os meus pêsames por essa ressaca de dois dias — sinto a tua dor e recomendo-te fritos de queijo. Mas... não é POSSÍVEL que o teu cabelo fique mais encaracolado quando estás de ressaca! Isso não pode ser uma coisa que acontece, porque uma ressaca não tem vantagem nenhuma. E, a partir do meu conhecimento limitado acerca da tua aparência, aposto que, quanto mais encaracolado o teu cabelo, mais fixe deves ficar. Bjs

Leon — diz ao Richie que me ligue. Não me forneceu as respostas ao documento de dez páginas de perguntas que lhe enviei na semana passada. Por favor, recorda-o de que sou uma pessoa extremamente impaciente que costuma ser muito bem paga para rever coisas. G

Ao voltar da última visita ao Richie, dei um pulo para visitar outro Johnny White. Vive num lar a norte de Londres e, ao fim de poucos momentos, tive a certeza de que não era quem procuramos. Mulher e sete filhos eram um sinal forte disso (embora, obviamente, nada conclusivo), mas depois, na sequência de uma conversa muito difícil, descobri que só esteve três semanas ao serviço do exército antes de ser mandado para casa com uma perna a gangrenar.

Isso resultou numa longa conversa sobre gangrena, o que me pareceu muito com o trabalho, só que mais embaraçoso.

Na semana seguinte, o Sr. Prior não se encontra nada bem. Dou por mim surpreendentemente perturbado. O Sr. Prior já tem uma idade muito avançada — isto é totalmente esperado. O meu trabalho é proporcionar-lhe conforto. Foi assim desde que o conheci. Mas sempre julguei que havia de lhe encontrar o amor da sua vida antes de ele ter de partir, e nenhum dos meus cinco Johnny Whites serviu para o que quer que fosse. Ainda faltam três, mas, mesmo assim...

Fui ingénuo. Tenho praticamente a certeza de que a Kay mo tinha dito antes.

No esquentador:

Bem, se chegaste aqui, provavelmente já percebeste que o esquentador está avariado. Mas não te preocupes, Leon, tenho uma excelente notícia para te dar! Já liguei para uma canalizadora, que vem cá amanhã ao final da tarde para o arranjar. Até lá, vais ter de tomar banhos de ÁGUA GELADA, mas, na verdade, se vieste ver o esquentador, é provável que já tenhas feito isso e, nesse caso, o pior já passou. Recomendo que te aninhes no pufe com uma chávena quente de chá de maçã com especiarias (sim, comprei mais um chá de fruta; não, não tínhamos já demasiados no armário) e com a nossa encantadora manta de Brixton. Foi o que eu fiz, e soube-me pela vida. Bjs

Não sei bem o que sinto quanto a ser *a nossa* manta de Brixton, partindo do princípio de que se refere à coisa multicolorida que estou sempre a ter de tirar da cama. É definitivamente um dos piores objetos neste apartamento.

Instalo-me no pufe com a variedade mais recente de chá de fruta e penso na Tiffy, aqui, neste sítio, apenas umas horas antes de mim. Cabelo molhado, ombros nus. Embrulhada só numa toalha e nesta manta.

A manta não é assim *tão* má. É... invulgar. Pitoresca. Talvez esteja a começar a convencer-me.

35

Tiffy

Esta é a minha primeira sessão com uma Pessoa Que Não É o Mo. Foi o próprio Mo quem o sugeriu. Disse que seria bom para mim falar com uma pessoa que não me conhecesse já. E depois a Rachel contou-me que, inacreditavelmente, as nossas regalias de funcionários incluem até 15 sessões de psicoterapia, pagas pela Butterfingers. Não faço ideia do motivo pelo qual estarão dispostos a proporcionar isso, mas não a pagar acima do salário mínimo — talvez estejam fartos de ter funcionários a demitirem-se devido ao stress.

Por isso, aqui estou eu. Isto é muito estranho. A Pessoa Que Não É o Mo chama-se Lucie e está a usar uma enorme camisola de críquete como vestido, o que obviamente me faz gostar logo dela e perguntar-lhe onde é que faz compras. Falámos de lojas *vintage* do sul de Londres durante algum tempo, depois ela arranjou-me uma água e agora aqui estamos, no gabinete dela, uma de frente para a outra, em cadeirões a condizer. Sinto-me extremamente nervosa, embora não perceba porquê.

— Então, Tiffy, porque quis ver-me hoje? — pergunta a Lucie.

Abro a boca e torno a fechá-la. Meu Deus, há tanto por explicar. Por onde começo, sequer?

— Comece mesmo por aí — diz ela. Deve ter as capacidades clarividentes do Mo: se calhar ensinam-lhes isso quando lhes dão a acreditação. — Pelo que a fez pegar no telefone e marcar uma consulta.

— Quero resolver o que quer que tenha sido que o meu ex-namorado me fez — digo, e depois detenho-me, espantada. Como terei conseguido dizer isso de chofre a uma perfeita desconhecida ao fim de cinco minutos? Que vergonha.

Mas a Lucie nem sequer pestaneja.

— Claro — diz ela. — Quer falar-me um pouco mais disso?

— Estás curada? — pergunta-me a Rachel, pousando-me um café na secretária.

Ah, café, o elixir dos que trabalham demasiado. Ultimamente tem-se sobreposto ao chá na minha lista de preferências — um sinal de quão pouco ando a dormir. Sopro um beijo à Rachel enquanto ela segue para o seu monitor. Como de costume, continuamos a conversa pelo *Messenger.*

Tiffany [09:07]: Foi mesmo esquisito. Dez minutos depois de a conhecer já estava literalmente a contar-lhe as coisas mais embaraçosas a meu respeito.

Rachel [09:08]: Contaste-lhe daquela vez em que vomitaste no cabelo quando ias no autocarro noturno?

Tiffany [09:10]: Bem, isso não veio à baila.

Rachel [09:11]: E a vez em que partiste o pénis daquele tipo na faculdade?

Tiffany [09:12]: Também não se levantou.

Rachel [09:12]: Isso foi o que ele disse.

Tiffany [09:13]: Essa piada resulta?

Rachel [09:15]: Bem, seja como for, agora posso ter a certeza de que sei mais segredos embaraçosos sobre ti do que esta nova impostora que quer conquistar o teu afeto. Pronto. Continua.

Tiffany [09:18]: Na verdade, ela não *disse* muito. Ainda menos do que o Mo. Eu acho que estava à espera que ela me dissesse o que se passava comigo. Mas, em vez disso, acabei por perceber algumas coisas por mim mesma... algo que nunca poderia ter feito se ela não estivesse ali sentada. Tão esquisito.

Rachel [09:18]: Que género de coisas?

Tiffany [09:19]: Tipo... Por vezes o Justin era cruel. E controlador. E outras coisas más.

Rachel [09:22]: Deixa-me só que te diga que assumo oficialmente o meu erro em relação ao Justin. A Gerty tem razão. Ele é a escória da terra.

Tiffany [09:23]: Apercebeste-te de que acabaste de escrever «A Gerty tem razão»?

Rachel [09:23]: Proíbo-te de lhe contares.

Tiffany [09:23]: Já lhe mandei a captura de ecrã.

Rachel [09:24]: Cabra. Então, vais voltar lá?

Tiffany [09:24]: Três sessões esta semana.

Rachel [09:24]: Ena.

Tiffany [09:25]: Tenho medo de que, como o primeiro *flashback* aconteceu quando o Ken me beijou...

Rachel [09:26]: Sim?

Tiffany [09:26]: E se for isso que acontece, a partir de agora? E se o Justin me tiver, tipo, reprogramado, e EU NUNCA MAIS VOLTAR A SER CAPAZ DE BEIJAR UM HOMEM?!

Rachel [09:29]: Quero dizer, isso é aterrador, foda-se.

Tiffany [09:30]: Obrigadinha, Rachel.

Rachel [09:31]: Devias consultar alguém por causa disso.

Tiffany [09:33]: [*emoji* zangado] Obrigada, Rachel.

Rachel [09:34]: Oh, vá lá. Eu sei que te fiz rir. Tipo, acabei de te ver a rir e depois a fingir que estavas a tossir quando te apercebeste de que o diretor editorial estava a passar.

Tiffany [09:36]: Achas que resultou?

— Tiffy? Tem um minuto? — chama-me o diretor.

Merda. «Tem um minuto» é sempre mau. Se fosse urgente, mas não problemático, ele limitar-se-ia a gritar-mo do outro lado da sala ou a enviar-me um e-mail com um daqueles pontos de exclamação vermelhos e passivo-agressivos, só para o caso de eu ser incapaz de priorizar os meus e-mails e precisar que o remetente o faça por mim. Não, «tem um minuto» quer dizer que é confidencial, e isso quase de certeza quer dizer que é por causa de qualquer coisa pior do que estar só a rir-me à secretária enquanto troco mensagens com a Rachel acerca de beijos.

O que terá feito a Katherin? Será que pôs uma fotografia do seu pipi no *Twitter*, como ameaça fazer sempre que lhe peço que dê mais uma entrevista que o Martin lhe arranjou?

Ou será um dos meus outros livros? Um dos muitos outros livros que tenho ignorado por completo com a loucura que tem sido *Croché À Sua Maneira*? Já nem me lembro dos títulos. Alterei datas de publicação como se estivesse a fazer anagramas, e definitivamente não consultei o diretor editorial para formalizar essas alterações. Deve ser isso, não deve? Ignorei o livro de alguém durante tanto tempo que acabou na gráfica sem quaisquer palavras lá dentro.

— Claro — digo, afastando-me da secretária de uma forma que espero que seja rápida e profissional.

Sigo-o para o seu gabinete. Ele fecha a porta depois de eu entrar.

— Tiffy — começa ele, empoleirado na beira da secretária. — Sei que estes meses têm sido azafamados para si.

Engulo em seco.

— Oh, tem corrido bem — digo. — Mas obrigada!

Ele dirige-me um olhar ligeiramente estranho, o que é perfeitamente compreensível.

— Fez um trabalho fantástico com o livro da Katherin — diz ele. — É mesmo uma edição fenomenal. A Tiffy descobriu essa tendência... não, formou-a. A sério, impecável.

Pestanejo, estupefacta. Nem descobri, nem formei a tendência — publico livros de croché desde que comecei a trabalhar em edição, na Butterfingers.

— Obrigada? — digo, a sentir-me um pouco culpada.

— Estamos tão impressionados com o trabalho mais recente que tem feito, Tiffy, que gostaríamos de a promover a editora — diz o diretor, parecendo satisfeito.

As palavras demoram uns bons segundos a ser assimiladas e, quando isso acontece, sai-me um som sufocado muito peculiar.

— Sente-se bem? — pergunta ele, franzindo o sobrolho.

Pigarreio.

— Ótima! Obrigada! — guincho. — Quero dizer, só não estava à espera...

... de ser promovida alguma vez na vida. Nunca, mesmo. Tinha perdido todas as esperanças.

— É extremamente merecido — diz ele com um sorriso benevolente.

Lá consigo sorrir-lhe também. Não sei mesmo o que fazer. O que *quero* é perguntar quanto mais vou receber, mas não há uma forma digna de fazer essa pergunta.

— Muito obrigada — acabo por exclamar, e depois sinto-me um pouco patética, porque, a bem da verdade, eles deviam ter-me promovido há dois anos, e também não é nada digno estar aqui a fazer de sabujo. Endireito-me por completo e dirijo-lhe um sorriso mais determinado e profissional. — É melhor voltar ao trabalho — digo. Os superiores hierárquicos gostam sempre de nos ouvir a dizer isso.

— Sem dúvida — diz ele. — Depois os recursos humanos mandam-lhe os pormenores sobre o aumento salarial e etc.

Gosto do som do etc.

Parabéns pela promoção! Mais vale tarde do que nunca? Fiz-te strogonoff de cogumelos para celebrar. Bjs

Sorrio. A nota está colada no frigorífico, que já vai na segunda camada de notas *Post-it*. A minha preferida do momento é um desenho que o Leon fez do homem do Apartamento 5 sentado em cima de uma enorme pilha de bananas. (Continuamos sem saber por que razão guarda tantos caixotes de bananas no seu lugar de estacionamento.)

Encosto a testa à porta do frigorífico por um momento e depois passo os dedos pelas camadas de recortes de papel e de notas *Post-it*. Há tanto aqui. Piadas, segredos, histórias, a evolução lenta de duas pessoas cujas vidas têm vindo a mudar em paralelo — ou, não sei, em sintonia. Horas diferentes, no mesmo lugar.

Pego numa caneta.

Obrigada ☺ Tenho andado a fazer uma dança celebratória pelo apartamento, só para que saibas. Do género, absolutamente nada fixe, a tentar o moonwalking *e tudo. Não sei porquê, não me parece que fosse algo em que alguma vez alinhasses...*

Posso perguntar-te o que vais fazer este fim de semana? Suponho que vás outra vez para casa da tua mãe? Só gostava de saber se querias ir beber um copo comigo ou qualquer coisa assim para celebrarmos. Bjs

Esperar pela resposta faz-me desejar, pela primeira vez, que eu e o Leon comunicássemos pelo *WhatsApp*, como as pessoas normais. Mataria por dois vistos azuis agora mesmo. Depois, quando chego a casa, cuidadosamente colado por baixo da minha nota no frigorífico:

Tenho tido ocasionais acessos de moonwalking *da cozinha até à sala.*

Infelizmente não posso ir beber um copo porque vou à caça de Johnny Whites. Este mora em Brighton.

Depois, imediatamente abaixo, mas numa caneta de cor diferente:

É capaz de ser uma ideia ridícula, mas se te apetecer uma viagem até à beira-mar, também podias vir.

Estou parada na cozinha, especada a olhar para o frigorífico, com um sorriso de orelha a orelha.

Adoraria ir! Adoro a beira-mar. Legitima o uso de um chapéu de abas largas, para começar, ou de uma sombrinha, duas coisas maravilhosas que NÃO tenho oportunidades suficientes de usar. Onde queres que nos encontremos? Bjs

A resposta demora dois dias a chegar. Pergunto-me se o Leon estará a perder a coragem, mas por fim, garatujado a tinta azul:

Estação de Victoria, no sábado, às 10h30. Encontro marcado! Bj

36

Leon

Encontro marcado? Encontro marcado?!

O que é que me deu? Devia ter escrito *vemo-nos lá*. Em vez disso, saiu-me *encontro marcado*. Mas não é um encontro. Provavelmente. Para além disso, também não sou pessoa que diga *encontro marcado,* mesmo que seja um encontro.

Esfrego os olhos e remexo-me. Estou debaixo do painel das partidas da estação de Victoria, juntamente com uma centena de pessoas, mas enquanto todas elas fitam os painéis, eu mantenho os olhos fixos na saída do metro. Pergunto-me se a Tiffy me reconhecerá vestido. A propósito: está um dia inusitadamente quente para setembro. Não devia ter vindo de calças de ganga.

Verifico que tenho as indicações do caminho a tomar a partir da estação de Brighton no meu telemóvel. Verifico as horas. Verifico a plataforma do comboio. Remexo-me um pouco mais.

Quando ela finalmente aparece, não há qualquer risco de não a ver. Traz um casaco amarelo-canário e umas calças justas; o seu cabelo ruivo-alaranjado está solto sobre os ombros, a baloiçar à medida que ela caminha. Também é mais alta do que a maioria das pessoas à sua volta, e está a usar umas sandálias amarelas com salto, que lhe dão mais uns bons centímetros do que a população geral.

Parece não ter consciência da quantidade de olhares que recaem sobre ela à medida que passa, o que só torna o efeito total ainda mais atraente.

Sorrio-lhe e aceno-lhe quando ela me vê. Espero nervoso e sorridente enquanto ela se aproxima e depois, neste momento extremamente tardio, vejo-me acometido de súbito pela questão de devermos ou não abraçar-nos para nos cumprimentarmos. Podia ter passado os últimos dez minutos de espera a debater isto. Em vez disso, esperei até ela ficar mesmo à minha frente, olhos nos olhos, de faces afogueadas pelo calor abafado no ar da estação.

Ela retrai-se; é demasiado tarde para um abraço.

Tiffy: Olá.

Eu: Olá.

E depois, em simultâneo:

Tiffy: Desculpa, atrasei-me...

Eu: Ainda não tinha visto esses sapatos amarelos...

Tiffy: Desculpa, diz tu.

Eu: Não te preocupes, não te atrasaste quase nada.

Ainda bem que ela falou ao mesmo tempo que eu. Porque haveria eu de chamar a atenção para o facto de lhe conhecer a maioria dos sapatos? Parece uma coisa extremamente sinistra.

Caminhamos lado a lado até à plataforma. Estou sempre a lançar-lhe olhares de esguelha; não me habituo a que seja tão alta, sabe-se lá porquê. Não a imaginava alta.

A Tiffy olha de lado para mim, apanha-me a olhar, e sorri.

Tiffy: Não era o que esperavas?

Eu: Desculpa?

Tiffy: Eu. Sou o que esperavas?

Eu: Oh, eu...

Ela arqueia uma sobrancelha.

Tiffy: Quero dizer, antes de me teres visto no mês passado.

Eu: Bem, não te imaginava tão...

Tiffy: Grande?

Eu: Ia dizer nua. Mas alta também, sim.

Ela ri-se.

Tiffy: Eu não estava tão nua quanto tu.

Eu, com um esgar: Não me lembres disso. Lamento imenso que...

Ahhh. Como acabar aquela frase? É capaz de ser imaginação minha, mas as bochechas dela parecem um pouco mais rosadas.

Tiffy: A sério, a culpa foi minha. Tu estavas só a tomar um duche inocente.

Eu: Não tiveste culpa. Toda a gente se deixa dormir de vez em quando.

Tiffy: Sobretudo depois de beber praticamente uma garrafa de gin.

Já estamos no comboio, pelo que a conversa para enquanto avançamos pelo corredor. Ela escolhe um lugar a uma mesa; numa fração de segundo, concluo que será menos estranho sentarmo-nos frente a frente do que lado a lado, mas, ao sentar-me, dou-me conta do erro. Este posicionamento envolve muito contacto visual.

Ela despe o casaco; por baixo está a usar uma blusa coberta por enormes flores verdes, como uma pintura a aguarela. A blusa não tem mangas e o decote é profundo e em V. O meu adolescente interior tenta assumir o controlo do meu olhar e é por pouco que consigo parar-me.

Eu: Então... uma garrafa inteira de gin?

Tiffy: Oh, pois. Bem, eu estava na festa do lançamento de um livro, depois o Justin apareceu e... seja como for, depois disso houve muito gin.

Franzo o sobrolho.

Eu: O ex? Isso é... esquisito?

A Tiffy sacode o cabelo e parece um pouco desconfortável.

Tiffy: A princípio também pensei isso, e até me perguntei se ele não me teria seguido ou algo assim, mas se ele quisesse ver-me poderia ter simplesmente ido ao meu trabalho — ou, ao que parece pelo ramo de flores, ao apartamento. Claramente, eu é que sou paranoica.

Eu: Ele disse isso? Que eras paranoica?

Tiffy, depois de uma pausa: Não, nunca disse isso, não por essas palavras.

Eu, a rebobinar: Espera. Não lhe disseste onde moras?

Tiffy: Não. Não sei como me encontrou. Pelo *Facebook* ou qualquer coisa assim, provavelmente.

Ela revira os olhos como se fosse uma irritação de somenos, mas eu continuo de sobrolho franzido. Aquilo não me parece nada bem. Fico com a suspeita desagradável de que conheço homens assim da vida da minha mãe. Homens que dizem às mulheres que são loucas por desconfiarem do comportamento deles, que sabem onde elas vivem quando não deveriam saber.

Eu: Estiveram juntos durante muito tempo?

Tiffy: Uns dois anos. Mas foi tudo muito intenso. Fartávamo-nos de acabar, de gritar, de chorar e coisas assim.

Ela parece um pouco surpreendida consigo mesma, abre a boca como se fosse corrigir-se, e depois pensa melhor.

Tiffy: Sim. Foram uns dois anos, no total.

Eu: E os teus amigos não gostam dele?

Tiffy: Nunca gostaram, na verdade. Nem mesmo no início. A Gerty dizia que recebia «más energias» só de o ver ao longe.

Cada vez gosto mais da Gerty.

Tiffy: Seja como for, então ele apareceu e tentou levar-me para algum lado para tomarmos um copo e para ele justificar tudo, como de costume.

Eu: E tu recusaste?

Ela acena com a cabeça.

Tiffy: Disse-lhe que tem de esperar um bom tempo para me convidar a tomar um copo. Uns meses, pelo menos.

A Tiffy espreita pela janela, com os olhos a pestanejar à medida que vai vendo Londres a afastar-se.

Tiffy, em voz baixa: Senti simplesmente que não podia recusar. O Justin é assim. Faz-te querer o que ele quer. É muito... não sei. Chega e o espaço passa a ser dele, sabes? É impositivo.

Tento ignorar as sirenes de aviso que me dispararam na cabeça. Não me agrada nada esta situação. Não tinha ficado com esta ideia das coisas pelas notas — mas talvez a própria Tiffy não tivesse esta ideia até há pouco tempo. As pessoas podem demorar algum tempo a tomar consciência e a processar o abuso emocional.

Tiffy: Adiante! Desculpa. Meu Deus. Que estranho.

Ela sorri.

Tiffy: Que conversa mais profunda para ter com alguém que se acaba de conhecer.

Eu: Não acabamos de nos conhecer.

Tiffy: É verdade. Houve aquela colisão memorável na casa de banho.

Outra sobrancelha remexida.

Eu: Quero dizer que parece que nos conhecemos há séculos.

Isso fá-la sorrir.

Tiffy: Parece, não parece? Acho que é por isso que é tão fácil conversar contigo.

Sim. É verdade: é fácil conversar, o que é ainda mais surpreendente para mim do que para ela, suponho, pois só há umas três pessoas no mundo inteiro com quem me é fácil conversar.

37

Tiffy

Não percebo o que me levou a desatar a falar do Justin assim. Nas minhas notas ao Leon não tenho referido nada sobre a psicoterapia ou os *flashbacks* — aquelas notas *Post-it* dão-me uma sensação calorosa e agradável, não quero estragá-las com porcarias do Justin —, mas, vendo-me subitamente frente a frente com ele, parece-me natural falar-lhe acerca das coisas que me ocupam os pensamentos. Ele tem simplesmente um daqueles rostos que não julgam e que nos dão vontade de... bem, de partilhar.

Agora vamos em silêncio enquanto o comboio acelera pelo campo. Dá-me a impressão de que o Leon gosta de silêncio; não é tão desconfortável como eu pensaria que fosse, é mais como se este fosse o seu estado natural. É estranho, porque, quando fala, é mesmo interessante, ainda que de uma forma serena e intensa.

Ele está a olhar pela janela, a semicerrar os olhos contra a luz do sol, pelo que aproveito a oportunidade para o observar. Tem um ar um pouco descuidado, com uma t-shirt cinzenta e um fio de cordel ao pescoço que parece ser algo que ele praticamente nunca tira. Pergunto-me que importância terá. O Leon não me parece do género de pessoa que use acessórios sem ser por razões sentimentais.

Ele dá pelo meu olhar e fita-me. Sinto um alvoroço na barriga. De repente, o silêncio parece diferente.

— Como está o Sr. Prior? — disparo.

O Leon fica com um ar espantado.

— O Sr. Prior?

— Sim. O senhor que me salvou a vida a tricotar. Falei com ele pela última vez na unidade de cuidados paliativos. — Dirijo-lhe um sorriso mordaz. — Quando tu andavas ocupado a evitar-me.

— Ah. — Passa a mão pela parte de trás do pescoço, olha para baixo e depois dirige-me um sorriso enviesado. É tão breve, que quase não o vejo. — Não foi um dos momentos de que mais me orgulhe.

— Hum. — Faço uma cara séria, a gozá-lo. — Assusto-te, é isso?

— Um bocado.

— Um bocado! Porquê?

Ele engole em seco, com a maçã de Adão a mexer-se, e afasta o cabelo da cara. Acho que se está a remexer por nervosismo. É absolutamente adorável.

— És muito... — Acena com uma mão.

— Espalhafatosa? Impetuosa? Maior do que a vida?

Ele faz um esgar.

— *Não* — afirma. — Não, não é isso.

Espero.

— Olha — diz ele —, alguma vez te sentiste tão desejosa de ler um livro, que nem sequer consegues começá-lo?

— Oh, claro. A toda a hora... se tivesse um pingo de autocontenção, nunca teria sido capaz de ler o último volume do Harry Potter. A expetativa foi *dolorosa*. Sabes, do género, e se não estiver à altura dos anteriores? E se não for aquilo que eu espero que seja?

— Certo, bem. — Ele aponta para mim. — Acho que é capaz de ter sido... como isso.

— Mas comigo?

— Sim. Contigo.

Fito as minhas mãos, pousadas no meu colo, e esforço-me muito por não sorrir.

— Quanto ao Sr. Prior... — Agora o Leon está a falar voltado para a janela. — Lamento. Não posso mesmo falar de um paciente.

— Oh, claro. Bem, espero que encontremos o Johnny White dele. O Sr. Prior é *encantador*. Merece um final feliz.

Enquanto avançamos, entrando e saindo de uma conversa confortável, dou por mim a lançar-lhe mais olhares breves e discretos. A dada altura, os nossos olhos encontram-se no reflexo do vidro e ambos desviamos o olhar, como se tivéssemos visto algo que não devíamos.

Estou praticamente a sentir que todo o embaraço se esfumou quando estamos quase a parar em Brighton, mas então ele levanta-se para tirar a mochila da prateleira de cima e, de súbito, está de pé, com a t-shirt subida a revelar o elástico escuro dos boxers da *Calvin Klein* que espreita sob as calças de ganga, e eu volto a não saber o que fazer comigo mesma. Finjo que a mesa é muito interessante.

Quando chegamos a Brighton, brilha um sol ténue de setembro; ainda não é bem outono. No exterior da estação, vejo ruas de casinhas brancas a perder de vista, intervaladas pelo género de pubs e cafés que toda a gente em Londres pagaria um balúrdio para ter na esquina da sua rua.

O Leon combinou encontrar-se com o Sr. White no pontão. Quando alcançamos a marginal, solto um guinchinho involuntário de excitação. O pontão adentra pelo mar azul-acinzentado como se isto fosse um retrato de uma daquelas antigas estâncias à beira-mar, onde os vitorianos costumavam ir a banhos nos seus fatos ridículos a dar pelo joelho. É perfeito. Levo a mão à mala e tiro de lá o meu grande e abaulado chapéu dos anos 50, enfiando-o na cabeça. O Leon fita-me com um ar divertido.

— Que belo chapéu — diz ele.

— Que belo dia — contraponho, abrindo muito os braços. — Mais nenhum adereço para a cabeça lhe faria justiça.

Ele sorri.

— Para o pontão?

O meu chapéu abana enquanto eu assinto com a cabeça.

— Para o pontão!

38

Leon

Encontramos o Johnny White sem qualquer dificuldade. Homem muito velho sentado no final do pontão. Literalmente, mesmo ao fundo, para lá da amurada, com os pés a abanar — até me surpreende que ninguém o tenha tirado dali. Aquilo parece bastante perigoso.

A Tiffy, por outro lado, não está preocupada. Vai a saltitar, com o chapéu a abanar.

Tiffy: Olha! Um verdadeiro Johnny White só para mim! Aposto que é o genuíno. Dá para perceber.

Eu: Impossível. Não podes ganhar à primeira.

Mas tenho de reconhecer que o velhote de Brighton é uma aposta mais segura do que o habitante do centro do país que fumava erva.

A Tiffy chega lá antes de eu ter tido tempo de compor as ideias ou considerar a forma mais segura de o abordar; passa por baixo da amurada para se juntar a ele.

Tiffy, para JW, o Sexto: Olá, é o Sr. White?

O velhote vira-se. Tem um sorriso de orelha a orelha.

JW, o Sexto: Sou, pois. Chama-se Leon?

Eu: Eu é que sou o Leon. É um prazer conhecê-lo, senhor.

O sorriso do JW, o Sexto, alarga-se.

JW, o Sexto: Bem, o prazer é todo meu! Fazem-me companhia? Este é o meu sítio preferido.

Eu: E é... seguro?

A Tiffy já passou os pés para o lado de fora.

Eu: As pessoas não têm medo? De que o senhor salte, ou caia?

JW, o Sexto: Oh, aqui toda a gente me conhece.

Acena alegremente na direção do homem na banca do algodão doce, o qual, com uma expressão igualmente alegre, lhe mostra o dedo do meio. JW, o Sexto, ri-se.

JW, o Sexto: Então, que projeto familiar é esse? Não me diga que é o meu neto há muito perdido, jovem?

Eu: Improvável. Embora não seja impossível.

A Tiffy lança-me um olhar curioso. Não me parece que seja altura para a pôr ao corrente das muitas lacunas na minha história familiar. Mexo-me, sentindo-me desconfortavelmente quente: o calor aqui está mais forte, com o sol a refletir na água, e sinto o suor a fazer-me comichão na testa.

Tiffy: Estamos a representar um amigo. O... o Sr. Prior?

Uma gaivota grasna atrás de nós, e o JW, o Sexto, estremece.

JW, o Sexto: Vão ter de me dizer mais do que isso, lamento.

Eu: Robert Prior. Acho que pertenceu ao mesmo regimento que o senhor durante...

O sorriso do JW, o Sexto, desaparece. Ele levanta uma mão para me silenciar.

JW, o Sexto: Se não se importam, preferia que ficassem por aí. Não se trata... do meu tema de conversa preferido.

Tiffy, sem se perturbar: Olhe, Sr. White, e se fôssemos a algum sítio para arrefecermos um pouco? Não tenho mesmo a pele indicada para este tipo de sol.

Ela estende os braços para lhe mostrar. Aos poucos, o sorriso dele vai regressando.

JW, o Sexto: Uma rosa inglesa! E que linda!

Vira-se para mim.

JW, o Sexto: Que sorte a sua, encontrar uma mulher assim. Já não se fazem destas.

Eu: Oh, ela não é...

Tiffy: Eu não sou...

Eu: Na verdade somos só...

Tiffy: Companheiros de casa.

JW, o Sexto: Oh!

Olha ora para mim, ora para a Tiffy. Não parece convencido.

JW, o Sexto: Bom, de qualquer forma, a melhor maneira de arrefecer por estas bandas é dar um mergulho.

Aponta para a praia.

Eu: Não trouxe calções de banho.

Mas, ao mesmo tempo, a Tiffy está a dizer...

Tiffy: Eu mergulho se o senhor mergulhar, Sr. White!

Fito-a. A Tiffy é uma caixinha de surpresas. Isso desorienta-me bastante. Não sei se esta ideia me agrada.

O JW, o Sexto, por seu lado, parece encantado com a proposta da Tiffy. Ela já está a ajudá-lo a passar a amurada. Apresso-me a ir ajudá-la, dado que se trata de um homem muito idoso, muito perto de uma queda abrupta.

Avançar pelo pontão, passando por jogos e diversões apinhadas, dá-me tempo para processar.

Eu: É melhor um de nós ficar a tomar conta das nossas coisas.

JW, o Sexto: Não se preocupe com isso. Deixamo-las com o Radley.

O Radley revela-se um homem de turbante multicolorido a montar uma banquinha antiquada de marionetas. A Tiffy lança-me um olhar deliciado quando nos apresentamos e largamos as nossas malas. *Isto não é fantástico?*, boqueja-me. Não posso deixar de sorrir. Tenho de reconhecer que este Johnny White está rapidamente a tornar-se o meu preferido.

Sigo a Tiffy e o Johnny enquanto eles avançam entre banhistas e espreguiçadeiras a caminho da rebentação. Paro por um momento para me descalçar e sentir os seixos frios debaixo dos pés. O sol baixo incide na água e a areia molhada reflete um brilho prateado. O cabelo da Tiffy, com a luz, parece mesmo vermelho. O Johnny White vai despindo a camisa à medida que avança.

E agora... Ahhh. A Tiffy também.

39

Tiffy

Há demasiado tempo que não me sentia assim. Na verdade, se me tivessem perguntado há uns meses, eu teria dito que só conseguiria sentir-me assim com o Justin. Esta emoção de fazer algo ridiculamente espontâneo — a sensação de estarmos totalmente *vivos* ao mandarmos o plano às urtigas e desligarmos todas as partes do cérebro que nos dizem por que razão isto não é boa ideia... Meu Deus, como sentia falta disto. A rir, a tropeçar, com o cabelo na cara, livro-me das calças e baixo-me quando o Sr. White atira os calções na direção da nossa pilha de roupas improvisada.

O Leon vem atrás de nós; olho para ele e vejo-o a sorrir como um tolo também, o que me satisfaz. O Sr. White já está só de cuecas.

— Preparado? — grito-lhe. Aqui a brisa está forte; o cabelo bate-me na cara e o vento faz-me cócegas na pele exposta da barriga.

O Sr. White não precisa de que eu lho diga duas vezes. Entra no mar mais depressa do que eu — é capaz de se mexer com *bastante* rapidez, para um homem que deve ter pelo menos 90 anos. Volto a olhar para o Leon, que continua vestido e a olhar para mim de uma forma estranha e indecifrável.

— Anda! — grito-lhe, a correr de costas para a água. Sinto-me estonteada, quase como se estivesse bêbeda.

— Isto é ridículo! — diz ele.

Abro bem os braços.

— O que é que te impede?

Pode ser imaginação minha, e ele está demasiado longe para ter a certeza, mas os seus olhos não parecem estar sempre concentrados no meu rosto. Suprimo um sorriso.

— Venha! — grita-lhe o Johnny White do mar, onde já está a nadar de bruços. — Está maravilhosa!

— Não tenho calções de banho! — responde o Leon, parado na linha da rebentação.

— Que diferença faz? — grito, a apontar para a minha roupa interior (completamente preta, sem renda, desta vez), que para todos os efeitos é indistinguível dos biquínis das outras pessoas. A água já me dá pelas ancas e eu mordo o lábio para não tiritar de frio.

— Se calhar nenhuma para uma rapariga, mas é um bocado diferente para...

Suponho que o Leon acabe a frase, mas não ouço o resto. De repente estou submersa, e só consigo pensar numa dor lancinante no tornozelo.

Guincho e engulo um trago de água tão salgada, que me arde na garganta; agito as mãos, e por um instante o pé que não me dói toca no fundo do mar, mas depois o outro pé tenta apoiar-se também e a dor faz-me cair de novo. Giro, dou voltas; só tenho *flashes* de água e céu. Devo ter torcido o tornozelo, regista algum canto distante do meu cérebro. *Não entres em pânico,* tenta dizer-me, mas é demasiado tarde, estou a engasgar-me e a cuspir água, com os olhos e a garganta a arder, não consigo virar-me, não consigo ter pé, o tornozelo dói-me horrores cada vez que tento nadar...

Está alguém a tentar agarrar-me. Sinto umas mãos fortes a esforçarem-se por me agarrar o corpo; algo me bate no tornozelo magoado e eu tento gritar, mas é como se a minha garganta se tivesse fechado. É o Leon, que está a tirar-me da água, a puxar-me para si; estendo as mãos e ele cambaleia, por pouco não cai comigo, mas esperneia até começar a nadar, com os braços a segurarem-me com força pela cintura, e arrasta-me para perto da margem até voltar a ter pé.

Estou tão tonta, que vejo tudo a deslizar para trás e para a frente. Não consigo respirar. Agarro-lhe a t-shirt ensopada, com vómitos e a tossir enquanto ele me deita nos seixos da praia. Estou tão cansada... com o cansaço com que se fica depois de se passar uma noite em claro por se estar doente, quando os olhos já não aguentam ficar abertos.

— Tiffy — diz o Leon.

Não consigo parar de tossir. Tenho tanta água alojada na garganta — vomito-a em jatos para os seixos molhados, ainda com a visão às voltas, a cabeça tão pesada, que mal a aguento levantada. Ao longe, quase esquecido, o meu tornozelo lateja.

Estou a arquejar. Não é possível que haja mais água dentro de mim. O Leon afastou-me o cabelo da cara e está a pressionar-me delicadamente a pele do pescoço com os dedos, como se verificasse qualquer coisa, e agora está a envolver-me no meu casaco, a friccionar-me os braços com o tecido; magoa-me a pele e por isso tento virar-me e afastar-me, mas ele segura-me com força.

— Estás bem — diz ele. Acima de mim, o seu rosto oscila para trás e para a frente. — Acho que torceste o tornozelo, Tiffy, e engoliste uma data de água, mas vais ficar bem. Tenta respirar mais devagar se conseguires.

Dou o meu melhor. Atrás dele aparece a cara preocupada do Johnny White, o Sexto. Está a enfiar a camisola, já de calças vestidas.

— Há algum sítio quente aqui por perto para onde possamos levá-la? — pergunta-lhe o Leon.

— O Bunny Hop Inn, é já ali — diz o Johnny White. Torno a vomitar e pouso a testa nos seixos. — Conheço a gerente. Vai arranjar-nos um quarto, sem problema.

— Ótimo. — O Leon parece perfeitamente calmo. — Vou pegar em ti, Tiffy. Está bem?

Devagar, com a cabeça a latejar, aceno. O Leon pega-me ao colo e leva-me nos braços; com a respiração a abrandar, encosto a cabeça ao seu peito. A praia passa por mim, completamente turva; percebo que há rostos virados para nós, manchas brancas e castanhas chocadas contra o pano de fundo multicolorido de toalhas e chapéus-de-sol. Fecho os olhos — tê-los abertos faz-me sentir mais maldisposta.

O Leon pragueja entredentes.

— Onde estão as escadas?

— Por aqui — responde o Johnny White, algures à minha esquerda.

Ouço travões a chiar e o trânsito ao atravessarmos a estrada. O Leon está a ofegar, com o peito a subir e descer junto à minha face. Pelo contrário, a minha respiração está a ficar melhor — aquela tensão na garganta e o peso estranho nos pulmões aliviou-se um pouco.

— Babs! Babs! — grita o Johnny White, o Sexto. Entrámos, e o calor súbito faz-me perceber o quanto estou a tremer.

— Obrigado — diz o Leon. Há uma grande agitação à minha volta. Por um instante, sinto-me morta de vergonha, e tento libertar-me dos braços do Leon para caminhar pelo meu próprio pé; no seguinte a cabeça descai-me e volto a agarrar-me à sua t-shirt, fazendo-o cambalear.

— Calma — diz ele.

Grito. Bateu com o meu tornozelo no corrimão. Enquanto pragueja, puxa-me mais para junto de si e eu volto a encostar a cabeça ao seu peito.

— Desculpa, desculpa — pede-me, a subir as escadas.

Vejo paredes de um cor-de-rosa-pálido cobertas de quadros com molduras ostentosas, cheias de dourados e ornatos, e em seguida uma porta, após o que o Leon me deita numa cama gloriosamente confortável. Rostos desconhecidos vão aparecendo e desaparecendo. Há uma mulher com roupa de nadadora-salvadora; sem grande foco, pergunto-me se terá estado aqui durante todo este tempo.

O Leon está a tirar as almofadas de trás de mim e suporta-me o peso da cabeça com um braço.

— Consegues sentar-te? — pergunta-me em voz baixa.

— Eu... — Tento falar e começo a tossir, rebolando para o lado.

— Cuidado. — Ele afasta-me o cabelo molhado para trás dos ombros. — Tem mais cobertores por aqui?

Alguém começa a tapar-me com cobertores grossos e ásperos. O Leon continua a puxar-me para cima, a tentar fazer-me sentar.

— Ia ficar mais descansado se estivesses direita — diz-me. Tem o rosto perto do meu; vejo a barba que começa a crescer-lhe nas faces. Fita-me olhos nos olhos. Os seus são de um castanho-escuro suave que me traz à memória chocolate *Lindt*. — Podes fazer isso por mim?

Endireito-me, encostando-me às almofadas e tentando em vão agarrar os cobertores com os dedos gelados.

— E que tal um chá? — sugere ele, já a olhar em redor, em busca de alguém que o vá preparar.

Um dos desconhecidos esgueira-se pela porta. Não há sinal do Johnny White — espero que tenha ido buscar roupas secas — mas ainda há cerca de um milhão de pessoas no quarto. Volto a tossir e desvio a cara de todas as que me fitam.

— Vamos dar-lhe algum espaço. Será que podem sair todos, por favor? Sim, não se preocupem — diz o Leon, que se levantou para acompanhar as pessoas para fora do quarto. — Deixem-me só examiná-la com um bocadinho de paz e sossego.

Muitas das pessoas dizem coisas acerca do que devemos fazer se precisarmos de alguma coisa. Um por um, saem.

— Peço imensa desculpa — digo, quando a porta se fecha atrás de toda a gente. Tusso; ainda me custa falar.

— Nada disso — diz o Leon. — Como te sentes agora?

— Com frio e dorida.

— Não te vi cair. Lembras-te se bateste com a cabeça em alguma rocha ou assim?

Ele descalça os sapatos e puxa os pés para cima, sentando-se de pernas cruzadas ao fundo da cama. Reparo, finalmente, que está ensopado e também a tremer.

— Merda, estás encharcado!

— Assegura-me só de que não tens fluido cerebral a escapar de sítio nenhum e eu depois vou mudar de roupa, OK?

Sorrio um pouco.

— Desculpa. Não, acho que não bati com a cabeça. Acho que só torci o tornozelo.

— Isso é bom. E sabes dizer-me onde estamos?

— Em Brighton. — Olho em redor. — Ei, e no único sítio onde alguma vez estive que tem tanto papel de parede floral como a casa da minha mãe.

A frase tão longa faz-me tossir, mas vale a pena para ver o cenho franzido do Leon descontrair um pouco e o seu sorriso enviesado regressar lentamente.

— Vou aceitar isso como uma resposta correta. Podes dizer-me o teu nome completo?

— Tiffany Rose Moore.

— Não sabia o teu nome do meio. Rose... fica-te bem.

— Não devias fazer-me perguntas para as quais já saibas as respostas?

— Acho que gostava mais de ti quando estavas toda afogada e sonolenta. — Ele inclina-se para a frente, com uma mão estendida, e leva a palma da mão à minha face. É muito intenso, e um pouco inusitado. Pestanejo enquanto ele me fita os olhos, a verificar qualquer coisa, suponho. — Ainda estás ensonada?

— Hum. Nem por isso. Estou cansada, mas não tenho vontade de dormir.

Ele assente com a cabeça e então, com uma certa demora, afasta a mão do meu rosto.

— Vou ligar à minha colega: é médica e acabou de sair de uma formação de Acidentes e Emergências, por isso saberá como fazer um exame ao tornozelo. Pode ser? Tenho praticamente a certeza de que só o torceste, pelo que dizes e pela forma como te tenho visto a mexer, mas é melhor verificar.

— Hum. Claro.

É estranho estar presente durante uma conversa entre o Leon e uma médica com quem ele trabalha. Não age de maneira diferente — é tão sereno e comedido como quando fala comigo, com o mesmo ligeiro sotaque cantado — mas parece mais... adulto.

— Pronto, é um exame bastante simples — diz o Leon, virando-se para mim assim que desliga. Tem a testa outra vez franzida e volta a empoleirar-se na cama, afastando os cobertores para me chegar ao tornozelo.

— Não te importas que eu tente? Para ver se precisas de ir às Urgências?

Engulo em seco, subitamente um pouco nervosa.

— OK.

Ele faz uma pausa, olhando para mim por um momento, como se se perguntasse se eu vou mudar de ideias, e as minhas faces ficam quentes. Depois, lentamente, pressiona-me a pele do tornozelo com as pontas dos dedos, apalpando pontos diferentes até me provocar um esgar de dor.

— Desculpa — diz ele, pousando uma mão fria na minha perna. Fico arrepiada quase de imediato e puxo o cobertor, um pouco envergonhada. O Leon vira-me o pé muito delicadamente de um lado para o outro, com os olhos a passarem do meu tornozelo para a minha cara enquanto tenta avaliar a minha reação. — Numa escala de 0 a 10, quanto te dói?

— Não sei, tipo... seis? — Na verdade estou a pensar *oito, oito, oito*, mas não quero parecer patética.

A comissura dos lábios do Leon sobe um pouco, e eu fico com a impressão de que ele sabe exatamente o que estou a fazer. Enquanto continua a examinar-me, vejo-lhe as mãos a moverem-se pela minha pele e pergunto-me porque nunca me terei apercebido de quão peculiarmente íntimas são as coisas médicas como esta, de quanto dependem do toque. Suponho que por habitualmente estarmos num consultório médico, e não com pouca roupa e numa grande cama de casal.

— Pronto. — O Leon pousa-me o pé com cuidado. — Diria que é oficial: torceste o tornozelo. Provavelmente não precisas de passar cinco horas na sala de espera do hospital, para ser sincero. Mas podemos ir, se quiseres...

Abano a cabeça. Acho que estou em boas mãos.

Alguém bate à porta e então uma senhora de meia-idade aparece com canecas a fumegar e uma pilha de roupas.

— Oh, perfeito. Obrigado. — O Leon pega nas canecas e passa-me uma. É chocolate quente e cheira maravilhosamente bem.

— Tomei a liberdade de lhe fazer um à irlandesa — diz a mulher, a piscar-me o olho. — Eu sou a Babs. Como se sente?

Inspiro profunda e tremulamente.

— Agora que estou aqui, muito melhor. Agradeço-lhe imenso.

— Será que pode ficar com ela enquanto eu vou mudar de roupa? — pede o Leon à Babs.

— Não preciso... — Começo a tossir de novo.

— Observe-a como um falcão — avisa o Leon, e depois escapa-se para a casa de banho.

40

Leon

Encosto-me à porta da casa de banho, de olhos fechados. Não há concussão, só um tornozelo torcido. Podia ter sido muito, muito pior.

Agora tenho tempo para pensar em como estou frio; livro-me das roupas molhadas e abro a torneira da água quente. Escrevo uma mensagem rápida para agradecer à Socha. Por sorte, o telemóvel continua funcional, apesar de um pouco húmido — estava no bolso das minhas calças.

Meto-me no duche e obrigo-me a ficar debaixo de água quente até parar de tremer. Recordo-me de que a Babs está com ela. Ainda assim, visto-me mais depressa do que nunca, e nem sequer me dou ao trabalho de pôr um cinto a segurar as calças ridiculamente grandes que a Babs me arranjou; vou só usá-las descaídas, à anos 90.

Quando volto para o quarto, a Tiffy tem o cabelo apanhado num puxo alto. Recuperou alguma cor nos lábios e nas faces. Sorri-me e eu sinto qualquer coisa a agitar-se no peito. É difícil descrever e apanha-me de surpresa, mas é como uma peça que se encaixa.

Eu: Como está a saber-te esse chocolate quente?

A Tiffy empurra a outra caneca na mesa de cabeceira na minha direção.

Tiffy: Prova o teu e logo vês.

Alguém bate à porta; levo o chocolate quente e vou abri-la. É o Johnny White, o Sexto, com um ar muito preocupado e também a usar umas calças comicamente grandes.

JW, o Sexto: Como está a nossa menina?

Tenho a impressão de que a Tiffy se torna «a nossa menina» com grande facilidade — é do género de pessoa que parentes distantes e vizinhos ausentes continuam a querer reclamar como sua.

Tiffy: Estou bem, Sr. White! Não se preocupe comigo.

E, logo a seguir, tem uma recaída nada oportuna de tosse com expetoração. JW, o Sexto, remexe-se à entrada, com um ar infelicíssimo.

JW, o Sexto: Lamento tanto. Sinto-me responsável... a ideia de irmos dar um mergulho foi minha. Devia ter-me assegurado de que ambos sabiam nadar!

Tiffy, depois de recuperar: Eu sei nadar, Sr. White. Só perdi o pé e entrei um pouco em pânico, nada mais. Culpe a rocha que me atacou o tornozelo, se precisa de culpar alguma coisa.

JW, o Sexto, parece um pouco menos ansioso.

Babs: Bem, vocês passam aqui a noite. Nada de discussão. É por conta da casa.

Tanto eu como a Tiffy tentamos protestar, mas a Tiffy torna a engasgar-se com a tosse e quase vomita, deitando um pouco por terra o argumento de não precisar de ficar de cama.

Eu: Pelo menos eu devia ir embora... já não precisas de mim agora que...

Babs: Disparate. A mim não me faz diferença, pois não? Além disso, a Tiffy precisa que cuidem dela, e os meus conhecimentos médicos não vão muito além daquilo que um copo de uísque consegue fazer. John, queres boleia para casa?

JW, o Sexto, tenta arranjar justificações para não aceitar mais este favor, mas a Babs é uma daquelas pessoas formidavelmente amáveis que não aceitam um não. Passam-se uns bons cinco minutos até que se põem de acordo e saem. Quando nos deixam, o clique da porta faz-me expirar de alívio. Não me tinha apercebido do quanto queria sossego.

Tiffy: Estás bem?

Eu: Estou. Só não sou grande fã de...

Tiffy: Alvoroço?

Assinto com a cabeça.

A Tiffy sorri, puxando os cobertores mais para cima.

Tiffy: És enfermeiro... como é que podes evitá-lo?

Eu: O trabalho é diferente. Mas não deixa de me esgotar — preciso de silêncio depois.

Tiffy: És introvertido.

Faço um esgar. Não gosto lá muito dessas coisas do género do teste de Myers-Briggs, que nos dizem que tipo de personalidade temos; acho que são horóscopos para gente de negócios.

Eu: Talvez.

Tiffy: Eu sou o oposto. Não consigo processar nada sem ligar à Gerty, ao Mo ou à Rachel.

Eu: Queres ligar a alguém agora?

Tiffy: Oh, merda, o meu telemóvel estava na...

Divisa a pilha de roupas cheias de areia, trazidas da linha de rebentação por um dos cem desconhecidos prestáveis que nos seguiram praia acima como numa procissão. Bate palmas de alegria.

Tiffy: Passas-me as calças?

Dou-lhas e vejo-a revistar os bolsos à procura do telemóvel.

Eu: Vou buscar qualquer coisa para almoçarmos. De quanto tempo precisas?

A Tiffy afasta uns cabelos caídos da cara e olha para mim, de telefone na mão. Aquela peça encaixada no meu peito volta a fazer-se notar.

Tiffy: Meia hora?

Eu: Dito e feito.

41

Tiffy

— Estás bem, Tiffy? — É a primeira questão do Mo. — Já foste às Urgências?

A Gerty, por outro lado, está concentrada no verdadeiro problema.

— Porque não nos falaste do incidente da casa de banho antes? Estás apaixonada por este homem com quem partilhas a cama e a esconder isso de nós porque vais acabar a ir para a cama com ele e eu tive o cuidado de te dizer *explicitamente* que a primeira regra de partilhar um apartamento é não ir para a cama com o companheiro de casa?

— Sim, estou bem, e não, mas o Leon examinou-me o pé com ajuda de uma amiga dele que é médica. Só preciso de muito repouso, ao que parece. E uísque, dependendo de a quem peças uma opinião médica.

— E agora a minha pergunta — diz a Gerty.

— Não, não estou apaixonada por ele — digo, mexendo-me na cama com um esgar, ao sentir o tornozelo a latejar. — É meu amigo.

— É solteiro?

— Bem, sim, na verdade, mas...

— Desculpa, mas só para ter a certeza, Tiffy, alguém viu se tinhas...

— Oh, cala-te, Mo — interrompe-o a Gerty. — Ela está com um enfermeiro profissional. A mulher está ótima. Tiffy, tens a certeza de que não estás a sofrer de síndrome de Estocolmo?

— Desculpa?

— Um enfermeiro do serviço de urgências é muito diferente de um enfermeiro de cuidados paliativos...

— Síndrome de Estocolmo?

— Sim — responde a Gerty. — Este homem deu-te guarida quando estavas sem-abrigo. Viste-te obrigada a dormir na cama dele e agora achas que estás apaixonada por ele.

— Eu *não* acho que esteja apaixonada por ele — recordo-a pacientemente. — Já te disse que é só meu amigo.

— Mas combinaram um encontro — diz ela.

— Tiffy, de facto pareces bem, mas só quero ter a certeza... entrei agora no site do SNS... consegues suportar peso nesse tornozelo?

— Tu com o *Google* não és melhor do que um enfermeiro com o médico ao telefone — diz a Gerty ao Mo.

— Não foi um encontro — replico, embora tenha quase a certeza de que foi.

Quem me dera que o Mo e a Gerty não tivessem este novo hábito de atenderem os dois o telefone sempre que estão ambos em casa. Liguei ao Mo porque queria falar com o Mo. Não é que não goste de falar com a Gerty, é só que é uma experiência muito diferente, e não necessariamente a que uma pessoa deseja logo a seguir a quase se afogar.

— Vais ter de me explicar outra vez esta coisa toda do Johnny White — diz a Gerty.

Vejo as horas no ecrã do telemóvel. Só faltam cinco minutos até o Leon voltar com o almoço.

— Ouçam, tenho de ir — digo. — Mas, Mo, estou bem. E Gerty, acalma os teus instintos protetores. Ele não está a tentar ir para a cama comigo, nem prender-me, nem trancar-me na cave, OK? Na verdade, tenho muito poucos motivos para julgar que ele esteja de todo interessado em mim.

— Mas tu estás interessada nele? — insiste ela.

— Adeusinho, Gerty!

— Cuida de ti, Tiffy — consegue dizer o Mo antes de a Gerty desligar (ela não é muito dada a despedidas).

Marco o número da Rachel sem sequer fazer uma pausa.

*

— Então o principal aqui — diz a Rachel — é que ainda não conseguiste ter uma interação com o Leon que não envolva ficares de roupa interior.

— Hum. — Estou a sorrir.

— É melhor manteres a roupa vestida daqui em diante. Ele ainda há de pensar que és uma... como se chamam aqueles homens que gostam de se exibir nus nos parques?

— Então! — protesto. — Eu não...

— Estou só a dizer o que toda a gente pensa, minha amiga. Não vais mesmo bater as botas?

— Sinto-me bem, a sério. Estou só dorida e exausta.

— Muito bem. Nesse caso, aproveita ao máximo a tua estadia gratuita e telefona-me se deres por ti a arrancar o soutien durante o jantar sem querer.

Batem à porta.

— Merda. Tenho de desligar, adeus! — sibilo ao telefone. — Entre — digo em voz alta. Consegui vestir a camisola que a Babs me deixou enquanto o Leon não estava, pelo que agora estou decente, pelo menos da cintura para cima.

Ele sorri-me e mostra-me um saco muito cheio do que, pelo cheiro, é peixe e batatas fritas. Arquejo de contentamento.

— É mesmo comida de praia!

— E...

Leva a mão ao saco e tira de lá outro, que me passa. Espreito lá para dentro: queques *red velvet* com cobertura de queijo creme.

— Bolo! O melhor tipo de bolo!

— Ordens da médica. — Ele faz uma pausa. — Bem, a Socha disse: «Dá-lhe de comer.» O peixe frito e os queques foram uma espécie de liberdade artística.

O cabelo dele está quase seco; o sal deixou-o ainda mais encaracolado, e impossível de o manter preso por trás das orelhas. Repara que estou a observá-lo enquanto tenta puxar o cabelo para trás, alisando-o, e faz um sorriso triste.

— Não devias ver-me assim — diz ele.

— Oh, e tu devias mesmo ver-me assim — digo eu, apontando vagamente para a minha camisola enorme e largueirona, a minha cara pálida e o cabelo emaranhadíssimo. — «Rato afogado» é um dos meus *looks* preferidos.

— Ou «sereia»? — sugere o Leon.

— Tem graça mencionares isso. Na verdade, tenho aqui uma barbatana — replico, dando uma palmadinha no cobertor por cima das pernas.

Isso provoca-lhe um sorriso enquanto pousa o peixe e as batatas na colcha. Descalça-se e senta-se na cama, tendo o cuidado de evitar o meu tornozelo inchado.

A comida está espetacular. Era mesmo o que precisava, embora não o soubesse até lhe ter sentido o cheiro. O Leon pediu basicamente todos os extras possíveis e imaginários para peixe com batatas fritas — puré de ervilhas, aros de cebola, molho de caril, picles de cebola, até uma daquelas salsichas que parecem de plástico e que há sempre atrás do vidro, debaixo do balcão — e comemos tudo. Quando chega a altura do queque, acabá-lo requer um esforço mental sério.

— Quase nos afogarmos é extenuante — declaro, com uma tremenda soneira.

— Sesta — diz o Leon.

— Não tens medo de que eu adormeça e nunca mais torne a acordar? — pergunto, com as pálpebras já a descair. Estar quente e saciada é incrível. Nunca mais voltarei a dar isso por garantido.

— Vou acordar-te de cinco em cinco minutos para verificar que não tens nenhum traumatismo craniano — diz ele.

Os meus olhos abrem-se de repente.

— De cinco em cinco minutos?

Ele ri-se, já a pegar nas suas coisas e a encaminhar-se para a porta.

— Vemo-nos daqui a umas horas.

— Oh. Os enfermeiros não deviam fazer piadas — digo enquanto ele sai, mas acho que já não me ouve. Talvez só julgue que o disse. Caio no sono mesmo enquanto ouço a porta fechar-se.

*

Acordo com um sobressalto que me provoca uma pontada de dor no tornozelo. Exclamo de dor e olho em redor. Papel de parede floral. Estarei em casa? Quem será aquele homem na cadeira ao pé da porta, a ler...

— *Crepúsculo*?

O Leon fita-me, pestaneja e pousa o livro no colo.

— Passaste de inconsciente a crítica muito depressa.

— Por um segundo achei que isto era algum sonho bizarro — digo-lhe. — Mas a minha versão onírica de ti teria muito melhor gosto literário.

— Era tudo o que a Babs tinha para oferecer. Como te sentes?

Penso um pouco na pergunta. Tenho o tornozelo a latejar e a garganta horrivelmente dorida e salgada, mas a dor de cabeça desapareceu. Contudo, já sinto que amanhã me vão doer os abdominais, de tanto tossir.

— Muito melhor, na verdade.

Ele sorri. Fica *muito* giro quando sorri. Quando está sério, o seu rosto é um pouco severo — de sobrolho, maçãs do rosto e maxilar bem definidos —, mas, quando sorri, torna-se todo lábios suaves, olhos escuros e dentes brancos.

Vejo as horas no telefone, mais para interromper o contacto visual do que qualquer outra coisa — e de súbito sinto-me muito ciente de que estou deitada na cama, de cabelo em desalinho e pernas nuas apenas parcialmente escondidas pelos cobertores.

— *Seis e meia?*

— Tinhas sono.

— O que é que tens passado este tempo todo a fazer? — pergunto-lhe. Ele mostra-me o marcador do livro: leu praticamente o *Crepúsculo* todo.

— Esta Bella Swan é uma miúda muito popular, para alguém que se declara tão pouco atraente — diz-me. — Parece que todos os homens deste livro, à exceção do pai, estão apaixonados por ela.

Aceno solenemente com a cabeça.

— É *muito* difícil ser a Bella.

— Namorados cintilantes não podem ser coisa fácil — concorda o Leon. — Queres experimentar caminhar nesse teu tornozelo?

— Não posso só ficar na cama para sempre?

— Há jantar e mais uísque se conseguires chegar ao piso de baixo.

Lanço-lhe um olhar. Ele corresponde-lhe, perfeitamente plácido, e eu dou-me conta de que deve ser um enfermeiro excelente.

— Está bem. Mas primeiro tens de desviar o olhar, para eu poder vestir as calças.

Ele não diz nada acerca de já ter visto demasiado para que seja necessário virar-se; limita-se a girar calmamente o cadeirão e a abrir de novo o *Crepúsculo*.

42

Leon

Acima de tudo, não te embebedes. Repito isto a mim mesmo sem parar, mas não consigo deixar de beber pequenos goles. É um uísque com gelo, que é horrível. Ou seria, se a Babs não tivesse dito que o uísque era por conta da casa, o que o tornou logo muito mais apetecível.

Estamos numa instável mesa de madeira que está voltada para o mar e tem um bule com uma grande vela enfiada. A Tiffy está encantada com o bule a fazer de candelabro improvisado, o que dá azo a conversa animada com os empregados acerca de decoração de interiores (ou só «decor», como eles dizem).

A Tiffy tem o pé levantado, apoiado numa almofada, segundo as indicações da Socha. O outro pé agora também está levantado — ela está praticamente na horizontal à mesa, com o cabelo atirado para trás e a refulgir com o pôr do sol sobre o mar. Parece uma pintura renascentista. O uísque devolveu-lhe a cor às faces e deixou-lhe a pele do peito um pouco corada, para onde não consigo deixar de olhar sempre que ela se distrai com outra coisa.

Mal tenho pensado noutra coisa que não nela durante o dia inteiro, mesmo antes da história toda do afogamento. A busca do Sr. Prior pelo Johnny White passou para segundo plano — quando na semana passada esse projeto era o que a Kay chamaria de minha «fixação». Agora parece que é algo que quero porque o partilhei com a Tiffy.

Ela está a falar-me dos pais. De vez em quando, inclina a cabeça, passa o cabelo mais para trás da cadeira, e semicerra os olhos.

Tiffy: A aromaterapia foi a única que ficou. A minha mãe ainda fez velas durante algum tempo, mas isso não dá dinheiro nenhum e, uns tempos depois, ela passou-se e declarou que ia voltar a comprar as da loja e ai de quem se atrevesse a dizer «eu bem te disse». E depois passou por uma fase mesmo esquisita em que se meteu em sessões espíritas.

Isso faz-me parar de olhar embasbacado para ela.

Eu: Sessões espíritas?

Tiffy: Sim, sabes, quando as pessoas se sentam à volta de uma mesa e tentam comunicar com mortos?

Um empregado aparece ao lado da cadeira onde a Tiffy tem os pés. Olha para lá, ligeiramente intrigado, mas não faz comentários — fica-se com a impressão de que estão habituados a todo o género de gente aqui, incluindo pessoas desmazeladas com os pés no ar enquanto comem.

Empregado: Quer um pudim?

Tiffy: Oh, não, obrigada, estou a abarrotar.

Empregado: A Babs diz que é por conta da casa.

Tiffy, sem sequer pestanejar: Um pudim de caramelo, por favor.

Eu: Para mim também.

Tiffy: Tanta coisa de graça. É como um sonho tornado realidade. Devia afogar-me mais vezes.

Eu: Por favor, não faças isso.

Ela levanta a cabeça para olhar para mim como deve ser, com os olhos ainda um pouco ensonados, e fita os meus durante uns segundos mais do que seria necessário.

Pigarreio. Engulo. Vejo-me e desejo-me para arranjar um assunto.

Eu: Então a tua mãe organizava sessões espíritas?

Tiffy: Oh, sim. Por isso, durante uns anos, quando andava na secundária, chegava a casa e tinha as cortinas todas fechadas e uma data de gente a dizer «Por favor, revela a tua presença.» e «Bate uma vez para "sim", duas para "não".» Calculo que entre 50 a 60 por cento das visitas fossem apenas eu a chegar a casa e a atirar desleixadamente a mala para o armário debaixo das escadas.

Eu: E depois das sessões espíritas?

A Tiffy pensa. Chega o pudim de caramelo; é enorme e está completamente ensopado em molho de caramelo. A Tiffy faz um som de excitação que me provoca um aperto no estômago. Ridículo. Não posso ficar excitado por uma rapariga gemer por causa de pudim. É patético. Tenho de me controlar. Beberico mais uísque.

Tiffy, com a boca cheia de pudim: Durante algum tempo, fez cortinados. Mas os custos de investimento eram tremendos, por isso passou antes a fazer camilhas. E depois começou a aromaterapia.

Eu: É por isso que temos tantas velas aromatizadas?

Ela sorri.

Tiffy: Sim, as da casa de banho foram todas cuidadosamente escolhidas com aromas que ajudam a relaxar e descontrair.

Eu: Hum, em mim têm o efeito contrário. Tenho de as mudar de sítio sempre que quero tomar duche.

Ela lança-me um olhar descarado por cima da colher.

Tiffy: Há pessoas a quem nem a aromaterapia pode ajudar. Sabes, a minha mãe também escolheu o meu perfume. Ao que parece, «reflete e acentua a minha personalidade».

Penso naquele primeiro dia, em que cheguei a casa e senti o cheiro do perfume dela — flores acabadas de colher e mercados de especiarias — e em como achei estranho ter o cheiro de outra pessoa no apartamento. Já não acho nada estranho. Esquisito seria chegar a casa e cheirar-me a outra coisa.

Eu: O que é que tem, então?

Tiffy, sem demora: A nota principal é rosa, depois almíscar, e depois cravinho. O que, segundo a minha mãe, quer dizer...

Franze um pouco o nariz enquanto pensa, concentrada.

Tiffy: «Esperança, fogo, força.»

Parece divertida.

Tiffy: Assim sou eu, segundo a minha mãe.

Eu: Parece-me correto.

Ela revira os olhos, nada de acordo.

Tiffy: «Pobretanas, faladora, teimosa» seria melhor — e provavelmente era o que ela queria dizer.

Eu, já definitivamente tocado: E eu o que seria?

A Tiffy inclina a cabeça. Olha de novo para mim com aquela intensidade que, por um lado, me dá vontade de desviar a cara e, por outro, me faz querer debruçar sobre a mesa e beijá-la por cima do bule--candelabro.

Tiffy: Bem, há aí esperança, sem dúvida. O teu irmão está a contar com isso.

Aquilo apanha-me de surpresa. Há tão poucas pessoas a saber do Richie... menos ainda que o mencionem de livre vontade. Ela está a observar-me, a testar a minha reação, como se fosse recuar se me tiver magoado. Sorrio. É bom poder falar dele assim — como se fosse normal.

Eu: Então fico com cheiro a rosas no *aftershave*?

A Tiffy faz uma careta.

Tiffy: Deve haver um conjunto diferente de cheiros para homem. Eu só sou versada na arte da perfumaria para mulher, lamento.

Quero insistir para que diga mais palavras — quero saber o que pensa de mim — mas seria arrogante perguntar. Por isso, ficamos em silêncio, com a chama da vela a oscilar entre nós no bule, e eu vou bebericando mais uísque.

43

Tiffy

Não estou bêbeda, mas também não estou exatamente sóbria. Diz-se que nadar no mar faz fome — bem, quase afogar-se faz com que não se aguente o álcool.

Para além disso, uísque com gelo é uma bebida mesmo forte.

Não consigo parar de soltar risinhos. O Leon também está tocado, sem dúvida; tem os ombros descontraídos e aquele sorriso de viés tornou-se uma caraterística quase permanente. Para além disso, deixou de tentar alisar o cabelo para baixo, pelo que, de vez em quando, liberta-se mais um caracol, ficando espetado de lado.

Está a contar-me uma história de quando era pequeno e vivia em Cork, e a falar-me das armadilhas elaboradas que ele e o Richie arranjavam para irritar o namorado da mãe (motivo pelo qual estou a rir-me).

— Então, espera lá, prendiam um fio de um lado ao outro do corredor? E as outras pessoas não tropeçavam também?

O Leon abana a cabeça.

— Nós esgueirávamo-nos e só o prendíamos depois de a nossa mãe nos ter deitado. O Whizz ficava sempre no pub até tarde. Aprendemos muitos palavrões a ouvi-lo tropeçar e cair.

Rio-me.

— Ele chamava-se *Whizz*?

— A-hã. Se bem que, imagino eu, não fosse esse o seu nome de batismo. — A sua expressão torna-se mais séria. — Mas esse foi um dos piores para a nossa mãe. Era horrível com ela, estava sempre a dizer-lhe que era estúpida. Mesmo assim, ela ficava sempre com ele. Deixou-o sempre voltar, de todas as vezes que o pôs na rua. Andava a frequentar um curso para adultos quando se conheceram, mas ele não tardou a fazê-la desistir.

Faço uma careta. De repente, esta história das armadilhas já não tem tanta graça.

— A sério? Que cretino de merda, foda-se!

O Leon parece um pouco espantado.

— Disse alguma coisa que não devia? — pergunto.

— Não. — Ele sorri. — Só me surpreendeste. Outra vez. Darias boa luta ao Whizz num concurso de imprecações.

Inclino a cabeça.

— Ora essa, obrigada — digo. — Então e o vosso pai? Não estava presente?

O Leon já está quase tão na horizontal quanto eu — está a usar a cadeira onde tenho os pés, com as pernas cruzadas à altura dos tornozelos — e faz oscilar o copo de uísque entre os dedos, com o líquido a girar para um lado e para o outro à luz da vela. Já não está praticamente ninguém aqui; os empregados estão a limpar discretamente as mesas do outro lado da sala.

— Ele foi-se embora quando o Richie nasceu, mudou-se para os Estados Unidos. Eu tinha 2 anos. Não me lembro dele, nem... Só uma forma ou outra, e uma espécie de... — Acena com uma mão. — Uma ou outra sensação. A minha mãe nunca fala dele; tudo o que sei é que era um canalizador de Dublin.

Arregalo os olhos. Não imagino não saber mais do que isso acerca do meu pai, mas o Leon di-lo como se não tivesse importância. Dá conta da minha expressão e encolhe os ombros.

— Nunca foi coisa que me interessasse. Descobrir mais acerca dele. Incomodava o Richie, durante a adolescência, mas não sei onde terá chegado com isso... não falamos do assunto.

Parece-me que há mais a dizer, mas não quero insistir e estragar a noite. Estendo a mão e pouso-a no pulso dele por um momento. Ele lança-me outro olhar surpreendido e curioso. O empregado aproxima-se um pouco mais, talvez percebendo que a conversa desorientada e risonha dificilmente irá para outro lugar a menos que ele faça alguma coisa para provocar isso. Começa a limpar as poucas coisas que restam na nossa mesa; um pouco tarde demais, afasto a mão do pulso do Leon.

— Devíamos ir para a cama, não devíamos? — digo eu.

— Provavelmente — responde o Leon. — A propósito... a Babs ainda anda por aí? — pergunta ele ao empregado.

Este abana a cabeça.

— Foi para casa.

— Ah. Ela disse que quarto era para mim? Tinha dito que eu e a Tiffy podíamos passar cá a noite.

O empregado olha para mim, depois para o Leon, e de novo para mim.

— Hum... Acho... que ela partiu do princípio... que vocês...

O Leon demora um pouco a entender o problema. Quando se apercebe do que se passa, resmunga e leva a mão à cara.

— Não faz mal — digo eu, outra vez perdida de riso. — Estamos habituados a partilhar uma cama.

— Certo — diz o empregado, a olhar ora para um, ora para o outro, mais intrigado do que nunca. — Bom. Então está tudo bem?

— Não *ao mesmo tempo* — diz-lhe o Leon. — Partilhamos uma cama em *horas diferentes.*

— Certo — repete o empregado. — Bem, hum... será que devo...? Precisam que eu faça alguma coisa?

Bem-humorado, o Leon acena com uma mão.

— Não, vá para casa — diz ele. — Eu durmo no chão e pronto.

— É uma cama grande — digo-lhe. — Não faz mal, podemos partilhar.

Solto um gemido — fui demasiado ambiciosa, ao tentar pôr peso no tornozelo torcido quando me levanto da mesa. O Leon põe-se ao meu lado num instante. Tem reações muito rápidas para um homem que consumiu tamanha quantidade de uísque.

— Estou bem — afirmo, mas deixo-o passar o braço à minha volta para me apoiar enquanto caminho ao pé-coxinho. Ao fim de algum tempo de marcha lenta, chegamos às escadas e ele diz «Que se lixe», e pega em mim outra vez para me levar ao colo.

Guincho de surpresa e depois desato a rir. Não lhe digo que me pouse no chão — não quero que o faça. Volto a ver o corrimão polido e imagens pitorescas nas suas molduras douradas e ornamentadas a deslizarem à medida que ele me leva pelas escadas; ele volta a abrir a porta do meu quarto — nosso quarto — com o cotovelo e entra comigo, fechando a porta com o pé.

Deita-me na cama. O quarto está quase às escuras, com a luz do candeeiro em frente à janela a deixar triângulos de um amarelo suave na colcha e a tingir o cabelo do Leon de dourado. Os seus olhos grandes e escuros fitam-me, com o rosto a poucos centímetros do meu, enquanto tira delicadamente o braço de debaixo de mim para me apoiar a cabeça nas almofadas.

Ele não se mexe. Fitamo-nos, sem desviarmos o olhar, apenas uma ou outra respiração entre nós. O momento paira, tenso e carregado de possibilidade. Uma pequena centelha de pânico ateia-se algures ao fundo da minha mente — e se eu não conseguir fazer isto sem me passar? —, mas estou desejosa de que ele me beije, e o pânico apaga-se de novo, deliciosamente esquecido. Já sinto a respiração do Leon nos meus lábios, vejo-lhe as pálpebras na meia-luz.

Então ele fecha os olhos e afasta-se, virando a cabeça para o lado com um suspiro rápido, como se tivesse estado a conter a respiração.

Uf. Também me retraio, de súbito incerta, e aquele silêncio tenso entre nós desfaz-se. Será que... interpretei mal tudo aquilo dos olhares fixos um no outro, dos lábios quase a tocarem-se?

Tenho a pele quente, a pulsação acelerada. Ele olha-me de relance; ainda há calor no seu olhar e uma pequena ruga entre as sobrancelhas. Tenho a *certeza* de que ele estava a pensar em beijar-me. Se calhar fiz alguma coisa mal — estou um bocado destreinada nisto, afinal. Ou talvez a maldição do Justin se tenha alargado a arruinar beijos antes de estes sequer começarem.

O Leon deita-se de costas na cama; está com um ar infeliz e incómodo, e enquanto o vejo remexer na camisa pergunto-me se deveria tomar a iniciativa e beijá-lo, encostar-me simplesmente a ele e virar-lhe o rosto para o meu. Mas e se eu tiver percebido mal a situação e esta for uma daquelas alturas em que devia só desistir?

Deito-me cuidadosamente a seu lado.

— Provavelmente devíamos tentar dormir? — pergunto.

— Pois — diz ele numa voz grave e baixa.

Pigarreio. Bem, então suponho que ficamos assim.

Ele mexe-se um pouco. O seu braço toca no meu; a minha pele arrepia-se. Ouço-o respirar quando nos tocamos, apenas uma inspiração silenciosa de espanto, e depois ele levanta-se, dirigindo-se à casa de banho, e deixa-me aqui com a minha pele arrepiada e o meu coração acelerado, a fitar o teto.

44

Leon

A respiração dela abranda. Arrisco um olhar de esguelha; consigo detetar-lhe o movimento suave das pálpebras enquanto sonha. Adormeceu, portanto. Expiro lentamente, tentando descontrair.

Espero mesmo, mesmo não ter dado cabo disto.

Foi uma coisa muito pouco típica de mim, pegar-lhe assim ao colo e deitá-la na cama. Só me pareceu que... não sei. A Tiffy é tão impulsiva, que isso se torna contagioso. Mas depois, claro, eu continuo a ser eu, por isso a impulsividade esgotou-se num momento potencialmente crucial, sendo substituída pela indecisão aterrada do costume. Ela está bêbeda e magoada — não se quer beijar mulher bêbedas e magoadas. Pois não? Se calhar quer-se. Se calhar ela queria isso?

O Richie tem a reputação de ser o romântico, mas sempre fui eu. Ele costumava chamar-me mariquinhas quando éramos adolescentes, ele a correr atrás de quem quer que olhasse para ele, eu a suspirar pela miúda de quem gostava desde a primária e com demasiado medo de falar com ela. Sempre fui eu o que pensa antes de cair — embora caiamos ambos com a mesma intensidade.

Engulo em seco. Penso na sensação de ter o corpo da Tiffy encostado ao meu, em como os pelos do meu braço se arrepiaram ao menor toque da sua pele. Fito o teto. Tarde demais, apercebo-me de que deixámos as cortinas abertas, e a luz da rua ilumina o quarto em tiras.

Aqui deitado, a pensar, a observar a luz a mover-se no chão, começo lentamente a compreender que há muito tempo que não estava apaixonado pela Kay. Amava-a, sentia-me próximo dela, gostava de que ela fizesse parte da minha vida — isso era seguro e simples. Mas tinha-me esquecido da loucura ardente de não-consigo-pensar-noutra-coisa daqueles primeiros tempos quando se conhece alguém. Já não havia sequer uma centelha disso com a Kay há... um ano, até, talvez?

Volto a olhar para a Tiffy, vejo como as pestanas lhe fazem sombras nas faces, e penso no que me contou acerca do Justin. Pelas notas, já tinha a impressão de que ele não a tratara particularmente bem — porque haveria de ter de lhe pagar aquele dinheiro todo, assim de repente? Mas não tinha pensado que fosse algo tão alarmante como o que me contou no comboio. Por outro lado, por mais significativas que fossem para mim, não passavam de notas. Por escrito é mais fácil mentirmos a nós mesmos sem que ninguém dê por isso.

Tenho a cabeça demasiado toldada pelo pânico, arrependimento e uísque para conseguir adormecer. Fito o teto. Ouço a respiração da Tiffy. Imagino todos os desfechos que isto poderia ter tido: se nos tivéssemos beijado e ela me tivesse parado, se nos tivéssemos beijado e ela não me tivesse parado...

É melhor não ir por aí. Os pensamentos começam a tornar-se pouco decentes.

A Tiffy vira-se e arrasta o edredão consigo. Fiquei com metade do corpo exposto ao ar noturno. Mas não posso mesmo levar-lhe a mal. É importante que fique quente, depois de quase se afogar.

Ela vira-se outra vez. Mais edredão. Agora só o meu braço direito está tapado. Não vou mesmo conseguir dormir assim.

Vou ter de o puxar de novo. Tento delicadamente, a princípio, mas é como o jogo da corda. A mulher agarrou o edredão e não o larga. Como é possível que tenha tanta força enquanto dorme?

Vou ter de optar por um puxão assertivo. Talvez ela não acorde. Talvez vá só...

Tiffy: Ai!

Veio com o edredão, a rebolar, e parece que eu também passei para o meio da cama, o que nos deixou frente a frente às escuras, tentadoramente próximos.

A minha respiração acelera. Ela tem as faces coradas, os olhos cheios de sono.

Tarde demais, dou-me conta de que acaba de dizer *ai*. O movimento deve ter-lhe magoado o tornozelo.

Eu: Desculpa! Desculpa!

Tiffy, confusa: Tentaste roubar-me o edredão?

Eu: Não! Estava só a tentar recuperá-lo.

Ela pestaneja. Quero mesmo beijá-la. Será que posso fazê-lo agora? Provavelmente já está sóbria... Mas depois ela faz um esgar por causa da dor no tornozelo e eu sinto que sou o pior ser humano do mundo.

Tiffy: Recuperá-lo de onde?

Eu: Bem, é que tu... a modos que o roubaste todo.

Tiffy: Oh! Desculpa. Para a próxima, acorda-me e diz-me, está bem? Eu volto logo a dormir.

Eu: Oh, está bem. Combinado. Desculpa.

A Tiffy lança-me um olhar que é uma mescla de diversão e de sono enquanto se vira e puxa o edredão até ao queixo. Eu viro a cabeça para a almofada. Não quero que veja que estou a sorrir como um adolescente perdido de amores porque ela acabou de dizer «para a próxima».

45

Tiffy

Acordo com a luz do dia, o que é muito menos agradável do que se dá a entender. Não fechámos os cortinados ontem à noite. Por instinto, viro o rosto à janela, rolando para o lado e apercebendo-me de que o lado direito da cama está vazio.

A princípio, isso parece-me absolutamente normal: acordo todos os dias na cama do Leon sem que ele lá esteja, afinal. O meu cérebro ensonado começa: *oh, claro... não, espera lá, mas então...*

Está uma nota na almofada dele.

Saí em busca de pequeno-almoço. Volto em breve com bolos. Bj

Sorrio e viro-me para o outro lado, para ver as horas no telemóvel que deixei na mesa de cabeceira.

Merda. Vinte e sete chamadas não atendidas, todas de um número desconhecido.

Mas que...

Apresso-me a sair da cama, com o coração a latejar, e depois gano de dor quando bato com o tornozelo. Foda-se. Marco o número do voicemail, com um mau pressentimento a desabrochar na base do estômago. É como se... ontem tivesse sido demasiado bom para ser verdade. Aconteceu qualquer coisa terrível — eu sabia que não devia...

«Tiffy, estás bem? Vi o *post* da Rachel no *Facebook*. Quase te afogaste?»

É o Justin. Fico muito quieta à medida que a mensagem continua.

«Olha, sei que estás chateada comigo agora. Mas preciso de saber que estás bem. Liga-me.»

Há mais mensagens do género. Mais 12, para ser precisa. Eu tinha apagado o número dele depois de uma sessão de terapia que me fizera sentir cheia de poder feminino, por isso é que as chamadas eram de um número desconhecido. Mas acho que já sabia quem seria. Nunca ninguém me ligou tantas vezes seguidas, para além do Justin — por norma depois de uma discussão, ou de termos acabado.

«Tiffy. Isto é ridículo. Se eu soubesse onde estás, ia ter contigo. Liga-me, está bem?»

Estremeço. Sinto-me... sinto-me terrível. Como se o dia de ontem com o Leon nunca devesse ter acontecido. E se o Justin soubesse onde eu estava e o que andava a fazer?

Sacudo-me. Percebo que isso não faz sentido mesmo enquanto o penso. Estou a assustar-me a mim mesma novamente.

Mando uma mensagem:

Estou bem, só torci o tornozelo. Por favor, não me ligues mais.

Momentos depois, ele responde:

Oh, graças a Deus! Já viste o que te acontece quando não estou por perto para cuidar de ti? Deixaste-me tão preocupado. Vou portar-me bem e seguir as tuas regras, nada de contacto até outubro. Sabe só que vou estar a pensar em ti. Bjs

Fito a mensagem. *O que te acontece.* Como se eu fosse *tão desajeitada*. Embora ontem o Leon me tenha resgatado do mar, esta é a primeira vez, no fim de semana inteiro, que me sinto como uma rapariga que precisa de ser salva.

Que se foda isto. Carrego em *bloquear* e apago todas as mensagens de voz do telemóvel.

Vou ao pé-coxinho até à casa de banho. Não é o método de locomoção que dê mais dignidade a uma pessoa — os candeeiros pirosos das paredes vibram um pouco à medida que vou avançando —, mas há qualquer coisa em bater com o pé que é bastante terapêutica. *Pum, pum, pum. Estúpido, maldito, Justin.* Bato com a porta da casa de banho com uma força satisfatória.

Ainda bem que o Leon foi procurar pequeno-almoço, tanto porque escusa ver a barafunda desta manhã como porque, espero eu, regressará com algo altamente calórico para me fazer sentir melhor.

Depois de tomar um duche e de voltar a vestir a roupa de ontem — que, como está coberta de areia granulosa, também me poupa o trabalho de fazer uma esfoliação —, saltito de novo para a cama, onde me deixo cair com estrondo, enterrando a cara na almofada. Ai. Ontem foi tão agradável, e agora sinto-me horrível e enlameada, como se as mensagens de voz me tivessem marcado. Ainda assim, bloqueei o número dele, uma coisa que nunca teria sido capaz de fazer há poucos meses. Se calhar devia dar-me por agradecida por todas aquelas mensagens me terem levado a fazer isso.

Apoio-me nos cotovelos e pego na nota que o Leon me escreveu; foi no papel de carta do hotel; *The Bunny Hop Inn* está desenhado em letras finas ao fundo da página. Mas a caligrafia é a mesma de sempre — as letras cuidadas, minúsculas e redondas do Leon. Num momento de sentimentalismo embaraçoso, dobro a folha ao meio e guardo-a na minha mala.

Batem delicadamente à porta.

— Entre — respondo.

Ele está a usar uma t-shirt enorme com uma imagem de três pilhas de pedras e as palavras BRIGHTON É FORTE COMO UM ROCHEDO em letras grandes. O meu estado de espírito melhora automaticamente. Nada como um homem numa t-shirt estampada para nos deixar bem-dispostas pela manhã — sobretudo quando tem na mão um saco de papel muito promissor a dizer *Patisserie Valerie.*

— É uma das melhores da Babs? — pergunto-lhe, a apontar para a t-shirt.

— Ela passou a ser a minha estilista pessoal — responde o Leon.

Dá-me o saco de bolos e senta-se ao fundo da cama, alisando o cabelo para trás. Está outra vez nervoso. Porque será que o seu nervoso miudinho me parece tão adorável?

— Chegaste bem ao duche? — acaba por perguntar, indicando o meu cabelo molhado. — Com o teu pé assim, quero dizer?

— Tomei duche à flamingo. — Puxo um joelho para cima. Ele sorri. Conseguir um daqueles sorrisos enviesados dele é como ganhar um jogo que não tinha noção de estar a jogar. — Mas a porta não fecha. Ainda pensei que eras capaz de entrar enquanto eu lá estava, mas parece que o karma hoje andava ocupado noutro sítio qualquer.

Ele solta uma espécie de *hum* e atarefa-se a comer o croissant. Contenho o sorriso. Um efeito secundário indesejado de achar o seu nervoso miudinho adorável é que parece que não consigo resistir a dizer coisas que sei que o deixarão nervoso.

— Seja como for, já me viste praticamente nua — continuo. — E já duas vezes. Por isso, não seria uma grande surpresa para ti.

Desta vez, ele fita-me.

— Praticamente — diz com ênfase —, não é o mesmo que totalmente. Há algumas diferenças fundamentais, na verdade.

O meu estomâgo agita-se. Apesar do embaraço ontem à noite, definitivamente não imaginei a tensão sexual. O ar está carregado.

— Devia ser eu a preocupar-me com a falta de surpresas — diz ele. — Tu já me viste *totalmente* nu.

— Por acaso fiquei na dúvida... quando entrei na casa de banho enquanto tomavas duche, tu...

Ele desaparece na direção da casa de banho tão depressa, que nem ouço a desculpa que dá ao afastar-se. Quando fecha a porta e põe o duche a correr, sorrio. Suponho que esteja ali a minha resposta. A Rachel vai ficar encantada.

46

Leon

Nunca tinha pensado tanto acerca das notas. Era *muito* mais fácil quando me limitava a rabiscar pensamentos aleatórios a uma amiga que nunca tinha visto. Agora crio mensagens cuidadas à mulher que passou a ocupar a maior parte dos meus pensamentos.

É terrível. Sento-me com uma caneta e uma nota *Post-it* e, de repente, esqueço-me das palavras todas. As mensagens dela são atrevidas, sedutoras, metediças — são ela. Esta foi a primeira depois do fim de semana em Brighton, colada à porta do quarto:

Ora, olá, companheiro de casa. Como correu hoje a transição de volta à vida noturna? Já vi que a Fatima e a família dela andaram a revolver os caixotes enquanto não estávamos... malandras.

Queria escrever-te e agradecer de novo por me teres tirado rapidamente do mar. Agora certifica-te de que cais num grande corpo de água a dada altura, para eu poder devolver-te o favor, sabes, a bem da igualdade. E também porque acho que o ar de Sr. Darcy acabadinho-de-sair-do-lago te ficaria a matar. Bjs

As minhas notas são entrecortadas e demasiado pensadas. Escrevo-as assim que entro, reescrevo-as antes de sair, e depois passo a noite toda a arrepender-me do que escrevi. Até chegar a casa, ter uma resposta, e sentir-me imediatamente melhor. E depois o ciclo repete-se.

Por fim, na quarta-feira, reúno a coragem para deixar esta na bancada da cozinha:

Planos para o fim de semana? Bj

Senti-me paralisado pela dúvida assim que saí do prédio e me afastei o suficiente para que voltar fosse inconcebível. Em retrospetiva, foi uma nota muito curta. Talvez demasiado curta para o significado ser claro? Talvez ofensivamente curta? Porque é que isto é tão difícil?

Agora, contudo, já me sinto melhor.

Bem, eu vou estar sozinha em casa este fim de semana. Queres vir cá e cozinhar o teu strogonoff de cogumelos para mim? Só o comi requentado, e aposto que é ainda melhor acabado de sair do forno. Bjs

Deito a mão a uma nota *Post-it* e rabisco a minha resposta:

Bolo para a sobremesa? Bj

Richie: Estás nervoso, não estás?

Eu: Não! Não, não.

O Richie resfolega. Está bem-disposto — ultimamente anda bem--disposto. Telefona à Gerty pelo menos dia sim, dia não, para se pôr a par do progresso do recurso. Há tanto de que falar que parece que é essencial terem conversas por telefone com essa frequência. Provas reexaminadas. Testemunhas dispostas a prestar depoimento. E, por fim, gravações de videovigilância encontradas.

Eu: Está bem, estou um bocado.

Richie: Vais sair-te muito bem, meu. Sabes que ela gosta de ti. Qual é o plano? Esta noite é que é?

Eu: É claro que não. É demasiado cedo.

Richie: Mas depilaste as pernas, não vá acontecer?

Não me dou ao trabalho de responder. O Richie ri-se.

Richie: Eu gosto dela, meu. Tens aí uma miúda à maneira.

Eu: Não sei se já a «tenho».

Richie: O quê? Achas que... o ex?

Eu: Ela já não o ama. Mas é complicado. Estou um bocado preocupado com ela.

Richie: Era um sacana?

Eu: Hum.

Richie: Magoou-a?

As minhas entranhas revolvem-se só de pensar nisso.

Eu: De alguma maneira, acho eu. Ela não gosta mesmo de falar disso comigo, mas... tenho um mau pressentimento em relação ao gajo.

Richie: Merda, meu. Estamos a lidar com alguma espécie de situação pós-traumática?

Eu: Tu achas?

Richie: Estás a falar com o rei dos suores noturnos. Não sei, não a conheço, mas se ela ainda está a processar alguma merda com que teve de lidar, tudo o que podes fazer é estar aí e deixá-la decidir quando estiver pronta para o que seja.

O trauma do julgamento e do primeiro mês na prisão atingiu o Richie umas seis semanas depois de começar a cumprir a sentença. Mãos a tremer, terrores súbitos, memórias intrusivas, sobressaltos perante o mais pequeno ruído. A última parte era o que mais o incomodava — parecia achar que essa caraterística particular de stress pós-traumático deveria reservar-se a pessoas cujo trauma tivesse envolvido de facto barulhos fortes, como soldados que estiveram na guerra.

Richie: E não tentes tomar a decisão por ela. Não partas do princípio de que ela não pode estar já a sentir-se melhor. Cabe-lhe a ela decidir.

Eu: És um bom homem, Richard Twomey.

Richie: Guarda esse pensamento e di-lo aos juízes daqui a três semanas, mano.

Chego ao apartamento pelas 17 horas e pico; a Tiffy foi passar o dia com a Gerty e o Mo. É estranho estar aqui num fim de semana. Isto agora é o apartamento dela.

Só não depilo mesmo as pernas, mas gasto um tempo infindo a preparar-me. Não consigo deixar de pensar onde iremos dormir esta noite. Será que volto para casa da minha mãe, ou durmo aqui? Já partilhámos a cama em Brighton...

Ainda penso mandar-lhe uma mensagem a dizer que vou dormir a casa da minha mãe, como sinal de boa-fé. Mas concluo que isso seria pregar um prego no caixão mais cedo do que o necessário, e um exemplo de tomar a decisão por ela, coisa que o Richie me desaconselhou. Por isso, não digo nada.

Chave na porta. Tento levantar-me de um pulo do pufe, mas isso seria impossível até mesmo para uma pessoa com coxas de aço, pelo que a Tiffy entra e depara-se comigo numa espécie de agachamento, a tentar libertar-me da coisa.

Tiffy, a rir: Isso é como areias movediças, não é?

Está linda. Um top azul justo e uma saia cinzenta comprida e lassa com uns sapatos rosa-choque que ela começa a descalçar, equilibrando-se na perna boa.

Avanço para lhe dar uma mão e ela recusa, empoleirando-se na bancada da cozinha, o que lhe facilita o trabalho. Mas o tornozelo parece ter mais mobilidade — bom sinal, deve estar a sarar bem.

Ela fita-me de sobrancelhas arqueadas.

Tiffy: Estás a admirar-me os tornozelos?

Eu: Puro interesse clínico.

Ela sorri-me, desce da bancada e vai espreitar a panela ao lume.

Tiffy: Cheira incrivelmente bem.

Eu: Tive o pressentimento de que gostarias de strogonoff de cogumelos.

Ela sorri por cima do ombro e eu tenho vontade de me pôr atrás dela, passar os braços à volta da sua cintura e beijar-lhe o pescoço. Resisto ao impulso, por ser muito presunçoso e inadequado.

Tiffy: Isto estava na tua caixa lá em baixo, a propósito.

Ela aponta para um pequeno envelope branco em cima da bancada, com o meu nome no destinatário. Abro-o. É um convite, escrito à mão com umas letras cuidadosas e ligeiramente tremidas.

Querido Leon,

Vou fazer uma festa de aniversário no domingo, porque faço 8 anos. Por favor, vem!!! Traz a tua amiga Tiffy que gosta de tricutar.

Desculpa que chegue tão tarde, a mãe diz que o convite a cério se perdeu em St. Marks, foi uma das enfermeiras que não presta e depois disseram que não podiam dar-nos a tua morada mas que te mandavão isto por isso espero que desta vez chegue de qualquer maneira por favor vem!

Muitos beijinhos da Holly

Sorrio e mostro-o à Tiffy.

Eu: Se calhar não era o que tinhas planeado para amanhã?

Tiffy, com um ar encantado: Ela lembra-se de mim!

Eu: Estava obcecada contigo. Mas não temos de ir.

Tiffy: Estás a gozar?! É claro que vamos. Por favor. Só se faz 8 anos uma vez, Leon!

47

Tiffy

Nunca pensei que comer bolo de chocolate pudesse ser uma coisa com uma carga sexual tão grande. Estamos sentados no sofá em frente à televisão — que se tornou praticamente uma prateleira ornamentada —, com copos de vinho nas mãos e as pernas a tocarem-se. Não falta muito para que esteja sentada ao colo dele, na verdade. É definitivamente aí que *quero* estar sentada.

— Vá — digo eu, dando-lhe um pequeno toque com o joelho. — Diz-me a verdade.

Ele tem um ar evasivo. Semicerro os olhos, aproximando-me mais, com o olhar a desviar-se por instantes para os seus lábios. Ele está a fazer o mesmo — aquela coisa de olhos-lábios-olhos que parece puxar-nos mais um para o outro, e pairamos nesse momento como se estivéssemos no alto de um baloiço de corda, à espera que a gravidade entre em ação, a sentir a atração, mas sem irmos ainda. Desta vez não há dúvidas: *sei* que ele está a pensar beijar-me.

— Diz-me — insisto.

Ele inclina a cabeça, mas, no último instante, eu recuo apenas um pouco, e ele solta um pequeno sopro, tanto divertido como frustrado com a provocação.

— Muito mais baixa — responde com relutância, recuando também e levando a mão a outro quadrado de bolo. Vejo-o lamber o chocolate dos dedos. Incrível, na verdade: sempre achei esquisito que as pessoas nos filmes pensassem que lamber coisas assim fosse sensual, mas aqui está o Leon a provar que me enganava.

— Mais baixa? Só? Isso já me tinhas dito.

— E... gorducha.

— Gorducha! — crocito. Era disto que eu estava à procura. — Achavas que eu era gorducha?

— Só... parti do princípio que sim! — diz o Leon, mexendo-se e puxando-me de novo para perto de si, deixando-me quase aninhada contra o seu peito.

Encosto-me a ele, adorando a sensação.

— Baixa e gorducha. E que mais?

— Achava que te vestias de uma maneira esquisita.

— Bem, lá isso visto — comento, apontando para a roupa a secar ao canto da sala, que inclui as minhas calças largueironas vermelho-vivo e a camisola de malha com todas as cores do arco-íris que o Mo me ofereceu pelo meu aniversário no ano passado (embora até eu achasse excessivo usar as duas coisas ao mesmo tempo).

— Mas fazes com que fique bem — diz ele. — Como se o fizesses de propósito. Faz-te parecer contigo mesma.

Rio-me.

— Bem, obrigada.

— E tu? — pergunta ele, deixando de me segurar para beber mais um pouco de vinho.

— E eu o quê?

— Como achavas que eu era?

— Eu fiz batota e procurei-te no *Facebook* — admito.

O Leon faz um ar chocado, com o vinho a caminho da boca.

— Nem me lembrei de fazer isso!

— É claro que não. Quero dizer, eu quereria saber como era a pessoa que ia mudar-se para minha casa e dormir na minha cama, mas tu não ligas muito às aparências, pois não?

Ele para um pouco, a pensar no que acabei de dizer.

— Liguei à tua assim que te vi. Mas, fora isso, que diferença faria? A primeira regra da partilha do apartamento era que não nos víssemos.

Isso faz-me rir.

— Infringimos *essa,* então.

— Essa?

— Não ligues — afirmo com um aceno de mão. Não me apetece explicar-lhe a «primeira regra» da Gerty, nem quanto tempo tenho despendido a pensar em infringi-la.

— Ahhh — exclama o Leon de repente, ao ver as horas no meu relógio do Peter Pan, em cima do frigorífico. É meia-noite e meia. — Já é tarde. — Olha para mim com um ar preocupado. — Perdi a noção do tempo.

Encolho os ombros.

— Não faz mal?

— Já não posso voltar para casa da minha mãe... o último comboio era à meia-noite e dez. — Parece aflito. — Vou só... dormir no sofá? Se não te importas?

— Dormir no sofá? Porquê?

— Para tu ficares com a cama...

— O sofá é minúsculo. Terias de te enroscar em posição fetal. — Tenho o coração a latejar. —Tu tens o teu lado, eu tenho o meu. Temos conseguido manter a regra da esquerda e da direita durante o ano todo. Porque haveríamos de mudar isso agora?

Ele observa-me, com os olhos a percorrerem-me a cara toda, como se tentasse decifrar-me.

— É só uma cama — digo, aproximando-me mais de novo. — Já partilhámos uma cama.

— Não sei... se isto será assim tão simples — diz o Leon, numa voz ligeiramente sufocada.

Por impulso, inclino-me para a frente e encosto os lábios ao de leve no seu rosto, uma e outra vez, até ter percorrido o caminho da maçã do rosto até junto dos seus lábios.

Torno a recostar-me e fito-lhe os olhos. Já tenho a pele a fervilhar, mas o olhar que ele me lança é como um raio a atravessar-me, e agora é como se 80 por cento do meu corpo fosse apenas pulsação. Engulo em seco. Estamos tão perto um do outro quanto dois seres humanos podem estar sem se beijarem. Desta vez não há nenhum laivo de pânico, apenas um desejo feliz e incandescente.

Por isso, finalmente, beijo-o.

Quando o beijei no rosto, o meu plano era que o nosso primeiro beijo fosse delicado e lento, o tipo de beijo que se sente até aos dedos dos pés, mas quando chego lá torna-se evidente que houve demasiada espera e sensualidade enquanto comíamos o bolo, para agora estarmos ralados com isso. É um beijo a sério, do tipo que promete nudez muito iminente, do género que costuma acontecer enquanto se cambaleia em direção a uma cama. Não me surpreendo, portanto, ao ver que, quando recuperamos o fôlego, já estou no colo dele, com o cabelo caído sobre nós, a minha saia comprida arregaçada até às coxas, as mãos dele nas minhas costas a puxar-me para tão perto quanto é possível.

Não fazemos uma pausa demorada. Viro-me para largar o copo de vinho sem qualquer cerimónia na mesa de centro e mexo-me um pouco para aliviar a pressão no tornozelo, e depois recomeçamos a beijar-nos, famintos, e o meu corpo reage com um ardor que acho mesmo que nunca tinha sentido antes. Uma das suas mãos passa para a minha nuca, roçando pela lateral do meu peito ao subir, e eu praticamente uivo com a sensação. Parece que tudo em mim está em alta.

Não faço ideia do que acontecerá a seguir. Nem sequer consigo considerar a pergunta. Sinto-me incrivelmente grata por isso — todos os pensamentos acerca de *flashbacks* e ex-namorados parecem ter-se evaporado. O corpo do Leon é rijo e quente e só consigo pensar em tirar estas roupas todas do caminho para poder ficar tão perto dele quanto possível. Desta vez, quando começo a desabotoar-lhe a camisa, ele solta-me a cintura para me ajudar, despindo-a e atirando-a para trás do sofá, onde fica pendurada no candeeiro como se fosse uma bandeira. Passo as mãos pelo peito dele, maravilhada com a estranheza de poder tocar-lhe assim. Afasto-me apenas o suficiente para me livrar do top.

Ele inspira arrebatadamente, e quando me inclino para voltar a beijá-lo, o Leon para-me, as mãos nos meus braços e o olhar no meu corpo. Estou a usar uma fina combinação debaixo do top, com um decote que segue a linha do meu soutien, mergulhando num V profundo.

— Meu Deus — diz ele numa voz rouca. — Olha só para ti.

— Não é nada que não tenhas visto antes — recordo-o, já a lançar-me impacientemente para outro beijo. Ele volta a segurar-me, ainda a fitar-me. Solto um pequeno ruído de frustração, mas depois ele encosta os lábios à minha clavícula e vai descendo, beijando-me até à parte de cima dos seios, e eu deixo de protestar.

Está a tornar-se impossível formar pensamentos que durem mais do que dois segundos. Simplesmente evaporam-se. Sinto grandes secções do meu cérebro a dedicarem-se inteiramente a pensar em sexo. A parte cerebral que lida com a dor, por exemplo, esqueceu-se por completo do meu tornozelo, e está agora muito mais interessada no que estão os lábios do Leon a fazer à medida que os seus beijos vão descendo cada vez mais, chegando ao contorno do meu soutien. A parte que costuma ocupar-se a perguntar-se se parecerei gorda a usar isto ou aquilo também parece ter morrido por completo. Limito-me a gemer porque o centro de linguagem do meu cérebro também está claramente fora de ação.

As mãos do Leon mergulham pelo cós da minha saia, tocando-me na seda da roupa interior. É claro que vesti roupa interior boa. Posso não ter planeado que isto acontecesse, mas não planeei que *não* acontecesse.

Afasto-me e dispo a combinação — já só está a interpor-se. Vou ter de sair de cima dele para que qualquer um de nós possa tirar mais peças de roupa, mas não quero mesmo sair do seu colo. O meu cérebro faz um grande esforço para pensar a longo prazo, mas não serve de nada, obviamente, pelo que abandono o problema e espero que o Leon tenha alguma espécie de solução.

— Cama? — pergunta ele, com os lábios de novo junto ao meu pescoço.

Assinto, mas quando ele se mexe debaixo de mim, barafusto qualquer coisa, baixando a cabeça para o beijar outra vez. Sinto-lhe o sorriso contra os meus lábios.

— Não podemos ir para a cama se não te moveres — lembra-me, ao mesmo tempo que volta a tentar levantar-se.

Faço mais uma objeção incoerente. Ele ri-se, de lábios ainda encostados aos meus.

— Sofá? — sugere ele então.

Melhor. Sabia que o Leon havia de ter uma solução. Com relutância, deslizo do colo dele para que se mova. As suas mãos puxam-me o tecido da saia, os dedos em busca de um fecho ou um botão.

— Tem um fecho oculto — digo eu, torcendo-me para encontrar o fecho escondido na costura junto à minha anca.

— Estas roupas femininas demoníacas — declara ele, ajudando-me a tirar a saia assim que a abro. Como antes, mexo-me para voltar a encostar-me a ele, mas ele trava-me, para poder olhar para mim como deve ser. O seu olhar deixa-me as faces em brasa. Desaperto-lhe o cinto e ele inspira bruscamente, de olhos novamente no meu rosto enquanto lhe desabotoo as calças de ganga.

— Uma ajudinha? — peço, de sobrancelha arqueada, atrapalhada com os botões.

— Deixo essa parte para ti — diz ele. — Demora o tempo que precisares.

Sorrio e ele despe as calças; em seguida puxa-me para me deitar ao lado dele no sofá. Somos um emaranhado de membros, almofadas e pele. Não cabemos mesmo aqui. Não há espaço. Já estamos a rir, mas só entre beijos, e sempre que o seu corpo toca no meu é como se alguém me reprogramasse os nervos para sentir cinco vezes mais do que o habitual.

— Quem é que teve a ideia do sofá? — pergunta o Leon. Tem a cabeça ao nível do meu peito; beija-me ao longo do contorno inferior do soutien e eu gemo. Estou incrivelmente desconfortável, mas o desconforto é um pequeno preço a pagar, no que me diz respeito.

Só desisto quando ele me dá uma cotovelada no estômago ao tentar endireitar-se o suficiente para me beijar.

— Cama — digo com firmeza.

— Mulher sensata.

Demoramos mais uns dez minutos a pormo-nos realmente a caminho. Ele levanta-se primeiro e depois, quando me mexo para me levantar, inclina-se para pegar outra vez em mim ao colo e levar-me.

— Eu consigo andar — protesto.

— É assim que nós fazemos as coisas. Além disso, é mais rápido.

Ele tem razão — deitou-me na cama numa questão de segundos, e depois está em cima de mim, os lábios ardentes nos meus, a mão no meu peito. Já não nos rimos. Mal consigo respirar. Estou tão excitada que é absurdo. Não posso mesmo esperar mais.

E então a campainha toca.

48

Leon

Ambos estacamos. Levanto a cabeça para olhar para ela. Tem as faces coradas, os lábios inchados de nos beijarmos, e o cabelo é um emaranhado laranja contra as almofadas brancas. Impossivelmente sensual.

Eu: Para ti?

Tiffy: O quê? Não!

Eu: Mas ninguém que me conheça acha que eu estou cá ao fim de semana!

Ela resmunga.

Tiffy: Não me faças perguntas complicadas. Não consigo... pensar agora.

Volto a juntar os lábios aos dela, mas a campainha toca pela segunda vez. Praguejo. Viro-me para o lado; tento acalmar.

A Tiffy vira-se comigo e fica por cima de mim.

Tiffy: Hão de ir embora.

De repente, esta parece a melhor sugestão, de longe. O corpo dela é incrível. Não consigo parar de lhe tocar — sei que estou demasiado desorientado, com as mãos por todo o lado, mas não quero perder nada. Idealmente, deveria ter pelo menos mais dez mãos.

A campainha volta a tocar. E outra vez. Intervalos de cinco segundos. A Tiffy atira-se para o seu lado da cama com um resmungo.

Tiffy: Que porra, quem será?

Eu: Devíamos ir ver.

Ela estende a mão e desliza um dedo do meu umbigo aos meus boxers. Fico com a mente completamente em branco. Quero-a. Quero-a. Quero-a. Quero...

Campainha campainha campainha campainha.

Tiffy: Foda-se! Eu vou lá.

Eu: Não, eu vou. Posso pôr uma toalha à cintura e fingir que estava no banho.

Ela olha para mim.

Tiffy: Como raios és capaz de te lembrar de uma coisa dessas agora? O meu cérebro parou de funcionar. És claramente uma distração muito maior do que eu.

Ela está ali deitada, só com um pedacinho de seda entre o agora e o estar nua. É preciso uma força interior tremenda e uma campainha muito ruidosa e insistente para me conter.

Eu: Confia em mim. És uma distração muito grande.

A Tiffy beija-me. A campainha agora toca sem cessar — nem sequer faz uma pausa. A pessoa tem o dedo colado ao botão.

Quem quer que seja, odeio-a.

Afasto-me da Tiffy, torno a praguejar e levo a mão à toalha no radiador enquanto cambaleio do quarto para o corredor. Preciso de me recompor. Vou só abrir a porta, dar um murro à pessoa que nos interrompeu, e depois voltar para a cama. Um plano bom e sólido.

Carrego no botão para abrir a porta da rua, depois abro a porta do apartamento e espero. Tarde demais, ocorre-me que, como tenho o cabelo seco, não vai parecer mesmo que acabei de sair do duche.

O homem que aparece à entrada não é ninguém que eu conheça. E também não é do género de homem que eu ache que deva esmurrar. É alto e com uma constituição que sugere que passa muito tempo no ginásio. Cabelo castanho, barba perfeitamente arranjada, camisa cara. Olhos zangados.

De repente, tenho um mau pressentimento em relação a isto. Quem me dera estar a usar mais do que boxers e uma toalha.

Eu: Posso ajudá-lo?

Ele parece confuso.

Homem de olhos zangados: Esta não é a casa da Tiffy?

Eu: Sim. Eu sou o companheiro de casa dela.

O homem de olhos zangados não parece de todo satisfeito com esta informação.

Homem de olhos zangados: Bem, ela está?

Eu: Desculpe, não percebi como se chamava?

Lança-me um olhar demorado e zangado.

Homem de olhos zangados: Sou o Justin.

Ah.

Eu: Não, ela não está.

Justin: Eu julgava que ela tinha o apartamento aos fins de semana.

Eu: Foi ela que lhe disse isso?

O Justin parece esquivar-se à pergunta por um momento. Mas disfarça bem.

Justin: Sim, mencionou isso da última vez que a vi. O vosso acordo. Essa cena toda da cama partilhada.

Ela definitivamente não lhe teria falado disso. É bastante óbvio que saberia que ele não gostaria disso. A linguagem corporal extremamente hostil sugere que de facto não gosta.

Eu: Quarto partilhado. Mas sim. Ela costuma ficar com o apartamento aos fins de semana, mas está fora.

Justin: Onde?

Encolho os ombros. Faço um ar entediado. Ao mesmo tempo, endireito-me um pouco mais, para ele perceber que somos da mesma estatura. É uma atitude um bocado primitiva, mas não deixa de me saber bem.

Eu: Como é que quer que eu saiba?

Justin, de repente: Posso ver o apartamento?

Eu: O quê?

Justin: Se posso ver o espaço. Dar uma vista de olhos.

Ele já está a avançar como se fosse entrar. Suponho que seja assim que consegue sempre o que quer, pedindo coisas irrazoáveis e deitando-lhes a mão logo em seguida.

Não me mexo. Ele acaba por ter de parar, porque estou mesmo à sua frente.

Eu: Não. Lamento. Não pode.

Ele já pressente a minha hostilidade. Está irritado. Já vinha zangado quando chegou: é como um cão com trela, a atirar-se a uma luta.

Justin: Porque não?

Eu: Porque o apartamento é meu.

Justin: E da Tiffy. Ela é a minha...

Eu: A sua quê?

O Justin não acaba a mentira. Talvez tenha noção de que eu ao menos saberei se a Tiffy está ou não numa relação.

Justin: É complicado. Mas somos muito próximos. Posso prometer que ela não se importaria que eu desse uma vista de olhos ao espaço, para verificar que as coisas estão à altura dela. Suponho que tenham um contrato de subarrendamento, vocês os dois? Devidamente assinado pelo proprietário da casa?

Não quero entrar nesta conversa com este homem. Para além disso, não temos nenhum contrato de subarrendamento. Há anos que o senhorio não fala comigo, por isso simplesmente não... lhe disse nada acerca da Tiffy.

Eu: Não pode entrar.

O Justin faz-me corpo. Eu não estou a usar nada para além dos boxers e a toalha à cintura; olhamo-nos nos olhos. Não acho mesmo que a Tiffy gostasse de que chegasse a uma luta.

Eu: Olhe, tenho uma miúda ali dentro.

O Justin recua a cabeça. Não estava à espera disso.

Justin: Ai sim?

Eu: Pois. Por isso agradecia se...

Os olhos dele semicerram-se.

Justin: Quem é?

Oh, mas que porra.

Eu: O que é que isso interessa?

Justin: Não é a Tiffy, então?

Eu: Porque é que haveria de julgar que era a Tiffy? Acabo de lhe dizer...

Justin: Pois. Está fora este fim de semana. Só que eu sei que ela não está com os pais e a Tiffy não deixa Londres sozinha por nada exceto para ir visitar os pais. Por isso...

Ele tenta empurrar-me e passar, mas eu já contava com isso. Deixo o meu peso recair sobre ele, desequilibrando-o.

Eu: Ponha-se a andar. Agora. Não sei qual é o seu problema, mas assim que entrar na minha casa terá infringido a lei, por isso, se não quer que eu chame a Polícia — se é que a mulher no meu quarto não chamou já — ponha-se a andar daqui para fora, foda-se.

Vejo-lhe as narinas a abrir. Ele quer lutar; precisa de aplicar toda a energia para não o fazer. Não é um homem agradável. Embora eu repare que também já estou preparado para uma luta — quase tenho esperança de que me dê um murro.

Mas ele não o faz. O seu olhar desvia-se para a porta do quarto e depois recai nas minhas calças de ganga espalhadas no chão. A minha camisa, pendurada no candeeiro ridículo da Tiffy em forma de macaco. Ainda bem que as roupas da Tiffy não estão visíveis — imagino que ele as reconheceria. Que pensamento desagradável.

Justin: Hei de voltar para ver a Tiffy.

Recua.

Eu: Se calhar para a próxima é melhor telefonar para ver se ela está. E se o quer ver.

E bato com a porta.

49

Tiffy

Quero dizer, ninguém diria que é agradável o ex-namorado aparecer quando se está na cama com o tipo novo. Ninguém desejaria uma coisa dessas, exceto talvez por bizarros motivos sexuais.

Mas decerto mais ninguém ficaria tão perturbado.

Estou a tremer — não só as mãos, mas as pernas também. Tento vestir-me fazendo o menor ruído possível, paralisada pela ideia de o Justin entrar e ver-me de roupa interior, mas só consigo chegar a meio antes de o medo de ser ouvida se sobrepôr, pelo que me deixo afundar de novo na cama só de roupa interior e um camisolão com o Pai Natal (era a coisa mais à mão no armário).

Quando a porta do apartamento se fecha com estrondo, salto como se alguém tivesse engatilhado uma arma. É ridículo. Tenho o rosto molhado pelas lágrimas e estou mesmo, verdadeiramente assustada.

O Leon bate suavemente à porta do quarto.

— Sou só eu — avisa. — Posso entrar?

Inspiro profunda e tremulamente e limpo as lágrimas do rosto.

— Sim, entra.

Ele olha para mim e faz logo o mesmo que eu fiz — vai ao armário e tira de lá a primeira coisa que encontra. Depois de estar vestido, vem sentar-se ao fundo da cama. Sinto-me grata. De repente, não quero estar perto de ninguém nua.

— Ele foi-se mesmo embora? — pergunto.

— Esperei até ouvir a porta do prédio fechar-se também — diz-me o Leon. — Foi-se embora.

— Mas há de voltar. E não suporto a ideia de alguma vez voltar a vê-lo. Não consigo... odeio-o. — Faço outra inspiração profunda e tremida, sentindo as lágrimas a querer cair de novo. — Porque é que ele estava tão *zangado*? Sempre foi assim, e eu simplesmente esqueci-me?

Estendo a mão para o Leon; quero que me segurem. Ele mexe-se na cama e puxa-me para si, deitando-me de forma a ficar atrás de mim, o meu corpo encaixado no dele.

— Ele sente que está a perder o controlo que tinha sobre ti — diz-me em voz baixa. — Está assustado.

— Bem, desta vez eu não vou voltar.

O Leon beija-me o ombro.

— Queres que eu telefone ao Mo? Ou à Gerty?

— Podes só ficar comigo?

— Claro.

— Só quero dormir.

— Então vamos dormir. — Ele puxa a manta de Brixton, tapa-nos aos dois e depois desliga a luz do candeeiro. — Acorda-me se precisares de mim.

Não sei como, mas durmo a noite inteira, acordando apenas ao som do tipo do andar de cima a fazer o que quer que seja que ele faz sempre às 7 horas da manhã (parece uma espécie qualquer de ginástica aeróbica com montes de saltos; podia zangar-me, mas é muito melhor do que o despertador para me acordar para ir trabalhar).

O Leon não está aqui. Sento-me, com os olhos a arder de ter adormecido depois de chorar, e tento recuperar o controlo da realidade. Quando estou a rever o dia de ontem — acabando infelizmente com a parte boa do sofá e a lembrar-me da chegada do Justin —, o Leon espreita à porta.

— Chá?

— Fizeste?

— Não, pedi ao elfo doméstico que o fizesse.

Isso faz-me sorrir.

— Não te preocupes. Disse-lhe que fizesse o teu especialmente forte — diz ele. — Posso entrar?

— Claro que podes. O quarto também é teu.

— Quando tu estás cá, não.

Passa-me uma chávena de chá adequadamente forte. É a primeira chávena de chá que alguma vez me preparou, mas — tal como eu sei que ele gosta do seu com muito leite —, ele deve ter calculado como tomo o meu. É estranha a facilidade com que se pode conhecer alguém só pelos vestígios que deixa.

— Peço imensa desculpa pela noite passada — começo.

O Leon abana a cabeça.

— Por favor, não peças. A culpa não é tua, pois não?

— Bem, eu andei com ele. Voluntariamente.

O meu tom é ligeiro, mas o Leon franze o sobrolho.

— Relações como essa deixam de ser «voluntárias» muito depressa. Há muitas maneiras de se fazer alguém ficar ou achar que quer ficar.

Inclino a cabeça, olhando para ele enquanto se senta à beira da cama, com os braços nos joelhos e as mãos à volta da sua caneca de chá. Tem a cabeça virada de lado para mim, e de cada vez que os seus olhos se cruzam com os meus, apetece-me sorrir. Ajeitou o cabelo — nunca o tinha visto tão domado, alisado atrás das orelhas e a fazer caracóis junto à nuca.

— Pareces muito bem informado — comento com cautela.

Agora não olha para mim.

— A minha mãe — diz, à laia de explicação. — Passou muito tempo com homens que a maltratavam.

A palavra provoca-me um esgar. O Leon repara nisso.

— Desculpa — diz ele.

— O Justin nunca me bateu nem nada — apresso-me a dizer, com as faces coradas. Eu aqui a armar fita por causa de um namorado que é um bocado mandão, quando a mãe do Leon passou por...

— Não me referia a esse tipo de maus-tratos — diz o Leon. — Estava a falar de abuso emocional.

— Oh. — Terá sido isso, com o Justin?

Sim, penso de imediato, antes de ter tempo de duvidar de mim mesma. Claro que foi, caramba. A Lucie, o Mo e a Gerty andam há meses a dizer o mesmo sem o dizerem de facto, não andam? Engulo um trago de chá, escondendo-me atrás da caneca.

— Foi penoso assistir — diz o Leon, a fitar a sua caneca. — Agora está a recuperar. Muita terapia. Bons amigos. Chegar à raiz do problema.

— Hum. Eu ando a experimentar isso... da terapia, também.

Ele acena com a cabeça.

— Isso é bom. Vai ajudar-te.

— Já está a ajudar, acho. Foi ideia do Mo, e ele tem sempre razão acerca de tudo.

Bem que me daria jeito um daqueles abraços telefónicos agora. Enquanto olho em redor, à procura do telemóvel, o Leon aponta para ele, na mesa de cabeceira.

— Vou dar-te um minuto. E não te preocupes com o aniversário da Holly. Aposto que é a última coisa que...

Ele não acaba a frase, ao ver a minha expressão ultrajada.

— Achas que vou faltar ao aniversário da Holly por causa de ontem à noite?

— Bem, só pensei que deves estar arrasada e...

Eu abano a cabeça.

— Nem pensar. A última coisa que quero é deixar que esta... cena do Justin se intrometa em coisas importantes.

Ele sorri, com os olhos a demorarem-se no meu rosto.

— Bem, OK. Obrigado.

— Temos de sair suficientemente cedo para lhe comprar uma prenda! — lembro-o depois de ele sair.

— Eu dei-lhe a dádiva da saúde! — replica ele através da porta.

— Isso não serve... tem de ser qualquer coisa da *Claire's Accessories*!

50

Leon

A casa da mãe da Holly, em Southwark, é acanhada e tem a tinta a pelar por todo o lado, com quadros encostados às paredes, por pendurar, mas tem um ar acolhedor, apenas um pouco cansado.

Várias crianças vão entrando e saindo a correr pela porta quando chegamos. Sinto-me ligeiramente assoberbado. Ainda estou a processar a noite passada, ainda a vibrar com a adrenalina da altercação com o Justin. Apresentámos queixa à polícia, mas quero fazer mais. Ela devia arranjar uma ordem de restrição[1], mas não posso ser eu a sugeri-lo. A escolha é dela. Não sei o que fazer.

Entramos. Há muitos chapéus de festa e uns quantos bebés a chorar, possivelmente levados às lágrimas por estrepitosas crianças de 8 anos.

Eu: Vês a Holly?

A Tiffy põe-se na ponta de um pé (o que não está magoado).

Tiffy: É ela ali? De fato do *Star Wars*?

Eu: *Star Trek*. E não. Talvez ali ao pé da cozinha?

Tiffy: Tenho praticamente a certeza de que é um menino. Disseste-me que era para vir mascarada?

Eu: Tu também leste o convite!

Ela ignora o meu comentário, pega num chapéu de cowboy que alguém largou e planta-mo na cabeça.

Viro-me para o espelho da entrada para admirar o efeito. O chapéu empoleira-se precariamente no cimo do meu cabelo. Tiro-o e ponho-o

---

[1] Em Portugal, esta figura legal (*restraining order*, no original) não existe nos mesmos moldes. Apenas em casos de violência doméstica ou perseguição, quando há lugar a condenação, pode ser aplicada uma pena acessória que proíbe a aproximação e o contacto com a vítima; ou, no decorrer do processo judicial, e pode impôr-se a proibição de contacto com a vítima. [*N. T.*]

antes na Tiffy. Muito melhor. Uma espécie de cowgirl sexy. É um cliché, sim, mas não deixa de ser sexy.

Ela vê-se ao espelho e afunda mais o chapéu na cabeça.

Tiffy: Está bem. Então vais ser um feiticeiro.

Puxa uma capa com um padrão de luas que está nas costas de uma cadeira e estica-se para ma passar pelos ombros, prendendo-a com um laço no pescoço. Basta-me sentir-lhe os dedos para pensar na noite passada. É um local altamente inapropriado para este tipo de pensamentos, pelo que tento livrar-me deles, mas ela não ajuda. Desce as mãos pelo meu peito num gesto que já conheço do nosso tempo no sofá.

Agarro-lhe a mão.

Eu: Não podes fazer isso.

A Tiffy arqueia uma sobrancelha, com um ar malandro.

Tiffy: Fazer o quê?

Pelo menos, se planeia torturar-me desta maneira, isso deve querer dizer que se sente um pouco melhor.

Acabo por localizar a Holly, sentada nas escadas, e apercebo-me de porque é que foi tão difícil encontrá-la. Está completamente transformada. Olhos brilhantes. Cabelo mais denso e saudável, a cair-lhe sobre os olhos, de onde ela o sopra com impaciência enquanto fala. Na verdade, até parece um pouco rechonchuda.

Holly: LEON!

Ela desliza escada abaixo e para mesmo antes de chegar ao fundo. Está vestida como a Elsa, do *Frozen,* tal como qualquer miúda que faça uma festa de aniversário no hemisfério ocidental desde 2013. É um bocadinho crescida para isso, mas a verdade é que perdeu muito do tempo em que foi pequenina, por isso...

Holly: Onde é que está a Tiffy?

Eu: Também veio. Foi só à casa de banho.

A Holly parece apaziguada. Passa o braço pelo meu e arrasta-me para a sala de estar, onde tenta fazer-me comer pequenos folhadinhos de salsicha que já foram tocados por demasiadas crianças sujas.

Holly: Já andas com a Tiffy?

Fito-a, de copo de plástico de sumo tropical parado a caminho da boca.

A Holly faz o seu típico revirar de olhos, convencendo-me assim de que continua a ser a mesma pessoa, não uma sósia mais rechonchuda.

Holly: Vá *lá*. Vocês Foram Feitos Um Para o Outro!

Olho em redor, nervoso, esperando que a Tiffy não esteja suficientemente perto para ouvir. Mas parece que também estou a sorrir. Penso fugazmente na minha reação a comentários similares feitos acerca de mim e da Kay — regra geral, era o género de reação que levava a Kay a chamar-me compromissofóbico. Mas convenhamos que esses comentários raramente vinham da boca de uma criança pequena e precoce a usar uma trança postiça à volta do pescoço (suponho que lhe tenha caído da cabeça há um bocado).

Eu: Por acaso...

Holly: Boa! Eu sabia! Já lhe disseste que a amas?

Eu: É um bocadinho cedo demais para isso.

Holly: Não é, se estiveres apaixonado por ela há séculos.

Pausa.

Holly: E estás. Para que saibas.

Eu, com delicadeza: Não tenho a certeza disso, Holly. Temos sido amigos.

Holly: Amigos que se amam.

Eu: Holly...

Holly: Bem, já lhe disseste que gostas dela?

Eu: Ela sabe, definitivamente.

A Holly estreita os olhos.

Holly: *Sabe* mesmo, Leon?

Sinto-me ligeiramente apoquentado. Sim? Sabe? Os beijos são uma pista óbvia, não?

Holly: Tu és terrível a dizeres às pessoas o que realmente sentes acerca delas. Nem sequer me disseste que gostavas mais de mim do que de todos os outros pacientes. Mas eu sei que gostavas.

Ela estende as mãos, como quem diz *exemplo vivo*. Tento não sorrir.

Eu: Bem, vou assegurar-me de que sabe.

Holly: Não interessa. Eu digo-lhe.

E desaparece, misturando-se entre o resto das pessoas. Merda.

Eu: Holly! Holly! Não digas n...

Acabo por encontrá-las juntas na cozinha. Apanho-as no final do que é claramente uma intervenção da parte da Holly. A Tiffy está inclinada para a ouvir, sorrindo, com o cabelo com reflexos ruivos e dourados sob as luzes demasiado fortes da cozinha.

Holly: Só quero que saibas que ele é bonzinho *e* que tu és boazinha.

Põe-se em bicos de pés e acrescenta, num sussurro teatral:

Holly: Isso quer dizer que não há um capacho.

A Tiffy olha para mim com uma expressão intrigada.

Eu comprimo os lábios enquanto uma sensação quente e a derreter se instala no meu peito. Avanço, puxo a Tiffy para mim, e estendo a mão para fazer uma festa no cabelo da Holly, esta criança esquisita e clarividente.

51

Tiffy

O Mo e a Gerty passam pelo apartamento à tarde, depois de o Leon ter ido para casa da mãe, e eu ponho-os a par dos dramas da noite, acompanhada por uma garrafa de vinho muito necessária. O Mo faz o seu melhor aceno empático com a cabeça; a Gerty, por seu turno, limita-se a praguejar. Tem mesmo alguns impropérios para dirigir ao Justin. Acho que já andava a guardá-los há algum tempo.

— Queres passar esta noite lá em casa? — pergunta-me o Mo. — Podes ficar na minha cama.

— Obrigada, mas não, estou bem — respondo. — Não quero fugir. Sei que ele não quer magoar-me, nem nada desse género.

O Mo não parece muito convencido disso.

— Se tens a certeza... — diz ele.

— Liga-nos a qualquer hora e nós mandamos um táxi para te levar — diz-me a Gerty, enquanto acaba o vinho do seu copo. — E telefona-me de manhã. Tens de me contar do sexo com o Leon.

Fito-a.

— O quê?!

— Eu sabia! Dava mesmo para ver — diz ela, com ar satisfeito.

— Bem, na verdade, não fizemos — digo-lhe, e ponho a língua de fora. — Por isso, o teu radar está avariado... outra vez.

Ela semicerra os olhos.

— Mas houve nudez. E... contacto.

— Nesse mesmo sofá.

Ela salta como se tivesse sido picada e eu e o Mo desatamos a rir.

— Bem — diz-me a Gerty, sacudindo as calças de ganga justas com uma expressão de asco —, vamos ver o Leon na terça. Por isso nessa altura asseguramo-nos de que o interrogamos e verificamos se as intenções dele contigo são o que deviam ser.

— Espera, vocês vão o quê?

— Vou pô-lo a par dos avanços no caso.

— E o Mo vai porque... — Olho para o Mo.

— Porque quero conhecê-lo — diz ele, sem qualquer pejo. — O que é que tem? Já toda a gente o conheceu.

— Sim, mas... mas... — Semicerro os olhos. — Ele é o *meu* companheiro de casa.

— E *meu* cliente — diz a Gerty, já a pegar na sua mala, que tinha pousado em cima da bancada da cozinha. — Olha, encontrares-te com o Leon pode ter sido um circo para ti, mas nós podemos simplesmente mandar-lhe uma mensagem e combinar um brunch, como fazem as pessoas normais.

É exasperante, mas não há muito que eu possa opor àquilo. E não posso propriamente culpá-los por serem amigos sobreprotetores, nestas circunstâncias — sem isso, sem eles, provavelmente ainda estaria a chorar até adormecer no apartamento do Justin. Ainda assim, não sei se estou preparada para entrar na fase de conhecer amigos com o Leon, e a interferência é irritante.

Mas tudo fica perdoado quando chego do trabalho na terça e descubro a seguinte nota na mesa de centro:

ACONTECERAM MESMO COISAS MÁS. (O Mo pediu-me que te lembrasse.)

Mas tu ultrapassaste essas coisas más, e agora és mais forte por causa disso (disse a Gerty... se bem que a versão dela tinha bastante mais palavrões).

És encantadora e eu nunca te magoarei como ele te magoou.

(Esta parte é minha.)

Bjs,

Leon

*

— Vais adorar-me — diz a Rachel, pondo-se em bicos de pés para falar comigo por cima da minha parede de plantas envasadas.

Esfrego os olhos. Acabei de desligar de um telefonema com o Martin, que apanhou o hábito de me ligar em vez de vir ter comigo ao fundo do corredor. Suspeito que julgue que isso o faz parecer ocupado e importante — demasiado ocupado e importante para levantar o traseiro da cadeira e vir falar comigo. Ainda assim, agora tenho o poder de saber que é ele quem está a ligar e, se realmente tiver de falar com ele, posso fazer caretas à Rachel ao mesmo tempo, pelo que sempre há vantagens.

— Porquê? O que é que fizeste? Compraste-me um castelo?

Ela fita-me.

— Que *esquisito* teres dito isso.

Devolvo o olhar.

— Porque? Compraste-me mesmo um castelo?

— É claro que não — diz ela, a recuperar —, porque, se tivesse dinheiro para um castelo, comprava um para mim primeiro, sem ofensa... mas isto *realmente* tem que ver com um castelo.

Levo a mão à caneca e giro as pernas de debaixo da secretária. Esta conversa requer chá. Tomamos a rota habitual para a cozinha: recuando pela sala das cores para evitar as secretárias do diretor editorial e da diretora de marketing, passando por trás do pilar junto à fotocopiadora para que a Hana não nos veja, e chegando à cozinha a partir de um ângulo que assegura que vemos se estiver algum superior hierárquico por ali.

— Vá! Vá! Fala! — pico a Rachel assim que entramos na segurança da cozinha.

— Bem... Sabes aquele ilustrador que contratei para o livro do nosso trolha-transformado-em-decorador, que é Lorde de Qualquer Coisa?

— Claro. Sua Alteza o Lorde da Ilustração — digo. É assim que eu e a Rachel nos referimos a ele.

— Bem, Sua Alteza apresentou a solução perfeita para a sessão fotográfica da Katherin.

Agora o departamento de marketing quer expor os produtos do livro da Katherin. Os meios de comunicação tradicionais têm-se mostrado relutantes em alinhar — ainda não percebem como é que palavras de *YouTubers* como a Tasha Chai-Latte se traduzem diretamente em vendas —, pelo que vamos pagar a sessão e «plantá-la nas várias plataformas sociais». A Tasha prometeu divulgá-la no seu blogue, e com apenas uma semana até à data de publicação, os departamentos de marketing e relações públicas estão a ter esgotamentos nervosos regulares por causa da organização da sessão.

— Ele *tem um castelo galês* — acaba a Rachel. — Em Gales. Que podemos usar.

— Estás a falar a sério? De graça?

— Absolutamente. Este fim de semana. E como é tão longe para irmos e virmos de carro, diz que nos deixa passar lá a noite de sábado! *No castelo!* E o melhor é que o Martin não pode excluir-me por eu ser só a designer... porque Sua Alteza o Lorde da Ilustração insiste que seja eu a levar a Katherin! — Ela bate palmas de alegria. — E tu também vens, obviamente, porque a Katherin não faz nada a menos que tu estejas lá para a proteger dos horrores que são o Martin e a Hana. Fim de semana num castelo em Gales! Fim de semana num castelo em Gales!

Mando-a calar-se. Começou a cantar mesmo muito alto e a fazer uma espécie qualquer de dança de castelo (que envolve dar muito às ancas) e, apesar de termos verificado que não havia superiores hierárquicos na cozinha, nunca se sabe quando poderão aparecer. É como aquilo que se diz sobre ratos — há sempre um a cinco metros de nós.

— Agora só precisamos de encontrar modelos dispostos a trabalhar de graça daqui a dois dias — diz a Rachel. — Quase não quero contar ao Martin. Não quero que ele comece a gostar de mim ou assim. Isso daria cabo de toda a dinâmica de escritório.

— Conta-lhe! — digo eu. — Isso é uma ótima ideia.

E é. Mas a Rachel tem razão. A Katherin não vai se eu não for, e isso significa um fim de semana inteiro fora de casa e longe do Leon.

Tinha mesmo esperado conseguir passar parte do fim de semana com o Leon. Nua.

A Rachel arqueia uma sobrancelha ao ver a minha expressão.

— Ah — exclama ela.

— Não, não, isto é ótimo — tento animar-me. — Um fim de semana fora contigo e a Katherin vai ser hilariante. Além disso... é uma visita gratuita a um castelo! Vou fingir que ando a fazer prospeção para a minha futura casa.

A Rachel encosta-se ao frigorífico, a observar-me atentamente enquanto espera que os nossos chás fiquem prontos.

— Gostas mesmo deste rapaz, não gostas?

Ocupo-me a retirar as saquetas de chá das canecas. *Gosto* mesmo dele, na verdade. É um bocado assustador. De uma forma boa, contas feitas, mas não deixa de me assustar.

— Bem, nesse caso leva-o também, para não ficares sem o ver.

Levanto a cabeça.

— *Levo-o*? E como é que apresento essa ideia aos Deuses Encarregados dos Custos de Transporte?

— Lembra-me lá como é esse rapagão? — diz a Rachel, afastando-se para eu poder tirar o leite do frigorífico. — Alto, moreno, bonito, com um sorriso misterioso e sensual?

Só a Rachel seria capaz de dizer «rapagão» sem ironia.

— Achas que posava de graça?

Quase cuspo o chá que levei à boca. A Rachel sorri e passa-me uma folha de papel de cozinha para minorar os danos no batom.

— O Leon? Posar?

— Porque não?

— Bem... Porque...

Ele ia odiar, de certeza. Ou... talvez não, na verdade. Preocupa-se tão pouco com a aparência, que o facto de alguém lhe tirar fotos e publicá-las na Internet provavelmente nem o incomodaria.

No entanto, se ele aceitasse, isso significaria estar a convidá-lo a passar um fim de semana a sério fora — ainda que um nada convencional.

E isso parece mesmo... *sério*. Como numa relação. A ideia contrai-me a garganta e provoca-me uma agitação de pânico na barriga. Engulo a sensação, irritada comigo mesma.

— Vá lá. Pergunta-lhe — insiste a Rachel. — Aposto que vai aceitar, para poder passar mais tempo contigo. E eu trato disso com o Martin. Depois de lhe dar este castelo, ele vai passar dias a lamber-me as botas.

É muito complicado saber ao certo como abordar esta conversa. Inicialmente, julguei que viria à baila com naturalidade durante o telefonema, mas, por estranho que pareça, castelos e/ou posar como modelo não vêm de todo à baila, e agora são 19h40 e só tenho 5 minutos antes de o Leon ter de ir trabalhar.

Mas não vou deixar de perguntar. Desde a noite em que o Justin apareceu, as coisas com o Leon mudaram; isto agora é mais do que tensão sexual e notas *Post-it* sedutoras, e não sei bem porquê, mas isso anda a aterrorizar-me um pouco. Quando penso nele, tenho um assomo de felicidade sorridente, a que se segue uma espécie de pânico claustrofóbico. Mas suspeito que isso seja só um efeito persistente do Justin e, francamente, estou farta de deixar que essas coisas me retraiam.

— Então — começo, puxando o casaco de malha para me tapar melhor. Estou na varanda; tornou-se o meu sítio preferido para estes telefonemas ao final do dia. — Estás disponível este fim de semana, não estás?

— Hum — diz ele. Está a comer o seu pequeno-jantar na unidade de cuidados paliativos enquanto conversamos, pelo que ainda está menos falador, mas sinto que isso até pode resultar a meu favor. Acho que esta proposta precisa de ser ouvida até ao fim antes de poder ser discutida.

— Então, eu tenho de ir a um castelo em Gales para tirar fotos de roupa de malha com a Katherin, porque sou a sua acompanhante pessoal, e apesar de me pagarem uma miséria esperam que eu trabalhe ao fim de semana quando me dizem para o fazer, e é assim que as coisas são.

Um momento de silêncio.

— Hum, OK? — diz o Leon. Não parece aborrecido. E, pensando bem, não tinha motivos para estar: não se dá o caso de eu estar a dar-lhe para trás, tenho de trabalhar. E se alguém compreende isso, é o Leon.

Descontraio um pouco.

— Mas quero mesmo ver-te — digo, antes de ter tempo de me arrepender. — E a Rachel teve uma ideia potencialmente terrível que até pode ser bastante divertida.

— Hum? — diz ele, parecendo um pouco nervoso. Já ouviu falar o suficiente da Rachel para saber que as suas ideias costumam envolver grandes quantidades de álcool e indiscrições.

— O que acharias de um fim de semana de graça num castelo de Gales comigo... em troca de posares com alguma roupa de malha enquanto lá estás, umas fotos para as redes sociais da Butterfingers?

Do outro lado da linha ouve-se um ruído engasgado.

— Detestas a ideia — digo, a sentir as faces a corar.

Há um silêncio demorado. Nunca deveria ter sugerido isto: o Leon gosta é de noites tranquilas com vinho e boa conversa, não de se exibir em frente a câmaras.

— Não detesto a ideia — afirma ele. — Estou só... a assimilá-la?

Espero, dando-lhe algum tempo. A pausa torna-se dolorosa e então, quando estou a pensar que sei exatamente como toda esta conversa embaraçosa vai terminar:

— Então está bem — diz o Leon.

Pestanejo. O Raposo Fabio vagueia por baixo da varanda, e depois passa um carro-polícia, com as sirenes a apitar.

— Então está bem? — repito, quando já há silêncio suficiente para que ele me ouça. — Fazes isso?

— Parece um preço relativamente pequeno a pagar por um fim de semana fora contigo. Além disso, a única pessoa que provavelmente me gozaria por isso seria o Richie, e ele não tem acesso à Internet.

— Estás a falar a sério?

— Também vais posar?

— Oh, o Martin deve achar que eu sou demasiado grande — digo, acenando com um braço. — Eu vou só como *pau de Katherine.*

— Vou conhecer este Martin de quem tanto gostamos? E vais como quê?

— Desculpa, é a expressão que a Rachel inventou por eu andar sempre a fazer de pau de cabeleira da Katherin. E sim, o Martin vai coordenar a coisa toda. Há de estar particularmente insuportável, porque será o responsável.

— Excelente — diz o Leon. — Posso passar o tempo em que estiver a posar a planear a sua queda.

Outubro

52

Leon

Então. Estou entre duas armaduras, a usar uma camisola de lã e a fitar algum espaço a uma distância média.

A minha vida tornou-se mais estranha com a Tiffy. Nunca receei uma vida estranha, mas, ultimamente, andava mais... por terreno confortável. Instalado nas minhas manias, como a Kay costumava dizer.

Não dá para ficar muito tempo assim com a Tiffy por perto.

Ela está a ajudar a Katherin a arranjar-nos, aos modelos. Sou eu e duas adolescentes magras como elfos; o Martin fita-as como se fossem comestíveis. São simpáticas, mas a conversa acabou depois de nos atualizarmos sobre os concorrentes da edição deste ano de Bake Off, e agora estou só a contar os minutos até a Tiffy voltar a vir ajustar-me a camisola de lã de formas indiscerníveis que (tenho praticamente a certeza) são só desculpas para me tocar.

Sua Alteza o Lorde da Ilustração anda pelo cenário. É um cavalheiro agradável e fino; o seu castelo está um bocado decrépito, mas tem quartos e vistas adequadamente épicas, pelo que toda a gente parece contente.

À exceção do Martin. Estava a brincar com a Tiffy quando disse que ia planear a sua queda, mas, quando não está a salivar pelas outras modelos, parece estar a tentar arranjar a forma mais simples de me empurrar dos parapeitos abaixo. Não percebo. Aqui ninguém sabe de mim e da Tiffy — julgámos que assim seria mais simples. Pergunto-me se ele não terá calculado. Mas, mesmo que saiba, que lhe importa isso?

Ah, bem. Faço o que me dizem e fito a distância numa direção ligeiramente diferente. Estou simplesmente grato por me afastar do apartamento este fim de semana; um mau pressentimento dizia-me que o Justin havia de aparecer. E isso há de acontecer. Claramente não se deu por satisfeito quando se foi embora no sábado passado. No entanto, não tem dado quaisquer sinais de vida desde então. Nada de flores, nada de mensagens, nada de aparecer onde quer que a Tiffy esteja, apesar de não ter qualquer forma de saber onde ela estará. Suspeito. Receio que ande a ganhar tempo para tramar alguma. Homens assim não se vão embora depois de um pequeno susto.

Tento não bocejar (estou acordado há muitas, muitas horas, apenas com pequenas sestas de permeio). Deixo o meu olhar vaguear na direção da Tiffy. Ela está de galochas e calças de ganga, recostada de lado num cadeirão enorme estilo *Guerra dos Tronos* que se encontra no canto do armeiro, e onde provavelmente ninguém deveria sentar-se. Tenho um vislumbre de pele suave quando ela se mexe e o casaco de malha se abre. Engulo em seco. Devolvo o olhar àquele ponto em particular à distância média em que o fotógrafo tanto insiste.

Martin: Muito bem, vamos fazer uma pausa de 20 minutos!

Fujo antes que ele possa mandar-me fazer qualquer outra coisa que não falar com a Tiffy (até agora, tive de passar as pausas a mudar armamento antigo de sítio, a aspirar palha errante, e a verificar um arranhão mínimo no dedo de uma das modelos magricelas).

Eu, aproximando-me do trono da Tiffy: Que mal é que eu fiz àquele gajo?

Ela abana a cabeça e gira as pernas para se levantar.

Tiffy: Palavra que não faço ideia. Mas ainda te trata pior do que ao resto de nós, não é?

Rachel, num sussurro, atrás de mim: Corram! Fujam! À carga!

A Tiffy não precisa que lho digam duas vezes. Agarra-me a mão e puxa-me na direção do átrio da frente (uma caverna gigantesca de pedra com três escadarias).

Katherin, a gritar atrás de nós: Vai deixar-me a lidar sozinha com ele?

Tiffy: Caramba, mulher! Imagine só que ele é um membro do Parlamento dos *Tories* nos anos 70, pode ser?

Não me viro para ver a reação da Katherin, mas ouço a Rachel a resfolegar de riso. A Tiffy puxa-me para um recanto ornamentado que parece ter tido uma estátua em tempos e beija-me com força.

Tiffy: Passar assim o dia todo a olhar para ti. É insuportável. E estou horrivelmente ciumenta de todos os outros poderem fazer o mesmo.

É como se tomasse algo quente — a sensação espalha-se desde o meu peito, puxa-me os lábios num sorriso. Não sei bem o que dizer, pelo que, em vez de falar, beijo-a. O corpo dela pressiona o meu contra a parede fria de pedra, as suas mãos entrelaçam-se atrás do meu pescoço.

Tiffy, junto à minha boca: Próximo fim de semana.

Eu: Hum?

(Estou ocupado a beijar.)

Tiffy: Temos pelo menos duas noites juntos. Só nós, no nosso apartamento. E se alguém nos interromper ou te arrastar para ires tratar do dedo arranhado de uma miúda de 18 anos, eu vou encarregar-me pessoalmente da sua execução.

Faz uma pausa.

Tiffy: Desculpa. Esta coisa toda do castelo está claramente a subir-me à cabeça.

Recuo, observo-lhe o rosto. Não lhe disse? Devo ter-lhe dito.

Tiffy: O que foi? O que é?

Eu: O julgamento do Richie é na sexta-feira. Desculpa. Vou passar o fim de semana com a minha mãe — não te tinha dito?

Sinto um medo conhecido. Isto vai ser o início de uma conversa desagradável — esqueci-me de lhe contar qualquer coisa, estou a alterar-lhe os planos...

Tiffy: Não! Estás a falar a sério?

O meu estômago contorce-se. Estendo a mão para a puxar de novo para mim, mas ela afasta-me as mãos, de olhos esbugalhados.

Tiffy: Não me tinhas dito! Leon... eu não sabia. Lamento imenso, mas... o lançamento do livro da Katherin...

Agora estou confuso. Porque é que *ela* está a pedir desculpa?

Tiffy: Eu queria ir, mas esta sexta é o lançamento do livro da Katherin. Não acredito. Podes pedir ao Richie que me ligue quando eu estiver no apartamento, para lhe pedir desculpa como deve ser?

Eu: Porquê?

Ela revira os olhos, impaciente.

Tiffy: Por não poder ir ao recurso dele!

Fito-a. Pestanejo um pouco. Descontraio ao perceber que, na verdade, ela não está zangada comigo.

Eu: Nunca teria esperado...

Tiffy: Estás a gozar? Achavas que eu não ia? É o Richie!

Eu: Querias mesmo ir?

Tiffy: Sim, Leon. Queria mesmo, mesmo ir.

Espeto-lhe um dedo numa bochecha.

Tiffy, já a rir-se: Ai! Para que foi isso?

Eu: Tu és a sério? Uma mulher humana real?

Tiffy: Sim, sou a sério, seu tonto.

Eu: Implausível. Como é que podes ser tão querida e também tão bonita? És um mito, não? Vais transformar-te num ogre quando derem as 12 badaladas da meia-noite?

Tiffy: Para com isso. Caramba, tens expetativas mesmo baixas! Porque não haveria de ir ao recurso do teu irmão? Ele também é meu amigo. Até falei com ele antes de falar contigo, para que saibas.

Eu: Ainda bem que não o conheceste primeiro. É muito mais giro do que eu.

A Tiffy agita as sobrancelhas.

Tiffy: Foi por *isso* que não mencionaste a data do recurso?

Mexo os pés. Pensava que lhe tinha dito. Ela aperta-me o braço.

Tiffy: Não faz mal, a sério. Estou só a meter-me contigo.

Penso nos meses de notas e restos de jantares, sem nunca a conhecer. É tão diferente agora que nos encontrámos. Não acredito que desperdicei todo aquele tempo — não apenas aqueles meses, mas o tempo antes disso, os anos a empatar, a conformar-me, a esperar.

Eu: Não, eu devia ter-te dito. Devíamos fazer isto melhor. Não podemos continuar a valer-nos de dias roubados aqui e ali. Ou de colidirmos por acaso.

Faço uma pausa, a testar uma ideia. Talvez eu pudesse fazer um ou outro turno diurno? Passar uma noite por semana no apartamento? Abro a boca para o sugerir, mas os olhos da Tiffy arregalaram-se, muito sérios, quase nervosos, e eu estaco, de súbito com a certeza de que isso é a coisa errada a dizer. Depois, passado um momento:

Tiffy, num tom animado: Que tal um calendário no frigorífico?

Certo. Isso provavelmente é mais adequado — ainda é cedo. Estou demasiado ansioso.

Ainda bem que não disse nada.

53

Tiffy

Fito o teto muito distante e muito cheio de teias de aranha. Está um gelo absoluto aqui, mesmo debaixo de um edredão e três cobertores, e com o calor do corpo da Rachel à minha esquerda, como um radiador em forma de pessoa.

Hoje foi um dia extremamente frustrante. É invulgar passar-se oito horas inteiras a olhar para a pessoa de quem se gosta. Para ser sincera, a maior parte do meu dia foi passada a fantasiar sobre todas as outras pessoas deste castelo a serem vaporizadas, deixando-me apenas com o Leon, nus (o vaporizador também nos tirou as roupas), com muitos sítios excitantes onde fazer sexo.

Ainda estou claramente demasiado abalada pelo Justin, e à medida que as coisas progridem com o Leon, sinto o *assustador bom* a pender para o lado do *mesmo assustador* com mais frequência. Quando ele começou a falar de arranjarmos mais tempo para nos vermos, por exemplo, a sensação de pânico voltou a apoderar-se de mim. Mas por baixo disso, quando penso com clareza, tenho um pressentimento muito bom em relação ao Leon. O Leon é para onde a minha mente vai quando me sinto no meu melhor. Ele faz-me estar ainda mais determinada em superar o que aconteceu com o Justin, porque não quero suportar o peso disso tudo com o Leon. Quero estar leve e liberta e sem preocupações. E nua.

— Para com isso — resmunga a Rachel contra a sua almofada.

— Paro com o quê? — Não me tinha apercebido de que ela estava acordada, caso contrário teria passado todo este pequeno episódio de raciocínio com som.

— A tua frustração sexual está a deixar-me tensa — diz ela, virando-se e arrastando tanto edredão quanto consegue.

Eu agarro-o e puxo-o uns quantos centímetros para mim.

— Não estou frustrada.

— Poupa-me. Aposto que estavas só à espera que eu adormecesse para poderes roçar-te na minha perna.

Espeto-lhe um pé muito frio. Ela guincha.

— A minha frustração sexual não pode estar a impedir-te de dormir — digo, concedendo que tem alguma razão. — Se isso fosse possível, na época vitoriana ninguém dormia.

Ela vira-se para me fitar de olhos semicerrados.

— Tu és esquisita, Tiffy — diz, tornando a virar-me as costas. — Vá, esgueira-te daqui e vai procurar o teu namorado.

— Ele não é meu namorado, Rachel — digo automaticamente, tal como aprendemos a fazer aos 8 anos.

— O teu amigo especial. O teu galã. O teu giraço. O teu...

— Estou a ir — silvo-lhe, atirando a coberta para trás.

A Hana está a ressonar levemente na outra cama. Até parece boa pessoa enquanto dorme, mas também é difícil ter ar de cabra quando se está a babar a almofada.

Eu e o Leon arranjámos um plano para conseguirmos encontrar-nos esta noite. Por algum motivo irritante, o Martin meteu o Leon num quarto duplo, partilhado com o operador de câmara, o que quer dizer que já não podemos meter-nos na cama juntos. Mas, com a Hana e o operador de câmara a dormir, não há qualquer motivo para não nos esgueirarmos e partirmos à aventura pelo castelo. A ideia era descansarmos um bocado e depois encontrarmo-nos às 3 da manhã, mas eu tenho estado demasiado excitada para dormir. Ainda assim, «acabado de acordar» não é um *look* tão bom como Hollywood tenta fazer-nos crer, pelo que talvez tenha feito bem em passar horas aqui deitada, perdida em pensamentos impróprios.

Não tinha era contado que fosse estar este frio de rachar. Tinha imaginado que usaria apenas roupa interior e uma camisa de dormir — até trouxe uma espécie de *négligé* e tudo —, mas agora estou de calças de pijama de flanela, meias de lã e três camisolas, e nem pensar em tirar isto tudo. Por isso, limito-me a passar *gloss* nos lábios, remexer um pouco o cabelo, e abrir a porta com cuidado.

Range tanto que parece um cliché de filme de terror, mas a Hana não acorda. Saio assim que a frecha é suficiente para eu passar e fecho-a em seguida, fazendo uma careta por todos os barulhos que faço enquanto avanço.

Eu e o Leon vamos encontrar-nos na cozinha, porque, se alguém nos vir lá, teremos uma boa desculpa (tendo em conta a quantidade de biscoitos que consumo no trabalho, ninguém terá dificuldade em acreditar que preciso de um reforço a meio da noite). Caminho rapidamente pelo corredor atapetado, atenta aos quartos de um lado e do outro, não vá mais alguém estar acordado e dar por mim.

Ninguém. A caminhada rápida está a aquecer-me um bocado, pelo que também subo as escadas a correr, e quando chego à cozinha estou um pouco ofegante.

A cozinha é a única parte do castelo que parece cuidada. Foi recuperada recentemente e, para meu encanto, há uma enorme salamandra ao fundo. Pespego o corpo todo contra ela, como uma miúda que encontra um antigo membro dos One Direction numa discoteca e não tenciona ir embora sem ele.

— Será normal sentir tantos ciúmes? — pergunta o Leon, surgindo atrás de mim.

Olho por cima do meu ombro. Ele está parado na entrada, com o cabelo penteado para trás, de t-shirt larga e umas calças de fato de treino.

— Se a tua temperatura corporal for superior à desta salamandra, sou tua — digo-lhe, virando-me para aquecer melhor o traseiro e a parte de trás das pernas, e também para o ver melhor.

Ele percorre o espaço entre nós, descontraído, sem pressa. Por vezes tem uma confiança discreta — não a revela muito, mas, quando o faz, torna-se impossivelmente sexy. Beija-me, e fico ainda mais quente.

— Foi difícil escapulires-te? — pergunto, afastando-me para passar o cabelo para trás dos ombros.

— O Larry, o operador de câmara, tem um sono muito profundo — diz o Leon, voltando a encontrar a minha boca para me beijar lenta e deliciosamente.

O meu coração já está a latejar. Sinto-me um pouco tonta, como se todo o sangue que costuma estar na minha cabeça tivesse decidido que tem outros sítios para onde ir. Sem que os nossos lábios praticamente se separem, o Leon pega em mim e senta-me na placa de aquecimento da salamandra, e eu passo as pernas à volta dele, cruzando os tornozelos nas suas costas. Ele encosta-se a mim.

Aos poucos, apercebo-me de que o calor da salamandra está a atravessar as calças do meu pijama de flanela e a começar a escaldar-me o traseiro.

— Ahhh. Queima — digo e inclino-me para a frente. O meu peso fica em cima do Leon, que me pega à coala e leva para cima do aparador, com os lábios a começar a desenhar padrões em mim — pescoço e peito, outra vez nos lábios, pescoço, clavículas, lábios. Tenho a cabeça a andar à roda; já mal consigo pensar. As suas mãos encontram a abertura estreita entre as minhas camisolas e as calças, e então tocam-me na pele, e mal conseguir pensar transforma-se em não pensar de todo.

— É mau fazer sexo numa superfície onde outras pessoas preparam comida? — pergunta o Leon, afastando-se, sem ar.

— Não! É só... limpo! Higiénico — respondo, a puxá-lo de novo para mim.

— Boa — diz ele, e de repente, todas as minhas camisolas saem de uma assentada. Já não tenho frio nenhum. Na verdade, bem que podia usar menos roupa. Por que raio não vesti o *négligé*?

Arranco-lhe a t-shirt e puxo-lhe o cós das calças para baixo até ele se livrar delas também. Quando deslizo o corpo para o dele, ele para por um momento.

— Está bem? — pergunta com voz rouca. Consigo ver o controlo de que precisa para fazer a pergunta; respondo com outro beijo. — Sim? — insiste ele, com a boca contra a minha. — Isso quer dizer que está bem?

— Sim. Agora para de falar — digo-lhe, e ele assim faz.

Estamos tão perto. Eu estou quase nua, ele está quase nu, a minha cabeça está cheia de Leon. É agora. Vamos fazê-lo. A minha vitoriana interior sexualmente frustrada quase chora de gratidão quando o Leon me puxa para si pelas ancas, deixando o meu corpo junto ao seu, de novo entre as minhas pernas.

E então, lá está. A recordação.

Reteso-me. Ele não percebe logo, e durante três segundos profundamente horríveis, as suas mãos continuam a mexer-se pelo meu corpo, os lábios continuam colados aos meus. É muito difícil descrever esta sensação. Pânico, talvez, mas estou completamente imóvel e sinto-me estranhamente passiva. Estou paralisada, aprisionada, e tenho a sensação estranha de que uma parte crucial de mim se isolou.

As mãos do Leon abrandam, parando no meu rosto, uma de cada lado. Levanta-me a cabeça com delicadeza para que eu olhe para ele.

— Ah — exclama. Solta-se de mim no momento em que eu começo a tremer por todos os lados.

Parece que não consigo recuperar aquela parte de mim. Não sei de onde veio esta sensação — num momento preparava-me para o sexo com que andei a fantasiar toda a semana, e no momento a seguir estava... a lembrar-me de qualquer coisa. De um corpo que não era o do Leon, de mãos a fazerem o mesmo, mas não as queria em mim.

— Queres espaço ou um abraço? — pergunta-me simplesmente, agora a uns 30 centímetros de mim.

— Abraço — consigo dizer.

Ele puxa-me para si e leva a mão à pilha de camisolas em cima da bancada ao mesmo tempo. Põe-me uma por cima dos ombros e abraça-me. Encosto a cabeça ao seu peito. O único indício de quão frustrado deve estar é o *tum-tum* do seu coração junto ao meu ouvido.

— Desculpa — murmuro junto ao peito dele.

— Nunca peças desculpa — diz ele. — Nunca por isto. OK?

Sorrio tremulamente, encostando os lábios à sua pele.

— OK.

54

Leon

Não costumo ser uma pessoa zangada. Por norma, sou brando e difícil de irritar. Sou sempre eu quem impede o Richie de lutar (regra geral, por causa de uma mulher, que pode ou não precisar de auxílio). Mas agora parece estar a acontecer qualquer coisa primitiva, e é preciso um esforço tremendo para manter o corpo descontraído e os movimentos suaves. Uma postura hostil e tensa não vai ajudar a Tiffy.

Mas quero magoá-lo. A sério. Não sei o que terá feito à Tiffy, qual terá sido o estímulo desta vez, mas seja o que for, magoou-a tanto que ela treme toda, como um gatinho com frio.

Levanta a cabeça, a limpar as lágrimas.

Tiffy: Desculp... hum. Quero dizer: olá.

Eu: Olá. Queres um chá?

Ela acena com a cabeça. Não quero largá-la, mas continuar a segurá-la depois de ela esperar que a solte é capaz de ser má ideia. Visto-me e vou até à chaleira.

Tiffy: Isto foi...

Espero. A chaleira começa a ferver, só um borbulhar baixo.

Tiffy: Foi mesmo horrível. Nem sequer sei o que aconteceu.

Eu: Foi uma memória nova? Ou uma memória de que já tivesses falado com a psicoterapeuta?

Ela abana a cabeça, a franzir o sobrolho.

Tiffy: Nem lhe chamaria uma memória. Não foi assim, não é como se alguma coisa me tivesse surgido na cabeça...

Eu: Mais como uma memória muscular?

Ela levanta a cabeça.

Tiffy: Isso. Exatamente.

Sirvo os chás. Abro o frigorífico em busca de leite e paro. Está cheio de pratos de pequenos queques cor-de-rosa, todos com uma cobertura com as letras «F» e «J».

A Tiffy vem ter comigo, passando um dos seus braços à volta da minha cintura.

Tiffy: Oh! Devem ser para o casamento que vai ter lugar aqui depois de irmos embora!

Eu: Achas que prestaram muita atenção à quantidade?

Ela ri-se. Não é uma gargalhada a sério, ainda se lhe notam as lágrimas, mas não deixa de ser bom.

Tiffy: Provavelmente. Se bem que são *tantos*...

Eu: Demasiados. Numa estimativa rápida... uns 300.

Tiffy: Ninguém convida 300 pessoas para o casamento. A menos que seja alguém mesmo famoso, ou indiano.

Eu: Será o casamento de um indiano famoso?

Tiffy: Sua Alteza o Lorde da Ilustração não o explicitou.

Rapino dois queques e dou-lhe um. Ainda tem os olhos um bocado avermelhados de chorar, mas agora está a sorrir, e come-o quase de uma só dentada. Desconfio de que precisa de açúcar.

Comemos em silêncio durante algum tempo, encostados lado a lado à salamandra.

Tiffy: Então... na tua opinião profissional...

Eu: Como enfermeiro de cuidados paliativos?

Tiffy: Como pessoa vagamente médica...

Oh, não. Estas conversas nunca correm bem. As pessoas partem sempre do princípio de que nos ensinam toda a medicina que há no mundo na escola de enfermagem, e de que nos lembramos de tudo cinco anos depois.

Tiffy: Vou entrar assim em pânico sempre que estivermos quase a ir para a cama? Porque isso é a coisa mais deprimente de sempre.

Eu, com cautela: Desconfio que não. É capaz de ser só preciso algum tempo para definir os estímulos e evitá-los até te sentires mais segura.

Ela lança-me um olhar sério.

Tiffy: Eu não… não quero que penses… ele nunca me *magoou*, sabes.

Gostaria de rebater isso. Parece-me que ele a magoou e muito. Mas definitivamente não me cabe definir isso, pelo que me limito a ir buscar-lhe outro queque e a segurá-lo para que o morda.

Eu: Não estou a presumir nada. Só quero que te sintas melhor.

A Tiffy fita-me e depois, do nada, espeta-me um dedo na bochecha.

Eu, com um silvo: Então!

Quando me espeta um dedo na bochecha, o gesto é bem mais agressivo do que estava à espera, até porque lhe tinha feito o mesmo antes.

Tiffy: Tu não és a sério, pois não? És implausivelmente bonzinho.

Eu: Não sou nada. Sou um velho rezinga que não gosta de quase ninguém.

Tiffy: Quase?

Eu: Há um pequeno número de exceções.

Tiffy: Como é que as escolhes? Às exceções?

Encolho os ombros, desconfortável.

Tiffy: A sério. Mesmo. Porque gostas de mim?

Eu: Hum. Bem. Acho que… Há algumas pessoas com quem simplesmente me sinto à vontade. Não são muitas. Mas contigo isso aconteceu ainda antes de nos termos encontrado.

A Tiffy olha para mim de cabeça inclinada, com os olhos a susterem o meu olhar durante tanto tempo que me contorço, com vontade de mudar de assunto. Ela acaba por se inclinar para a frente e beijar-me devagar; sabe à cobertura cor-de-rosa.

Tiffy: Vou valer a pena a espera. Vais ver.

Como se eu alguma vez tivesse duvidado disso.

55

Tiffy

Recosto-me na cadeira do escritório, desviando os olhos do ecrã. Estou há demasiado tempo a olhar para isto — para as fotos da roupa de malha que foram publicadas na secção «Femail» do *Daily Mail*. É mesmo muito *esquisito*. A Katherin já é oficialmente uma celebridade. Não acredito na rapidez com que isto aconteceu, e também não consigo deixar de ler comentários de outras mulheres acerca de como o Leon está giro naquelas fotos. Obviamente, eu já sabia que ele é giro, mas, não obstante, continua a ser simultaneamente horrível e bom obter validação externa dos nossos gostos.

Pergunto-me o que ele achará disto. Espero que seja demasiado incapaz tecnologicamente para descer pela secção de comentários do *Daily Mail*, porque alguns são mesmo bastante atrevidos. É óbvio que também há uns quantos racistas, dado que isto é uma secção de comentários na Internet, onde tudo desemboca brevemente numa discussão sobre o aquecimento global ser uma conspiração da esquerda. Sem que perceba como, andei às voltas na sarjeta da Internet, e gastei meia hora a seguir as opiniões disparatadas que as pessoas têm acerca de o Trump ser um neonazi e as orelhas do Leon serem demasiado grandes.

Depois do trabalho, vou a uma sessão de terapia. Como de costume, a Lucie mantém um silêncio quase desconfortável durante algum tempo, e depois, de uma forma aparentemente espontânea, eu começo a contar-lhe coisas terríveis e dolorosas, na maioria das quais nem sequer consigo pensar. Na forma astuciosa como o Justin me levou a acreditar que eu tinha má memória, para poder sempre dizer que eu estava a lembrar-me mal das coisas. No descaramento com que me convencia de que eu tinha deitado fora uma data de roupas quando, na verdade, ele se limitava a atirar para o fundo do armário as coisas que não gostava que eu usasse.

Na subtileza com que transformou o sexo numa coisa que eu lhe devia, mesmo quando me deixava tão triste, que nem era capaz de pensar como devia.

Mas, para a Lucie, tudo isto é normal. Ela limita-se a acenar com a cabeça. Ou a inclinar a cabeça. Ou, por vezes — em casos extremos, depois de eu dizer algo em voz alta que quase me dói ao proferir —, responde com um «sim» de apoio.

Desta vez, no final da sessão, ela pergunta-me se acho que estou a evoluir. Começo com as coisas do costume — «Oh, isto tem sido ótimo, a sério, muito obrigada», como quando no cabeleireiro nos perguntam se gostamos do corte que acabam de nos fazer. Mas a Lucie limita-se a olhar para mim durante algum tempo, pelo que começo a pensar, estarei *mesmo* a evoluir? Há dois meses, não era capaz de me imaginar a recusar um convite do Justin para ir tomar um copo com ele. Estava a gastar a maior parte da minha energia mental a afugentar as memórias. Não estava sequer disposta a reconhecer que ele me tinha maltratado. E agora aqui estou, a falar com Uma Pessoa Que Não É o Mo, sobre como o que aconteceu com o Justin não foi culpa minha, e a acreditar mesmo nisso.

Ouço muito Kelly Clarkson no metro até casa. Vejo o meu reflexo no vidro, atiro os ombros para trás e fito o meu próprio olhar, como naquela primeira ida de comboio de casa do Justin para o apartamento. Sim, tenho os olhos um pouco lacrimosos depois da sessão de terapia, mas, desta vez, não estou de óculos escuros.

Sabem que mais? Estou extremamente orgulhosa de mim.

A minha dúvida acerca de como teria o Leon reagido às suas fotos no «Femail» obtém resposta quando chego a casa. Deixou-me a seguinte nota no frigorífico:

Não fiz o jantar. Agora sou demasiado famoso para isso.
(i.e., pedi um Deliveroo *para celebrar o sucesso da Katherin/o teu sucesso. Tens comida tailandesa deliciosa à tua espera.) Bj*

Bem, parece que a fama não lhe subiu à cabeça, o que já é qualquer coisa. Meto a comida tailandesa no micro-ondas, enquanto trauteio a música *Stronger (What Doesn't Kill You)*, e pego numa caneta enquanto o prato vai girando. O Leon vai estar a trabalhar até quarta e depois segue para casa da mãe; não vou vê-lo antes do julgamento do Richie, na sexta. Ele tem-se mantido ocupado — amanhã de manhã vai visitar o último Johnny White na sua lista, sendo o plano apanhar o primeiro comboio que consiga para Cardiff e voltar a tempo de dormir uma sesta antes de regressar ao trabalho. Podia dizer-lhe que isso não é descanso suficiente para funcionar, mas percebo que não anda a dormir bem mesmo quando está cá, pelo que talvez seja melhor sair e distrair-se. Acabou finalmente de ler o *Campânula de Vidro*, um sinal evidente de que está acordado durante o dia, e parece andar a sobreviver apenas à base de cafeína — por esta altura do mês, não costumamos ter as reservas de café instantâneo tão em baixo.

Sou breve:

Fico satisfeita por teres aceitado bem a tua nova vida de celebridade. Já eu, por outro lado, fiquei embaraçosamente ciumenta de cerca de uma centena de mulheres na Internet que acham que és «tão delicioso lol», e decidi que prefiro mesmo quando sou só eu a olhar embasbacada para ti.
Faço figas para que o Johnny White, o Oitavo, seja o Tal! Bjs

Quando leio a resposta na noite seguinte, percebo que o Leon está exausto. Há qualquer coisa na sua letra — mais lassa do que é habitual, como se ele não tivesse energia para segurar a caneta com força.

O Johnny White, o Oitavo, não é quem procurávamos. Na verdade, é muito desagradável e homofóbico. Também me obrigou a comer uma data de doces passados do prazo.

O Richie manda beijinhos. Está bem. Está a aguentar-se. Bj

Hum. O Richie pode estar a aguentar-se, mas não estou convencida de que o Leon esteja.

56

Leon

Estou atrasado para o trabalho. Falei com o Richie durante 20 minutos que ele não podia mesmo pagar acerca da Perturbação de Stress Pós-Traumático. Há muito tempo que não conversávamos sobre alguma coisa que não fosse o caso, e a altura é estranha, já que o recurso é daqui a três dias. Acho que a Gerty tem falado tantas vezes com ele que até lhe apetecia uma mudança de assunto.

Também lhe perguntei por ordens de restrição. Ele foi claro sobre a questão: cabe à Tiffy decidir. Seria má ideia parecer que estou a tentar impor-lhe decisões — tenho de a deixar chegar à conclusão por si mesma. Continuo a detestar que o ex-namorado saiba onde ela vive, mas preciso de ter presente que não me cabe opinar.

Já é mesmo, mesmo tarde. Abotoo a camisa enquanto saio do edifício. Sou perito em partidas eficientes do apartamento. O segredo está em fazer a barba em segundos e saltar o pequeno-jantar, coisa que me atormentará às 23 horas, quando vir que os enfermeiros do turno diurno acabaram com os biscoitos.

Homem estranho do Apartamento 5: Leon!

Levanto a cabeça quando a porta do prédio se fecha com estrondo atrás de mim. É o homem estranho do Apartamento 5, que (segundo a Tiffy) faz aeróbica enérgica todos os dias às 7 em ponto, e acumula caixotes de bananas no seu lugar de estacionamento. Fico surpreendido ao ver que sabe como me chamo.

Eu: Olá?

Homem estranho do Apartamento 5: Nunca acreditei que fosses enfermeiro!

Eu: OK. Mas já estou atrasado para o trabalho, por isso...

O homem estranho do Apartamento 5 acena-me com o telemóvel, como se eu devesse ser capaz de discernir o que está no ecrã.

Homem estranho, num tom triunfante: És famoso!

Eu: Desculpe?

Homem estranho: Saíste no *Daily Mail!* A usar uma camisola larilas de pessoa famosa!

Eu: Larilas não é um termo politicamente correto, homem estranho do Apartamento 5. Tenho de ir. Desfrute do resto do «Femail»!

Escapulo-me o mais depressa que consigo. Decido, pensando melhor, que não tentarei levar uma vida de celebridade.

O Sr. Prior mantém-se acordado durante o tempo suficiente para ver as fotos. Vai adormecer de novo não tarda, mas sei que achará graça a isto, pelo que garanto que aproveito a oportunidade, e ponho as fotos no ecrã do telemóvel.

Hum. Catorze mil gostos numa foto minha a olhar para o horizonte, de t-shirt preta e um enorme cachecol de croché. Bizarro.

Sr. Prior: Muito elegante, Leon!

Eu: Ora, obrigado.

Sr. Prior: Agora conte-me, que linda jovem o persuadiu a humilhar-se desta maneira?

Eu: Eh... hã... foi ideia da Tiffy.

Sr. Prior: Ah, a companheira de casa! E... namorada?

Eu: Não, não, «namorada» não. Ainda não.

Sr. Prior: Não? Da última vez que falámos, fiquei com a impressão de que estavam bastante caidinhos um pelo outro.

Verifico a ficha do Sr. Prior, tendo o cuidado de manter uma expressão inexpressiva. Exames à função hepática danificada. Nada bom. Expetável, mas, ainda assim, nada bom.

Eu: Eu... eu estou. Só não quero apressar as coisas. Acho que ela também não quer.

O Sr. Prior franze o sobrolho. Os seus olhos de conta quase desaparecem sob as pregas das pálpebras.

Sr. Prior: Posso oferecer-lhe um conselho, Leon?

Aceno com a cabeça.

Sr. Prior: Não deixe que a sua... reticência natural o contenha. Faça-a saber o que sente por ela. Afinal, o Leon é uma espécie de livro fechado.

Eu: Livro fechado?

Reparo que as mãos lhe tremem enquanto alisa a colcha, e tento não pensar nos prognósticos.

Sr. Prior: Silencioso. Pensativo. Tenho a certeza de que ela achará isso muito atraente, mas não permita que se torne uma barreira entre vocês, é esse o meu conselho. Eu demorei demasiado para dizer ao meu... deixei coisas para demasiado tarde, e agora gostava simplesmente de ter dito o que queria mais cedo. Penso no que a minha vida poderia ter sido. Não que não esteja satisfeito com o que me calhou em sorte, mas... desperdiçamos mesmo muito tempo quando somos jovens.

Não dá para fazer nada por aqui sem que alguém me impinja palavras de sabedoria. Mas o Sr. Prior deixa-me um pouco nervoso. Depois de Gales, senti que não devia apressar as coisas com a Tiffy. Mas se calhar estou a conter-me demasiado. Parece que tenho essa tendência. Agora já me arrependo de não ter mencionado a possibilidade de mudar para turnos diurnos. Ainda assim, fui a um castelo galês por ela e posei junto a uma árvore fustigada pelo vento com um grande casaco de malha. De certeza que isso deixa as coisas bem claras, não?

Richie: Tu não és uma pessoa *naturalmente* aberta.

Eu: Sou! Sou... franco. Expressivo. Um livro aberto.

Richie: Não és mau nesta coisa de falar de sentimentos comigo, mas isso não conta, e costumo ser eu a começar. Devias aprender um bocado comigo, mano. Nunca perdi tempo com essa cena do fazer-se difícil. Simples e direto sempre funcionou para mim.

Sinto-me um bocado enganado. Estava a sentir-me bem em relação a tudo com a Tiffy, e agora estou ansioso. Não devia ter contado ao Richie o que o Sr. Prior disse — já devia saber qual seria a sua opinião.

O Richie escrevia canções românticas para fazer serenatas a miúdas quando tinha 10 anos.

Eu: O que hei de fazer, então?

Richie: Foda-se, meu, diz-lhe só que gostas dela e que queres tornar as coisas oficiais. É óbvio que gostas, portanto não pode ser assim tão difícil. Tenho de ir. A Gerty quer rever os 10 minutos depois de ter saído da discoteca *outra vez,* a sério, já nem tenho a certeza de que a mulher seja humana.

Eu: A mulher é...

Richie: Não te preocupes, não te preocupes. Nem toleraria uma palavra contra ela. *Ia* dizer super-humana.

Eu: Bom.

Richie: E gira, também.

Eu: Nem penses...

O Richie solta uma grande gargalhada. Dou por mim a sorrir; nunca consigo resistir quando se ri assim.

Richie: Vou portar-me bem, vou portar-me bem. Mas, se ela me tirar daqui, convido-a para jantar. Ou peço-a em casamento, talvez.

O sorriso desvanece-se um pouco. Sinto uma pontada de preocupação. O recurso vai mesmo acontecer. Daqui a dois dias. Nem sequer me permiti imaginar um cenário em que o Richie seja considerado inocente, mas o meu cérebro passa a vida a ir aí, contra a minha vontade, passando a cena em que o trago para casa para que se sente no pufe de cornucópias da Tiffy, beba cervejas, e seja de novo o meu irmão mais novo.

Não encontro as palavras para o que quero dizer-lhe. Não fiques demasiado esperançado? Mas é claro que ele vai estar esperançado — eu também. É isso que se pretende. Por isso... Não te vás abaixo se não resultar? Também é ridículo. Não há palavras boas para a magnitude do problema.

Eu: Até sexta.

Richie: Olha só o livro aberto que eu conheço e de que tanto gosto. Até sexta, mano.

57

Tiffy

É sexta-feira de manhã. O Dia.

O Leon está em casa da mãe — vão juntos para o tribunal. A Rachel e o Mo estão cá. O Mo vai comigo à festa de lançamento — tendo em conta tudo o que tenho feito por este livro, nem o Martin seria capaz de me negar um convite.

A Gerty passa por cá com o Mo quando ele chega, para me dar o abraço rápido da praxe e conversar muito rapidamente sobre o caso do Richie. Já vem com a ridícula peruca de advogada, como se estivesse mascarada como um quadro do século XVIII.

O Mo está de smoking, com um ar adorável. Adoro quando o Mo se aperalta. É como quando vemos fotos de cachorrinhos vestidos como seres humanos. O seu desconforto é visível, e percebo que está desejoso de tirar pelo menos os sapatos, mas basta que tente chegar aos atacadores para a Gerty lhe rosnar e ele recuar, choramingando. Quando a Gerty se vai embora, ele fica com um ar nitidamente aliviado.

— Só para que saibas, o Mo e a Gerty andam definitivamente a dormir juntos — diz-me a Rachel, passando-me a escova.

Fito-a pelo espelho. (Há uma grandessíssima falta de espelhos neste apartamento. Devíamos ter-nos arranjado na casa da Rachel, que tem uma parede inteira de armários espelhados no quarto, suspeito eu que por motivos sexuais, mas ela recusa-se a deixar a Gerty entrar no seu apartamento desde que esta fez um comentário acerca de estar muito desarrumado, numa festa de aniversário.)

— O Mo e a Gerty *não* andam a dormir juntos — replico, recuperando a lucidez e deitando a mão à escova. Estou a tentar domar a minha juba num puxo elegante de um dos nossos livros de penteados.

A autora prometeu-me que era fácil, mas estou há 15 minutos no segundo passo. São 22 passos no total, e o relógio avisa que já só temos meia hora.

— Andam, andam — diz a Rachel, num tom factual. — Sabes que eu consigo sempre perceber.

Tenho o bom senso de me refrear de informar a Rachel de que a Gerty também acha que é sempre capaz de «perceber» quando um amigo começa a ir para a cama com alguém. Não quero que isto se transforme numa competição, sobretudo porque ainda não fiz sexo com o Leon.

— Eles moram juntos — digo, por entre o milhão de ganchos de cabelo que tenho na boca. — Andam mais à vontade um com o outro do que antigamente.

— Duas pessoas só ficam tão à vontade assim depois de se despirem juntas — insiste a Rachel.

— Isso é esquisito e nojento. E tenho praticamente a certeza de que o Mo é assexual.

Mais tarde do que deveria, verifico que a porta da casa de banho está fechada. O Mo está na sala. Passou a última hora com um ar paciente ou entediado, dependendo de achar que estamos ou não a olhar para ele.

— Tu *queres* achar isso, por causa dessa cena toda de ele-é-como-um-irmão-para-ti. Mas podes crer que não é assexual. Fez-se à minha amiga Kelly numa festa o verão passado.

— Não consigo lidar com este tipo de revelações agora! — digo, a cuspir os ganchos todos. Tinha-os posto entre os dentes demasiado cedo. São para o passo quatro, quando o terceiro ainda me tem desconcertada.

— Anda cá — diz a Rachel, e eu expiro. Graças a Deus.

— Deixaste-me mesmo ficar aflita — digo-lhe, enquanto ela pega na escova, alisa os estragos que fiz até agora e vai folheando as instruções do puxo com uma mão.

— De outra forma, como é que vais aprender?

*

São 10 da manhã. É estranho estar com roupas formais tão cedo no dia. Não sei porquê, sinto-me incrivelmente paranoica por haver a possibilidade de entornar chá pela frente do meu elegante vestido novo, embora tenha praticamente a certeza de que, se estivesse a beber um *Martini*, não teria as mesmas ansiedades. É só esquisito estar a beber de uma caneca enquanto uso seda.

A Rachel superou-se — o meu cabelo está todo suave e lustroso, apanhado na nuca numa série de reviravoltas misteriosas, tal como na imagem. O efeito secundário, porém, é que uma quantidade copiosa do meu peito passou a estar à mostra. Quando experimentei o vestido, tinha o cabelo solto — não me apercebi realmente de quanta pele as mangas a cair dos ombros e o decote em forma de coração deixam exposta. Oh, bem. Este dia também é meu — sou a editora que adquiriu a obra. Tenho todo o direito de me vestir de forma inadequada.

O meu alarme começa a apitar para me lembrar de verificar como está a Katherin. Ligo-lhe, tentando não fazer caso do facto de ela se encontrar acima da minha mãe na lista dos contactos mais usados.

— Está pronta? — pergunto, assim que ela atende.

— Quase! — chilreia ela. — Fiz só um ajuste rápido à roupa e...

— *Que* ajuste rápido? — pergunto, desconfiada.

— Oh, bem, quando voltei a experimentá-lo, dei conta de como este vestido que o vosso pessoal das relações públicas me escolheu parece austero e enfadonho à luz forte do dia, por isso alterei a bainha e o decote.

Abro a boca para ralhar com ela, mas depois torno a fechá-la. Em primeiro lugar, o estrago claramente já está feito — se alterou a bainha, não há salvação possível para o vestido. E, em segundo lugar, a minha arrojada escolha de vestido ficará muito melhor ao lado de outra pessoa que também decidiu mostrar uma quantidade nada profissional de pele.

— Está bem. Passamos a apanhá-la às 10h30.

— Adeusinho! — replica ela, espero que com ironia, embora não tenha a certeza disso.

Vejo as horas ao desligar. Sobram-nos 10 minutos. (Tive de contar com o tempo para a Rachel se preparar, o que demora sempre pelo menos mais 50 por cento do que o tempo que se julga. Claro que ela vai dizer que a culpa é minha por me ter arranjado o cabelo, mas na verdade é por ela ser a rainha autoproclamada do *contouring*, e passar pelo menos 40 minutos a alterar subtilmente a forma do rosto antes de começar sequer a maquilhar os olhos e os lábios.)

Estou prestes a enviar uma mensagem ao Leon para saber dele quando o telefone do apartamento toca.

— Que porra é essa? — grita a Rachel, ainda na casa de banho.

— É o nosso fixo! — berro-lhe, já a correr na direção do som (parece vir algures da zona do frigorífico). Correr não é fácil, com esta roupa; há muita coisa tufada na parte da saia, e pelo menos dois momentos arriscados em que o meu pé descalço fica preso no tule à medida que avanço. Faço um esgar quando me puxa o tornozelo magoado. Já consigo caminhar e apoiar o pé, mas não está a gostar desta pequena corrida. Não que o meu tornozelo bom goste.

— O vosso *quê?* — pergunta o Mo, soando divertido.

— O nosso fixo — repito, a remexer na quantidade incrivelmente grande de coisas em cima das bancadas da cozinha.

— Desculpa, não me tinhas dito que estávamos nos anos 90 — diz a Rachel, quando encontro o telefone.

— Estou?

— Tiffy?

Franzo o sobrolho.

— Richie? Estás bem?

— Vou ser honesto contigo, Tiffy — diz ele. — Estou a borrar-me de medo. Não literalmente. Se bem que é capaz de ser só uma questão de tempo.

— Quem quer que seja, espero que esteja a desfrutar do último CD dos Blur — atira a Rachel.

— Espera. — Avanço para o quarto e fecho firmemente a porta atrás de mim. Com dificuldade, ajusto a saia para conseguir empoleirar-me na beira da cama sem rasgar nada. — Não devias estar, tipo, numa carrinha ou qualquer coisa assim? Como é que estás a ligar-me? *Lembraram-se* da tua marcação no tribunal, certo?

Já ouvi histórias de terror suficientes da Gerty e do Leon para saber que os prisioneiros nem sempre conseguem ir a tribunal quando devem, graças a várias burocracias relacionadas com a prisão que se sobrepõem nesta situação. Passaram o Richie para uma prisão (ainda mais sombria) de Londres há uns dias para ele estar na zona para o julgamento, mas continua a ter de fazer a viagem da prisão até ao tribunal. Sinto-me maldisposta só de pensar que toda a preparação pode ter sido em vão por alguém se ter esquecido de ligar ao encarregado do transporte.

— Não, não, a parte da carrinha já está — diz o Richie. — Foi delicioso, deixa-me que te diga. Não sei como, passei cinco horas lá dentro, embora pudesse ter jurado que não estávamos a mexer-nos durante metade do tempo. Não, já estou no tribunal, numa cela de detenção. Nem sequer tenho direito a um telefonema, mas a guarda é uma senhora irlandesa que diz que lhe faço lembrar o filho. E que estou com péssimo aspeto. Disse-me para ligar à minha namorada, mas eu não tenho namorada, e então lembrei-me de te ligar a ti, já que és a namorada do Leon, o que é suficientemente próximo. Ou isso ou ligava à Rita da escola, com quem acho que, tecnicamente, nunca acabei.

— Estás a divagar, Richie — digo-lhe. — O que se passa? São nervos?

— «Nervos» faz-me parecer uma velhota. É *pavor.*

— Isso realmente soa melhor. Mais à filme de terror. Menos desmaios causados por um espartilho demasiado apertado.

— Exatamente.

— A Gerty está aí?

— Ainda não posso vê-la. Está ocupada a fazer o que seja que os advogados fazem. Agora estou por minha conta.

O seu tom é ligeiro e ele vai gozando consigo mesmo, como sempre, mas não preciso de prestar muita atenção para detetar o tremor na sua voz.

— *Não* estás nada por tua conta — digo-lhe com firmeza. — Tens-nos a todos. E lembra-te: quando falámos pela primeira vez, disseste-me que estavas a aceitar o facto de estares na prisão. Bem, isso é o pior que pode acontecer. Mais daquilo que tens aguentado até agora.

— E se vomito no tribunal?

— Nesse caso, alguém há de evacuar a sala e chamar uma pessoa das limpezas, e tu depois recomeças. Isso não vai propriamente levar os juízes a pensar que és um assaltante à mão armada, pois não?

Ele solta uma espécie de riso estrangulado. Por um momento, há silêncio.

— Não quero desiludir o Leon — diz ele. — Ele está tão esperançado. Não quero... não vou aguentar voltar a desiludi-lo. Da última vez, isso foi o pior. Sinceramente, o pior. Ver a cara dele.

— Nunca o desiludiste — digo. Tenho o coração a latejar. Isto é importante. — Ele sabe que tu és inocente. O... o sistema é que vos falhou, aos dois.

— Eu devia simplesmente ter aceitado. Cumprido a minha pena e saído, e deixá-lo seguir com a sua vidinha, entretanto. Tudo isto... só vai tornar tudo pior para ele.

— O Leon ia dar luta, independentemente do que tu fizesses — digo-lhe. — Nunca iria deixar que o seu irmão mais novo apanhasse sem fazer nada. Se tu tivesses desistido, *isso* é que o magoaria.

Ele faz uma inspiração grande e trémula e volta a expirar.

— Isso é bom — digo. — Respirar. Ouvi dizer que é bom para quem tem nervos delicados. Tens alguns sais de cheiro?

Isso provoca-lhe outra risada, um pouco menos estrangulada.

— Estás a chamar-me coninhas? — pergunta ele.

— Acredito piamente que és um homem muito corajoso — afirmo. — Mas sim. Estou a chamar-te coninhas. Para o caso de isso te ajudar a lembrares-te de como és corajoso.

— Ah, linda menina, Tiffy — diz o Richie.

— Não sou um cão, Richie. E... agora, esperando que estejas menos verde... Podemos voltar ao facto de teres dito «namorada do Leon»?

Segue-se uma pausa.

— Não és namorada do Leon? — pergunta ele.

— Ainda não — respondo. — Bem, quero dizer, não falámos disso. Só saímos umas quantas vezes, tecnicamente.

— Ele está louco por ti — diz o Richie. — É capaz de não o dizer em voz alta, mas...

Sinto uma pontada de ansiedade. Eu também estou louca pelo Leon. Passo a maior parte das horas em que estou acordada a pensar nele, e algumas das do sono também. Mas... não sei. A ideia de ele querer ser meu namorado faz-me sentir tão *presa*.

Ajusto o vestido, perguntando-me se serei eu a ter problemas de espartilhos e nervos. Eu gosto mesmo do Leon. Isto é ridículo. Objetivamente, gostaria de dizer que é meu namorado, e de o apresentar assim às outras pessoas. É o que se quer sempre, quando se está louco por alguém. Mas...

O que diria a Lucie?

Bem, provavelmente não diria nada, para ser sincera. Haveria de me deixar só a matutar no facto de este medo esquisito de ficar presa ter provavelmente que ver com o facto de eu ter estado numa relação com um homem que, na verdade, nunca me libertou.

— Tiffy? — diz o Richie. — É capaz de ser melhor desligar.

— Oh, meu Deus, sim — digo, recuperando o bom senso. Não sei que ideia é a minha de estar a preocupar-me com rótulos de relações quando o Richie se prepara para ir a julgamento. — *Boa sorte,* Richie. Quem me dera poder estar aí.

— Talvez a gente se veja do outro lado — diz ele, de novo com a voz a tremer. — Se não... cuida do Leon.

Desta vez, o pedido já não me parece estranho.

— Cuido — digo-lhe. — Prometo.

58

Leon

Detesto este fato. A última vez que o usei foi para o primeiro julgamento, e depois enfiei-o no roupeiro em casa da minha mãe, tentado a queimá-lo como se estivesse contaminado. Ainda bem que não o fiz. Não tenho dinheiro para me pôr a queimar fatos de cada vez que o sistema jurídico não faz justiça. Este é capaz de não ser o nosso último recurso.

A minha mãe está chorosa e trémula. Esforço-me ao máximo por ser forte por ela, mas não aguento estar no mesmo espaço. Seria mais fácil com qualquer outra pessoa, mas com a minha mãe é terrível. Quero que ela cuide de mim, não o contrário, e quase fico zangado ao vê-la assim, apesar de também ficar triste.

Olho para o telemóvel.

Acabei de falar com o Richie — ligou para cá para que lhe desse algum apoio moral. Ele está bem. Vocês vão ficar bem, aconteça o que acontecer. Manda mensagem se eu puder fazer alguma coisa. Posso sempre escapulir-me para um telefonema. Bjs, Tiffy

Sinto-me reconfortado por um momento, depois de uma manhã de medo constante. Recordo-me da minha nova resolução, quanto a dizer à Tiffy o que sinto e fazer as coisas avançar na direção da seriedade, como conhecer os pais e tudo o resto.

Mãe: Querido?

Um último olhar para o espelho. Um Richie mais magro, mais branco e emaciado fita-me. Não consigo tirá-lo da cabeça — estou sempre a lembrar-me da cara dele quando leram a sua sentença, aquele dilúvio interminável de despautérios sobre o crime que ele teria calculado a sangue-frio, a forma como os seus olhos ficaram arregalados e brancos de medo.

Mãe: Leon? Querido?

Eu: Estou a ir.

Olá de novo, sala de audiências.

É tão mundana. Não se parece nada com os bancos de madeira e os tetos abobadados das séries norte-americanas — só há montes de pastas em secretárias, alcatifa, e filas de bancos corridos nos quais alguns advogados e jornalistas de ar entediado se sentaram para assistir. Um dos jornalistas tenta encontrar uma tomada para carregar o telemóvel. Uma estudante de Direito inspeciona o rótulo do seu frasco de batido.

É bizarro. No início do ano, eu teria tido vontade de lhes gritar: *Prestem alguma atenção, porra! Estão a assistir à destruição da vida de uma pessoa*. Mas tudo isto faz parte do drama peculiar deste ritual, e agora que sabemos como jogar — agora que temos uma advogada que conhece as regras —, o ritual já não me incomoda tanto.

Um velho com um manto comprido como uma personagem de *Harry Potter* entra com uma guarda prisional e o Richie. O Richie não vem algemado, o que já é qualquer coisa. Mas está com tão mau ar quanto eu esperava. Ganhou músculo nos últimos meses, tendo recomeçado a fazer exercício, mas com os ombros descaídos, parece que lhe pesam. Mal consigo reconhecer o irmão que entrou no tribunal no ano passado, totalmente confiante de que, se se é inocente, sai-se em liberdade. O irmão que cresceu junto a mim, sempre a meu lado, sempre a apoiar-me.

Quase não consigo olhar para ele — é demasiado doloroso ver o medo nos seus olhos. Não sei como nem de onde, mas lá desencanto um sorriso encorajador quando ele olha para mim e para a nossa mãe. O guarda põe-lo num cubículo de vidro e fecham a porta atrás dele.

Esperamos. O jornalista consegue ligar o telemóvel à corrente e continua a passar a vista pelo que me parece ser a página da Reuters, apesar do enorme sinal a proibir o uso de telemóveis que se encontra mesmo por cima da cabeça dele. A rapariga do batido entretém-se a arrancar pontas soltas de um cachecol felpudo.

Tenho de continuar a sorrir ao Richie. A Gerty está aqui, vestida com aquele traje ridículo, quase indistinguível do resto dos advogados, apesar de eu já a ter visto a comer comida chinesa na minha cozinha. Sinto-me irritado só de a ver. É qualquer coisa primitiva, já instintiva. Tenho de me recordar vezes sem conta de que ela é da nossa equipa.

Velho de manto: Todos de pé!

Todos nos levantamos. Três juízes entram na sala. Será uma generalização reparar que os três são homens brancos de meia-idade cujos sapatos parecem valer mais do que o carro da minha mãe? Tento abafar o meu ódio crescente enquanto eles se instalam. Folheiam a documentação que têm à frente. Por fim, encaram a Gerty e o procurador. Nem um olha para o meu irmão.

Juiz 1: Começamos?

59

Tiffy

No palco, a Katherin é uma figura minúscula vestida de preto. Atrás dela, aumentada em proporções aterradoras, aparece repetida em grande plano — um ecrã tem apenas as suas mãos, para que os espetadores possam ver como usa a agulha de croché, e os outros dois concentram-se no seu rosto.

É incrível. Toda a assistência está arrebatada. Estamos tremendamente bem vestidos para um evento diurno sobre croché, mas a Katherin insistiu no traje formal — apesar de todos os seus valores antiburguesia, pela-se por uma desculpa para usar algo sofisticado. Miúdas de vestidos de noite fixam o rosto enorme da Katherin, imortalizado nos grandes ecrãs sob o teto abobadado. Homens de smoking riem-se calorosamente dos comentários astutos da Katherin. Até vejo uma jovem de vestido de cetim a imitar os movimentos das mãos da Katherin, apesar de só estar a segurar um canapé de queijo de cabra em miniatura, sem qualquer agulha de croché à vista.

Apesar de todo este absurdo que poderia distrair-me, não consigo deixar de pensar no Richie e na forma como a voz lhe tremia enquanto falávamos ao telefone.

Ninguém repararia se eu simplesmente me esgueirasse. Esta roupa é pouco apropriada para um tribunal, mas talvez pudesse passar pelo meu apartamento e pegar numas roupas para vestir no táxi...

Meu Deus, nem acredito que estou a ponderar pagar uma corrida de táxi.

— Olha! — sussurra-me a Rachel de repente, espetando-me um dedo nas costelas.

— Au! O que é?

— Olha! É a Tasha Chai-Latte!

Sigo o dedo espetado dela. Uma jovem a usar um subtil vestido de noite lilás acabou de entrar, com um namorado desmesuradamente atraente atrás. Um intimidante homem de smoking segue-os — deve ser o guarda-costas.

A Rachel tem razão, é mesmo ela. Reconheço os malares cinzelados que vi no *YouTube*. Contra a minha própria vontade, sinto o estômago a agitar-se um pouco — não resisto a uma pessoa famosa.

— Nem acredito que ela veio!

— O Martin vai ficar passado. Achas que ela tira uma foto comigo? — pergunta a Rachel.

Acima de nós, a imagem gigantesca de Katherin nos ecrãs sorri para o público, e as suas mãos exibem uma amostra completa.

— Era com o matulão de smoking que eu me preocupava, se estivesse no teu lugar.

— Ela está a filmar! Olha!

O namorado impossivelmente bonito da Tasha Chai-Latte tirou da sacola uma câmara de vídeo compacta e de ar dispendioso e está a mexer nos botões. A Tasha dá um retoque ao cabelo e à maquilhagem, passando um dedo pelos lábios.

— Oh, meu Deus. Ela vai pôr o evento no seu canal do *YouTube*. Achas que a Katherin nos menciona no discurso de agradecimento? *Vamos ser famosas!*

— Calma — digo-lhe, trocando um olhar com o Mo, que neste momento está a devorar o grande monte de canapés que tem estado a acumular enquanto todas as outras pessoas estão demasiado distraídas com o croché para aproveitarem a comida.

O namorado da Tasha levanta a câmara, apontando-a ao rosto dela, que se desfaz de imediato em sorrisos, esquecendo tudo acerca do cabelo e da maquilhagem.

— Aproximem-se, aproximem-se — resmunga a Rachel, enxotando o Mo na direção da Tasha. Avançamos, tentando parecer indiferentes, até estarmos suficientemente perto para ouvirmos.

— ... senhora impressionante — está a Tasha a dizer. — E este sítio não é *lindo*? Oh, meu Deus, malta, sinto-me tão afortunada por estar aqui, e por poder partilhar isto com todos vocês... ao vivo! Sabem que acho que os verdadeiros artistas devem ser apoiados, e é exatamente isso que a Katherin é.

A assistência desata a aplaudir — a Katherin acabou a sua demonstração. A Tasha faz um gesto impaciente, dizendo ao namorado que faça outro *take*. Presumo então que estejam a aquecer para a transmissão em direto.

— E agora uns quantos agradecimentos! — diz a Katherin no palco.

— Sim, é agora — sussurra a Rachel, excitada. — *De certeza* que vai mencionar-te.

O meu estômago revolve-se. Não sei bem se quero que ela me mencione — há *montes* de gente nesta sala, e uns milhões extra que em breve assistirão a este momento através do canal de *YouTube* da Tasha Chai-Latte. Ajusto o vestido, tentando subi-lo um pouco mais.

Mas não precisava de me ter preocupado. A Katherin começa por agradecer a toda a sua rede de amigos e familiares, que se revela extensa a um nível absurdo (não posso deixar de me perguntar se não estará a gozar um bocado com toda a gente — seria mesmo típico dela). A atenção do público perde-se; as pessoas começam a mover-se em busca de champanhe e comida minúscula.

— E, por fim — diz a Katherin num tom grandiloquente —, há duas pessoas que eu tinha mesmo de guardar para o final.

Bem, não hei de ser eu. Devem ser a mãe e o pai ou algo assim. A Rachel lança-me um olhar desiludido e depois devolve a atenção à Tasha e ao namorado, que estão a filmar tudo com um ar concentrado.

— Duas pessoas sem as quais este livro nunca teria acontecido — continua a Katherin. — Estas duas pessoas trabalharam imenso para que *Croché À Sua Maneira* se tornasse possível. E, o que é ainda melhor do que isso, acreditaram em mim desde o início: muito antes de eu ter a sorte de poder juntar tanta gente assim num evento.

Eu e a Rachel viramo-nos uma para a outra.

— Não posso ser eu — sussurra a Rachel, de repente muito nervosa. — Na maior parte do tempo ela nem se lembra do meu nome.

— A Tiffy e a Rachel têm sido a editora e a designer dos meus livros nos últimos três anos, e são o motivo do meu sucesso — diz a Katherin, generosa. O público aplaude. — Nunca poderei agradecer-lhes o suficiente por terem feito do meu livro o melhor que poderia ser... e o mais lindo que poderia ser. Rachel! Tiffy! Podem vir aqui acima, por favor? Tenho uma coisa para as duas.

Entreolhamo-nos, boquiabertas. Acho que a Rachel é capaz de estar a hiperventilar. Nunca lamentei tanto uma escolha de roupa como agora. Tenho de subir ao palco em frente de mil pessoas a usar algo que me tapa os mamilos e pouco mais.

Mas enquanto cambaleamos até ao palco — o que de facto demora bastante tempo, pois não estávamos sequer perto da frente —, não posso deixar de reparar que a Katherin nos sorri dos seus ecrãs gigantes. Na verdade, quase parece um pouco chorosa. Meu Deus. Sinto-me um bocado como uma fraude — quero dizer, trabalhei basicamente a tempo inteiro no livro dela durante os últimos meses, mas também me queixei bastante, e nem lhe paguei muito, para começar.

Estou no palco antes de me aperceber do que está a acontecer. A Katherin dá-me um beijo na face e oferece-me um enorme ramo de lírios.

— Achavam que me tinha esquecido de vocês, não achavam? — sussurra-me ao ouvido, com um sorriso atrevido. — A fama ainda não me subiu assim tanto à cabeça.

A multidão está a aplaudir, e o som ecoa do teto até eu já não perceber de onde vem. Sorrio, esperando que a mera força de vontade seja suficientemente adesiva para a parte de cima do vestido. As luzes aqui em cima são tão fortes — são como explosões de estrelas dentro dos olhos cada vez que pestanejo, e tudo é muito branco e brilhante, ou preto e sombrio, como se alguém tivesse andado a mexer no contraste.

Acho que é por isso que realmente não reparo na agitação até que esta atinge a parte da frente do público, tremendo por entre a multidão, fazendo cabeças virarem-se e raparigas gritarem ao tropeçarem como se alguém as tivesse empurrado. Por fim, uma figura avança e chega ao palco.

Com os olhos a arder com a intensidade das luzes todas, mal consigo ver os lírios à minha frente enquanto tento segurar bem o ramo e me pergunto como vou descer do palco com estes sapatos sem poder usar o corrimão.

Mas reconheço a voz. E, assim que percebo de quem é, tudo o resto se esvai.

— Empresta-me o microfone? — diz o Justin, porque é claro que, implausível e impossivelmente, a figura que avançava por entre a multidão era a dele. — Tenho uma coisa para dizer.

A Katherin passa-lhe o microfone sem sequer pensar. Lança-me um olhar no último segundo, de sobrolho franzido, mas o microfone já está na mão no Justin. Ele é assim: pede e é-lhe concedido.

Vira-se para mim.

— Tiffy Moore — diz ele. — Olha para mim.

Ele tem razão — não estou a olhar para ele. Como se tivesse cordéis para me puxar, a minha cabeça vira-se e os meus olhos fixam os dele. Ali está ele. Maxilar quadrado, uma barba curta perfeita, ombros fortes sob um casaco de smoking. Olhos suaves e fixos no meu rosto como se eu fosse a única rapariga no salão. Não se vê nem um indício do homem de quem tenho falado nas sessões de terapia, do homem que me magoou. Este homem é um sonho tornado realidade.

— Tiffy Moore — recomeça ele. Tudo parece errado, como se eu tivesse entrado no meu mundo alternativo por umas portas deslizantes, e de súbito todos os indícios da minha outra vida, aquela em que não preciso nem quero o Justin, ameaçam desertar-me. — Tenho andado perdido sem ti.

Segue-se uma pausa. Um silêncio imenso, doentio e a fazer eco, como aquela nota que continua a tinir nos ouvidos depois de a música parar.

Então ele põe um joelho no chão.

Apercebo-me logo da reação do público — as pessoas arrulham e fazem *ah* — e vejo os rostos no palco à minha volta, o da Rachel retorcido pelo choque, o da Katherin boquiaberto. O que mais quero é fugir, embora desconfie de que, mesmo que conseguisse reunir forças para isso, as minhas pernas continuariam demasiado paralisadas para fazer tudo o que seria requerido delas. É como se todos nós no palco estivéssemos a representar alguma espécie de cena.

— Por favor — começo. Porque comecei por suplicar? Tento recomeçar a frase, mas ele não me deixa.

— Tu és a mulher com quem eu estou destinado a ficar — diz ele. A sua voz, apesar de suave, ouve-se bem pelo microfone. — Agora sei isso. Não acredito que alguma vez tenha perdido a fé em nós. Tu és tudo o que eu poderia querer e mais. — Inclina a cabeça para o lado, um gesto que eu costumava achar irresistível. — Sei que não te mereço, sei que és demasiado boa para mim, mas...

Algo reverbera dentro de mim como se tivesse sido tão esticado, que estivesse prestes a partir-se. Lembro-me da Gerty a dizer que o Justin sabe exatamente como me manipular, e lá está: o Justin que me apanhou no início.

— Tiffany Moore — diz ele. — Casas comigo?

Há qualquer coisa nos olhos dele — eram sempre os olhos que me convenciam. À medida que o silêncio se prolonga, parece apertar-me a garganta. A sensação de estar em dois lugares ao mesmo tempo, de ser duas pessoas em simultâneo, é tão aguda, que é quase como estar semiadormecida, naquele ponto entre o sonho e a consciência. Aqui está o Justin, a implorar por mim. O Justin que eu sempre quis. O Justin que eu tive logo no início, por quem passei por inúmeras discussões e ruturas, aquele por quem eu acreditava sempre que valia a pena lutar.

Abro a boca e falo, mas sem microfone, a minha voz some-se atrás dos lírios. Nem eu ouço a minha resposta.

— Ela disse que sim! — grita o Justin, levantando-se, esticando os braços para os dois lados. — Ela disse que sim!

A multidão desata a aplaudir. O barulho é demasiado. A luz marca-me as pálpebras e o Justin está a agarrar-me, a abraçar-me, com a boca no meu cabelo, e nem sequer me parece estranho, é como sempre foi — o seu corpo firme junto ao meu, o suave calor dele, tudo horrível e perfeitamente familiar.

60

Leon

Dra. Constantine: Sra. Wilson, como nossa primeira testemunha especializada, poderá começar por indicar aos juízes o que abarca a sua área de especialização?

Sra. Wilson: Sou analista e melhoradora de sistemas de videovigilância. É a minha ocupação há 15 anos. Trabalho para a principal firma de investigação forense de videovigilância do Reino Unido; foi a minha equipa que reuniu essas imagens melhoradas [aponta para o ecrã].

Dra. Constantine: Muito obrigada, Sra. Wilson. E, na sua experiência a analisar imagens de videovigilância, o que pode dizer-nos acerca dos dois pequenos excertos que vimos hoje?

Sra. Wilson: Muito. Desde já, não é o mesmo tipo.

Dra. Constantine: A sério? Parece absolutamente certa disso.

Sra. Wilson: Oh, tenho a certeza. Para começar, veja a cor do capuz na imagem melhorada. Só um é preto. Percebe-se pelo tom que projeta, estão a ver? O preto é uma cor mais densa.

Dra. Constantine: Podemos ver ambas as imagens no ecrã, por favor? Obrigada.

Sra. Wilson: E depois vejam só como caminham! É uma boa imitação, certo, mas o primeiro tipo está claramente fod... claramente bêbedo, Meritíssimos. Vejam como ziguezagueia. Quase vai contra a montra. Depois o outro tipo anda muito mais direito e não hesita nem nada quando leva a mão à faca. O primeiro quase deixou cair as cervejas!

Dra. Constantine: E com as imagens de videovigilância do parque exterior do Aldi, vê-se esse... caminhar distintamente ziguezagueado com mais clareza.

Sra. Wilson: Ah, pois.

Dra. Constantine: E do grupo que vemos passar uns momentos depois da primeira figura, que identificámos como sendo o Sr. Twomey... conseguiria identificar alguma destas figuras como o homem com a faca na loja de conveniência?

Dr. Turner, para os juízes: Meretíssimos, isto não passa de especulação.

Juiz Whaite: Não, vamos permitir. A Dra. Constantine está a pedir a opinião de especialista da testemunha.

Dra. Constantine: Sra. Wilson, algum desses homens poderia ser o homem na loja de conveniência, olhando para estas imagens?

Sra. Wilson: Oh, sim. O tipo mais à direita. Não está de capuz na cabeça, nem a imitar aquela forma de caminhar, mas veja-se como o ombro dele desce a cada passo do pé esquerdo. Veja-se como esfrega o ombro — é o mesmo gesto que o tipo da loja faz antes de sacar da faca.

Dr. Turner: Estamos aqui reunidos para examinar um recurso em relação à condenação do Sr. Twomey. Qual é a relevância de implicar um transeunte impossível de identificar?

Juiz Whaite: Compreendo o que diz, Dr. Turner. Muito bem, Dra. Constantine, tem mais perguntas pertinentes para o caso em avaliação?

Dra. Constantine: Nenhuma, Meritíssimo. Espero que talvez possamos voltar a esta questão mais tarde, se o caso for reaberto.

O procurador, o Dr. Turner, faz um aceno com a mão, a desconsiderar a ideia. A Gerty lança-lhe um olhar zangado e gélido. Lembro-me da forma como o Dr. Turner intimidou o Richie no último julgamento. Chamou-lhe rufia, criminoso violento, disse que era como uma criança que deitava a mão a tudo o que queria. Vejo-o a empalidecer com o olhar da Gerty. Para meu encanto, mesmo de toga e peruca, o Dr. Turner não é imune ao olhar matador da Gerty.

Eu e o Richie entreolhamo-nos, e pela primeira vez no dia inteiro, o meu sorriso é genuíno.

Saio durante o intervalo e ligo o telemóvel. O meu coração não está propriamente mais acelerado do que é normal, apenas... mais ruidoso.

Maior. Tudo me parece exagerado: quando compro um café, acho o sabor mais forte; quando o céu desanuvia, o sol é vivo e brilhante. Mal posso crer em como tudo está a correr bem. A Gerty não para — tudo o que diz é tão... *conclusivo*. Os juízes vão assentindo com a cabeça. Da outra vez, nunca faziam isso.

Imaginei isto demasiadas vezes e agora estou a vivê-lo. É como se estivesse a sonhar acordado.

Umas quantas mensagens da Tiffy. Vou para lhe responder, mas tenho as mãos suadas, quase com medo de que, se o escrever e enviar, dê azar. Quem me dera poder ligar-lhe. Em vez disso, vejo a página de *Facebook* da Tasha Chai-Latte — a Tiffy diz que ela vai filmar o lançamento do livro. Já há um vídeo na página com milhares de visualizações; parece que é do lançamento, a julgar pelo teto abobadado na imagem que aparece.

Fico a ver, instalando-me no banco no exterior do edifício do tribunal e ignorando o grupo de *paparazzi* que está à espera de apanhar alguém que os faça ganhar dinheiro.

É o discurso de agradecimento da Katherin. Sorrio ao ouvir os comentários que faz sobre a Tiffy. Pelo que a Tiffy me contou, os editores nunca recebem grande crédito, e os designers ainda menos — vejo a Rachel a sorrir de orelha a orelha ao subir ao palco com a Tiffy.

A câmara mexe-se repentinamente. Alguém está a abrir caminho até à frente. Quando ele salta para o palco e agarra no microfone, apercebo-me de quem é.

Sinto-me culpado pela vontade súbita e horrível de deixar o tribunal e ir até Islington. Endireito-me, a fitar o vídeo minúsculo que está a correr à minha frente.

O vídeo para depois de ela aceitar.

É surpreendente como me faz sentir mal. Suponho que nunca se saiba o que se sente por outra pessoa até ela aceitar casar com outro.

61

Tiffy

O Justin puxa-me do palco para as alas. Vou com ele, porque, mais do que qualquer outra coisa, quero que o barulho, as luzes e a multidão desapareçam, mas assim que passamos a cortina, liberto a minha mão. O meu pulso queixa-se; ele estava a segurar-me com força. Estamos num espaço estreito de paredes pretas ao lado do palco, onde está apenas um homem completamente vestido de preto, com um *walkie-talkie* e vários cabos à volta dos pés.

— Tiffy? — diz o Justin. Consigo perceber que a vulnerabilidade na sua voz é completamente forçada.

— Mas que porra é que tu... — começo. Toda eu tremo; custa-me estar de pé, sobretudo nestes saltos altos. — O que foi aquilo?

— O que foi o quê? — Ele estende a mão para me agarrar outra vez.

A Rachel atravessa a cortina atrás de nós de supetão, a atirar os sapatos para o lado.

— Tiff... Tiffy!

Viro-me para ela, que corre para mim, e deixo que me abrace com força. O Justin fita-nos, a semicerrar um pouco os olhos — vejo que está a pensar em qualquer coisa, pelo que viro a cabeça para a grossa madeixa de tranças da Rachel e esforço-me muito, muito por não chorar.

— Tiffy? — chama-me outra pessoa. É o Mo. Não consigo perceber onde está.

— Os teus amigos vieram dar-te os parabéns — diz o Justin num tom benevolente, mas tem os ombros rígidos e tensos.

— Mo? — chamo. Ele aparece atrás do Justin, através das cortinas que nos separam da área principal dos bastidores; perdeu o casaco e tem o cabelo desalinhado, como se tivesse estado a correr.

Num instante, põe-se a meu lado. Atrás de mim, ouço a Katherin a esforçar-se corajosamente por devolver ao palco o tema de *Croché À Sua Maneira*.

O Justin observa-nos. A Rachel ainda está a segurar-me e, apoiada nela, olho para ele.

— Tu sabes que eu não aceitei — digo-lhe num tom inexpressivo.

Os olhos dele arregalam-se.

— O que é que queres dizer com isso? — pergunta.

Abano a cabeça. Sei o que é isto — lembro-me desta sensação, da impressão incomodativa de que errei.

— Não podes fazer-me acreditar em algo que eu sei que não é verdade.

Há uma centelha de qualquer coisa nos seus olhos — talvez esteja a pensar: *Já o fiz, muitas vezes.*

— Agora já não — acrescento. — E sabes o que se chama a isso? A fazeres-me duvidar de mim mesma? Manipulação psicológica. É uma forma de abuso. Dizeres-me que as coisas não são como eu as vejo.

Isto atinge-o. Não tenho a certeza de que a Rachel ou o Mo reparem, mas eu vejo-o a acusar o toque. A Tiffy que ele conhece nunca teria usado palavras como «manipulação psicológica» e «abuso». Vê-lo vacilar provoca-me uma vaga de excitação receosa, como quando nos pomos à beira de uma plataforma enquanto o comboio passa.

— Disseste que sim, disseste — insiste ele. A luz do palco passa entre a cortina atrás de nós, deixando uma longa tira de amarelo nas feições sombrias do Justin. — Eu ouvi-te! E... tu *queres* casar comigo, não queres, Tiffy? Somos feitos um para o outro.

Ele tenta agarrar-me a mão. É tão óbvio que isto não passa de teatro. Recolho a mão e, rápida como um fuso, a Rachel estende a dela e dá uma palmada forte na dele.

Ele não reage fisicamente. Quando fala, é numa voz ligeira e magoada.

— Para que foi isso?

— Não lhe tocas — atira-lhe a Rachel.

— Acho que devias ir embora, Justin — diz o Mo.

— Mas o que é isto, Tiffy? — pergunta-me o Justin, ainda numa voz delicada. — Os teus amigos estão zangados comigo porque acabámos?

Ele continua a tentar aproximar-se, só uns centímetros de cada vez, mas a Rachel segura-me com força e, com o Mo do outro lado, somos uma frente unida.

— Posso perguntar-te uma coisa? — digo de repente.

— Claro — responde o Justin.

O técnico de som lança-nos um olhar irritado.

— Não devem ficar aqui atrás — diz-nos, enquanto o público lá fora desata a aplaudir ruidosamente.

Ignoro-o, de olhos fixos no Justin.

— Como é que sabias que eu ia estar aqui hoje?

— O que queres dizer com isso? Este evento estava publicitado em todo o lado. Mal dava para usar a Internet e não saber disto.

— Mas como é que sabias que *eu* estaria aqui? Como é que sabias sequer que eu tinha trabalhado neste livro?

Sei que tenho razão. Vejo a forma esquiva como mexe os olhos. Passa um dedo no pescoço, para aliviar o colarinho.

— E como é que tu sabias que eu estaria naquele lançamento em Shoreditch? E como é que sabias que eu estaria naquele cruzeiro?

Ele está irritado; bufa e lança-me o primeiro olhar desagradável e depreciativo da noite. Assim, sim — lá está o Justin de quem comecei a lembrar-me.

Por um momento, ele fica indeciso, mas depois opta por um sorriso descontraído.

— O teu colega, o Martin, tem-me dado dicas — diz, num tom encabulado, como um rapazinho apanhado a meter coisas ao bolso. Querido, reguila, inofensivo. — Ele sabe o quanto gosto de ti, por isso tem andado a ajudar-nos a ficar juntos de novo.

— Estás a gozar — exclama a Rachel. Olho para ela; os seus olhos até faíscam, e ela tem o ar mais aterrador que alguma vez lhe vi, o que é mesmo dizer qualquer coisa.

— E como é que tu conheces sequer o Martin? — pergunto eu, ainda incrédula.

— Silêncio! — silva-nos o técnico de som. Todos o ignoramos.

— Conhecemo-lo numa noite em que saímos com a tua equipa, lembras-te? — diz o Justin. — Mas isto é importante? Não podemos ir para um sítio mais tranquilo, só nós os dois, Tiffy?

Não me lembro dessa noite. Eu quase nunca saía com a equipa, porque o Justin nunca queria ir e não gostava que eu fosse sem ele.

— Não quero ir a lado nenhum contigo, Justin — digo, com uma inspiração profunda e trémula. — E não quero casar contigo. Quero que me deixes em paz.

Tenho imaginado dizer-lhe isto montes e montes de vezes. Sempre achei que ele ia ficar magoado, talvez dar um passo atrás, com o choque, ou tapar a boca com a mão. Imaginei-o a chorar e a tentar puxar-me para si; até tive receio de que tentasse agarrar-me e não me largasse.

Mas ele parece apenas perplexo. Irritado. Talvez um bocado danado da vida, como se tivesse sido terrivelmente enganado e tudo isto fosse bastante injusto.

— Não estás a falar a sério — começa ele.

— Oh, está, sim — intervém o Mo. A sua voz é agradável, mas muito firme.

— Ela está mesmo, mesmo a falar a sério — acrescenta a Rachel.

— Não — diz o Justin, a abanar a cabeça. — Não estás a dar-nos uma oportunidade.

— Uma oportunidade? — Quase me rio. — Voltei para ti vezes sem conta. Tiveste mais oportunidades do que sou capaz de contar. Não quero ver-te. Nunca mais.

Ele franze o sobrolho.

— Disseste-me naquele bar em Shoreditch que podíamos voltar a falar dali a dois meses. Segui as tuas regras — diz ele, estendendo os braços para ambos os lados. — Estamos em outubro, não estamos?

— Muita coisa pode mudar num par de meses. Tenho pensado muito. Tenho recordado muitas coisas.

Lá está outra vez — uma centelha de quase medo nos seus olhos. Ele torna a tentar tocar-me e, desta vez, a Rachel dá-lhe uma bofetada.

— Não o teria dito melhor — resmunga o Mo, levando-nos mais para o meio da confusão de cabos e escuridão enquanto o Justin cambaleia para trás, de olhos arregalados pelo choque.

— Você. Fora daqui — diz firmemente o irado técnico de som ao Justin, identificando-o claramente como a causa de todo este barulho. Dá um passo em frente, obrigando o Justin a recuar mais.

Tendo recuperado o equilíbrio, o Justin estende uma mão à laia de aviso ao técnico de som. Olha para trás, vê a saída, e depois volta a fitar-me.

Por um momento, perco a noção de ter o Mo e a Rachel a meu lado e o técnico de som aqui connosco. Sou só eu e o corpo largo do Justin, de smoking, neste espaço apertado e escuro, o que me faz sentir desesperada, como se estivesse a ficar sem ar. Só dura um ou dois segundos, mas de alguma forma é pior do que tudo o que acabou de acontecer.

Então o Justin afasta-se, passando pelas cortinas para os bastidores com ruído, e eu desato a tremer nos braços da Rachel e do Mo. Ele foi-se embora. Acabou. Mas deixou aquela falta de ar desesperada, e enquanto me agarro aos meus amigos com os dedos suados, sou invadida por um medo súbito e doentio de nunca vir a ser capaz de me livrar dele, por mais vezes que o veja ir-se embora.

62

Leon

Não consigo pensar. Não consigo fazer nada. Sem perceber como, encontro os pés e volto para a sala do tribunal, mas a sensação de sonhar acordado transformou-se numa aura de irrealidade a rodear tudo. Mecanicamente, sorrio ao Richie. Reparo em como tem os olhos brilhantes, em como parece esperançoso. Não sou capaz de sentir o que quer que seja.

Provavelmente é o choque. Não tarda recupero e volto a concentrar-me na audiência. Não acredito que alguma coisa foi capaz de me distrair disto. De repente, sinto-me furioso com a Tiffy, por ter escolhido logo hoje para me dar com os pés e voltar para o Justin, e não consigo deixar de pensar na mãe, que voltava sempre para aqueles homens independentemente do que eu e o Richie lhe disséssemos.

Uma parte do meu cérebro recorda-me que a minha mãe não *queria* estar com aqueles homens, só não achava que pudesse estar em qualquer outro lugar. Achava que não valia nada se estivesse sozinha.

Mas a Tiffy não estava sozinha. Tinha o Mo, a Gerty, a Rachel. Tinha-me a mim.

Richie. Pensa no Richie. O Richie precisa de mim aqui, e não há porra nenhuma que me vá fazer perdê-lo também. Outra vez.

A Gerty está nas conclusões. A custo, consigo ouvi-la — ela é tão boa, que é impossível não seguir o seu argumento. Depois, com uma peculiar falta de cerimónia, acaba. Todos nos levantamos. Os juízes saem. O Richie é levado para de onde quer que o tenham trazido, lançando-nos apenas um olhar melancólico. Atravessamos o tribunal em silêncio, a Gerty a ver coisas no telemóvel, a minha mãe a estalar os dedos sem parar.

A minha mãe olha de esguelha para mim quando chegamos à entrada.

Mãe: Lee, o que se passa?

Depois a Gerty solta um pequeno arquejo. Leva a mão à boca. Com os olhos turvos, de relance, vejo que ela está a assistir ao vídeo no *Facebook*.

Gerty: Oh, meu Deus.

A minha mãe, em alerta: O que aconteceu?

Eu: A Tiffy.

Mãe: A tua namorada? O que é que ela fez?

Gerty: Ela não faria isto!

Eu: Faria. Sabes que as pessoas fazem isso. Voltam. É difícil deixar o que se conhece. Ela não tem culpa. Mas sabes que as pessoas o fazem.

O silêncio da Gerty diz o suficiente. De repente, mais do que de qualquer outra coisa, preciso de me afastar daqui.

Eu: Não vamos ter um veredito durante o fim de semana, pois não?

Gerty: Não, há de ser durante a próxima semana. Ligo-te quando...

Eu: Obrigado.

E ponho-me a andar.

Caminho e caminho. Não consigo chorar, tenho apenas a garganta seca e os olhos a arder. Tenho a certeza de que parte disto é medo pelo Richie, mas só consigo pensar no Justin, de braços estendidos, a gritar «Ela disse que sim» ao público em frenesim.

Revejo cada cena. As notas intermináveis, Brighton, a noite em que comemos bolo no sofá, a ida à festa da Holly, a troca de beijos enquanto encostados contra a salamandra. As minhas entranhas revolvem-se com a memória de como o seu corpo arrefecia quando ela pensava nele, mas depois obrigo-me a ser mais duro — não quero sentir pena dela. Por ora, só quero sentir-me traído.

Mas não consigo evitá-lo. Não consigo deixar de pensar na forma como os joelhos dela tremiam.

Ah, cá vamos nós. As lágrimas. Sabia que haviam de aparecer.

63

TIFFY

O cheiro dos lírios é sufocante. O Mo está a segurar o ramo ao meu lado enquanto nos abraçamos no meio do escuro, com as flores pressionadas contra o meu vestido, a mancharem o tecido com pólen. Quando olho para as manchas na seda reparo que estou a tremer tanto que a saia do vestido vibra.

Não me lembro do que disse o Justin ao certo quando se foi embora. Na verdade, já tenho a impressão de não me lembrar de grande parte da conversa que acabou de acontecer. Talvez tenha sido tudo apenas um sonho surreal, e eu na verdade continue ali entre o público, a perguntar-me se a Katherin irá mencionar-me no seu discurso de agradecimento, e se aqueles rolinhos no prato de canapés serão de pato ou frango.

— E se ele estiver... e se ele ainda estiver ali? — sussurro à Rachel, a apontar para as cortinas pretas por onde o Justin saiu.

— Mo, segura nisto — diz a Rachel. Acho que «isto» se refere a mim.

Ela desaparece por trás da cortina enquanto, no palco, a Katherin se despede da assistência, ao som de aplausos ribombantes.

O Mo segura-me o cotovelo, conforme solicitado.

— Estás bem — sussurra-me.

Não diz mais nada, limita-se a dar-me um daqueles abraços em forma de silêncio que tanto adoro. No mundo do outro lado destas cortinas escuras, o público continua a aplaudir; o som, abafado, faz lembrar chuva forte sobre o asfalto.

— Não podem mesmo estar aqui — insiste o técnico de som, exasperado, quando a Rachel espreita. Ele dá um passo atrás perante o olhar que ela lhe lança. Não o culpo. A Rachel tem a sua cara de batalha, o que lhe dá um ar realmente aterrador.

A Rachel passa por ele sem responder, levantando a saia para passar por cima dos cabos.

— Não há ex-namorados loucos à vista — diz-me, ao voltar para junto de mim.

De repente a Katherin aparece, vinda do palco; quase colide com o Mo.

— Caramba — exclama —, aquilo foi tudo muito dramático, não foi? — Dá-me umas palmadinhas maternais. — Sente-se bem? Parto do princípio de que aquele fosse...

— O ex-namorado acossador da Tiffy — esclarece a Rachel. — E, por falar em acosso... acho que precisamos de trocar umas palavrinhas com o Martin...

— Agora não — imploro, agarrando-lhe o braço. — Fiquem comigo só por um minuto, pode ser?

O rosto dela suaviza-se.

— Está bem. Licença para o pendurar pelos testículos noutra altura?

— Concedida. E blhec.

— Nem *acredito* que ele tenha andado a contar àquele... àquele *sacana* onde tens estado sempre. Devias apresentar queixa, Tiffy.

— Devias mesmo pedir uma ordem de restrição — diz o Mo em voz baixa.

— Contra o Martin? Era capaz de complicar um bocado as coisas no trabalho — replico numa voz fraca.

O Mo limita-se a olhar para mim.

— Sabes a quem me referia.

— Podemos sair deste sítio... escuro e com cortinas? — peço.

— Boa ideia — diz a Katherin. Discretamente, fora da vista da Rachel, o técnico de som acena e revira os olhos. — Quanto a mim, é melhor ir e confraternizar, mas porque não vão na minha limusina?

— Desculpe? — diz a Rachel, a fitá-la.

A Katherin parece encabulada.

— A ideia não foi *minha*. A equipa das relações públicas da Butterfingers é que a arranjou. Está lá fora. Podem levá-la, eu cá não posso ser vista a andar numa coisa dessas com motorista, nunca mais me deixavam entrar no Clube dos Velhos Socialistas.

— Obrigado — diz o Mo, e eu venho por breves instantes à tona do nevoeiro de pânico para me maravilhar com o facto de a diretora de relações públicas ter aberto voluntariamente os cordões à bolsa para uma limusina. Ela é famosa pelos seus orçamentos reduzidíssimos.

— Então agora só precisamos de passar por toda a gente a caminho da saída — diz a Rachel, com a boca a formar uma linha pesarosa.

— Mas primeiro tens de telefonar para a polícia e apresentar queixa do Justin por perseguição — diz-me o Mo. — E tens de lhes contar tudo. Das outras vezes, das flores, do Martin...

Solto um som que é meio resmungo, meio gemido. O Mo faz-me festas nas costas.

— Tiffy, faz lá isso — diz a Rachel, passando-me o seu telemóvel.

Passo por entre a multidão como se fosse outra pessoa. As pessoas não param de me dar palmadinhas nas costas, de me sorrir e de me chamar. A princípio, tento dizer individualmente a cada pessoa: «Eu não disse que sim, não vou casar-me, ele não é meu namorado», mas elas não podem ou não querem ouvir-me, pelo que, à medida que nos aproximamos da porta, deixo de tentar.

A limusina da Katherin está estacionada na esquina. Não é só uma limusina — é uma *longa* limusina. Isto é ridículo. A diretora de relações públicas deve estar prestes a pedir à Katherin que faça algo muito importante a troco de muito pouco dinheiro.

— Olá, desculpe? — diz a Rachel ao condutor através da janela, fazendo uso da sua melhor voz-doce-para-conseguir-atenção-no-bar. — A Katherin disse que podíamos usar esta limusina.

Segue-se uma conversa demorada. Como provavelmente devia ser, o condutor não está disposto a aceitar apenas a nossa palavra em como a Katherin nos deixou usar o carro. Depois de um telefonema breve à própria Katherin, e do regresso do rosto de batalha da Rachel, entramos — graças a Deus. Estou a tremer desalmadamente, mesmo com o casaco do Mo por cima dos ombros.

O interior é ainda mais ridículo do que o exterior. Há sofás longos, um pequeno bar, dois ecrãs de televisão e um sistema de som.

— C'um caraças — exclama a Rachel. — Isto é absurdo. Seria de pensar que poderiam pagar-me mais do que o salário mínimo, não?

Ficamos em silêncio durante algum tempo, enquanto o condutor se afasta do passeio.

— Bem — continua a Rachel. — Acho que todos podemos reconhecer que o dia de hoje sofreu uma reviravolta inesperada.

Não sei porquê, isso faz-me perder as estribeiras. Tapo a cara com as mãos e desato a chorar, encostando a cabeça no forro macio e cinzento do sofá e deixando que os soluços me sacudam o corpo como se fosse uma menina pequena. O Mo aperta-me um pouco o braço num gesto de compaixão.

Ouve-se o som de algo a vibrar.

— Está tudo bem aí atrás? — pergunta o condutor. — Parece que alguém está a ter um ataque de asma!

— Está tudo bem! — responde a Rachel, enquanto eu uivo e chio, com dificuldade em respirar por entre as lágrimas. — A minha amiga acaba de ser encurralada pelo ex-namorado louco em frente a uma multidão de mil pessoas e manipulada de forma a que parecesse que ia casar com ele, e agora está a ter uma reação perfeitamente natural.

Segue-se uma pausa.

— Certo — diz o condutor. — Há lenços por baixo do bar.

Quando chego a casa ligo ao Leon, mas ele não atende. Sob todo o espalhafato louco e ofuscante deste dia, estou desesperada por saber mais do que o que ele me disse na última mensagem: *As coisas no tribunal estão a correr bem*. Quão bem? Será que já acabou? Quando terá o Richie um veredito?

Quero tanto falar com ele... Para ser mais específica, quero aninhar-me no seu ombro e inspirar o seu maravilhoso cheiro de Leon, deixá-lo acariciar-me o fundo das costas como ele costuma fazer, e *depois* falar com ele.

Não consigo acreditar nisto. Não acredito no que o Justin fez. Pôr-me naquela posição, diante de todas aquelas pessoas... O que é que ele terá pensado, que eu ia simplesmente alinhar porque era o que ele queria que eu fizesse?

Em tempos talvez tivesse feito isso, na verdade. Meu Deus, esse pensamento dá-me a volta ao estômago.

E o facto de ter contactado o Martin para se manter a par dos meus passos leva isto a todo um novo nível de perturbação — todos aqueles encontros estranhos nos quais ele me fez pensar que era louca por achar que fossem qualquer outra coisa que não uma coincidência. Tudo tão cuidadosamente planeado e calculado. Mas para *quê*? Se me queria, já me tinha. Eu era dele — teria feito qualquer coisa por ele. Porque me afastou tanto e depois não parou de tentar fazer-me voltar? É só... muito bizarro. Desnecessariamente doloroso.

A Rachel não pôde voltar para o apartamento connosco — vai tomar conta da sobrinha esta noite, passando de cuidar de uma ranhosa chorosa para outra —, mas o Mo prometeu-me que fica comigo, o que é mesmo querido da parte dele. Sinto-me um bocado culpada, porque a verdade é que, neste momento, é o Leon quem eu quero.

Quase me surpreende quão claro é esse pensamento. Quero o Leon. Preciso dele aqui comigo, a remexer-se nervosamente, com o seu sorriso enviesado e a fazer naturalmente com que tudo pareça melhor. Depois da loucura de hoje, dou-me conta, com um novo ímpeto, de que se *assustador bom* por vezes é *mesmo assustador* enquanto aprendo tudo isto das relações outra vez, que importância tem? Se eu ceder a esse medo, se deixar que me faça conter com o Leon, então o Justin fica mesmo a ganhar.

E o Leon vale mesmo a pena um pouco de medo. Vale mesmo. Levo a mão ao telemóvel e volto a ligar-lhe.

64

Leon

Três chamadas perdidas da Tiffy.

Não posso falar com ela. Não quero ouvi-la a justificar-se. Ainda estou a caminhar, sabe Deus para onde — talvez ande às voltas. É certo que me dá a ideia de que estou a ver muitos Starbucks idênticos. Esta parte de Londres é toda esburacada e dickensiana. Paralelepípedos e tijolos encardidos pela poluição, faixas estreitas de céu lá em cima, entre janelas encardidas. Mas não é preciso andar muito para chegar ao mundo luminoso e azul-claro da City. Dobro uma esquina e deparo-me comigo mesmo, espelhado no vidro da sede de uma qualquer firma de contabilidade.

Estou com um ar terrível. Exausto e amarfanhado neste fato — os fatos nunca me assentaram bem. Devia ter-me esforçado mais por me arranjar; sou capaz de prejudicar o Richie. Já basta a mãe, cuja ideia de elegância são umas botas pelo joelho com um salto ligeiramente mais alto.

Faço uma pausa, surpreendido pela malevolência do pensamento. Cruel e preconceituoso. Não gosto que a minha mente tenha conseguido formular este pensamento. Tinha avançado muito para perdoar a minha mãe — ou, pelo menos, julgava que tinha. Mas neste momento basta-me pensar nela para ficar zangado.

Hoje sou apenas um homem zangado. Zangado por me ter alegrado só por alguns juízes acederem a ouvir a história do meu irmão, quando, na verdade, ele nunca deveria ter sido levado para lá por uma guarda prisional. Zangado por ter andado tão preocupado quanto a demonstrar à Tiffy o que sinto, não o ter feito a tempo, e acabar superado por um homem que lhe provoca pesadelos, mas que decerto sabe como fazer um grande gesto romântico. Agora ninguém duvida do que o *Justin* sente. Não há qualquer perigo disso.

Achava mesmo que ela não voltaria para ele. Mas a verdade é que pensamos sempre isso, e elas voltam sempre.

Olho para o telemóvel: o nome da Tiffy aparece no ecrã. Mandou-me uma mensagem. Não sou capaz de a abrir, mas também não aguento a tentação, portanto desligo o telemóvel.

Penso em ir para casa, mas o apartamento está cheio dos pertences da Tiffy — o cheiro dela, as roupas que a vi usar, o espaço negativo à sua volta... E ela há de voltar para casa depois do lançamento — o apartamento é dela esta noite e durante o fim de semana. Por isso, essa hipótese fica riscada. Posso dormir em casa da minha mãe, claro, mas, estranhamente, estou quase tão furioso com ela como com a Tiffy. Além disso, não suporto a ideia de dormir no antigo quarto que partilhava com o Richie. Não posso ir para onde a Tiffy está, não posso ir para onde o Richie não está.

Não tenho para onde ir. Em nenhum sítio irei sentir-me em casa. Limito-me a continuar a caminhar.

A partilha do apartamento. Quem me dera nunca o ter feito. Quem me dera nunca ter aberto a minha vida assim e ter deixado que alguém entrasse nela e a preenchesse. Eu estava bem — estava seguro, ia andando. Agora o apartamento deixou de ser meu, passou a ser *nosso* e, quando ela se for embora, eu só ver a ausência de bolo, de livros sobre trolhas, e daquele maldito pufe de estúpidas cornucópias. Vai ser mais um espaço cheio do que falta. Justamente o que eu não queria.

Talvez ainda possa salvá-la de uma vida com ele. Aceitar um pedido de casamento não é sinónimo irrevogável de que vão casar-se, e ela também não podia propriamente recusar, pois não, com tanta gente a olhar para ela. Sinto uma pontada perigosa de esperança e esforço-me ao máximo por esmagá-la. Recordo a mim mesmo que não é possível salvar os outros — as pessoas só podem salvar-se a si mesmas. O melhor que podemos fazer é ajudá-las quando estão prontas.

Devia comer. Não me lembro da última vez que o fiz. Ontem à noite? Parece-me ter sido há uma eternidade, agora que me apercebi de que estou faminto, e o meu estômago dá horas.

Entro no Starbucks. Passo por duas miúdas a assistir ao vídeo da Tasha Chai-Latte em que o Justin pede a Tiffy em casamento. Tomo um chá com montes de leite, como uma espécie de torrada demasiado cara com montes de manteiga, e fito a parede.

Apercebo-me, quando o empregado a levantar a mesa me lança um olhar curioso e de pena, de que estou a chorar outra vez. Parece que não consigo parar; por isso, não tento obrigar-me a parar. Ao fim de algum tempo, porém, já há mais gente a reparar, e eu fico com vontade de me pôr a andar outra vez, sozinho.

Mais uma caminhada. Estes sapatos elegantes estão a ferir-me a pele do calcanhar. Penso com nostalgia nos sapatos bem gastos que uso no trabalho, na forma simples como me servem e, ao fim de mais ou menos 15 minutos, torna-se claro que já não estou apenas a caminhar, estou a ir na direção de um lugar específico. Há sempre espaço para mais um enfermeiro na unidade de cuidados paliativos.

65

Tiffy

A Gerty está a ligar. Atendo, mal pensando nisso — é por reflexo.

— Estou? — A minha voz soa estranhamente inexpressiva, até a mim.

— Mas qual é a porra do teu problema, Tiffy? Qual é a porra do teu problema?

O choque faz-me chorar outra vez.

— Passa-me cá isso — diz o Mo. Olho para ele enquanto me tira o telemóvel e inspiro abruptamente ao ver a sua expressão. Ele parece mesmo zangado. O Mo nunca parece zangado. — Que raio é que julgas que estás a fazer? — diz ele ao telemóvel. — Ai sim? Viste um vídeo, foi? E não te ocorreu perguntar à Tiffy o que aconteceu? Dar o benefício da dúvida à tua melhor amiga antes de desatares aos berros com ela?

Os meus olhos arregalam-se. Um vídeo? Merda. Que vídeo?

E então percebo. A Tasha Chai-Latte filmou tudo. Foi o Martin que tratou disso, imagino, pelo que o Justin saberia. Não admira que estivesse tão determinado a assegurar-se de que toda a gente percebia a «minha» resposta ao seu pedido — precisava disso para a câmara.

O Martin também me viu com o Leon no castelo em Gales, logo a seguir ao Justin ter ficado desconfiado quando passou pelo apartamento e encontrou o Leon enrolado numa toalha.

— Mo — peço com urgência. — Pergunta à Gerty onde está o Leon.

— Liga-lhe outra vez.

— Tiff, ele continua com o telemóvel desligado — responde-me o Mo com delicadeza.

— Outra vez! — insisto, a andar de um lado para o outro entre o sofá e a cozinha. O meu coração bate tanto que parece que tenho qualquer coisa a tentar passar-me entre as costelas. Não aguento a ideia de que ele tenha visto o vídeo e julgue que estou noiva do Justin. Não aguento.

— O telemóvel continua desligado — diz o Mo, com o meu telemóvel junto à orelha.

— Experimenta ligar do teu. Se calhar bloqueou-me as chamadas. Deve odiar-me.

— Ele não vai odiar-te — diz o Mo.

— A Gerty odiou.

Os olhos do Mo semicerram-se.

— A Gerty tem tendência para julgar as pessoas. Mas está a fazer progressos.

— Bem, o Leon não me conhece suficientemente bem para saber que eu nunca lhe faria isto — digo, a retorcer as mãos. — Ele sabe que eu estava mesmo presa ao Justin, provavelmente deve pensar só que... oh, meu Deus... — Engasgo-me com as lágrimas.

— O que quer que ele pense, tem solução — assegura-me o Mo. — Só precisamos de esperar até ele estar preparado para falar. Também teve um dia puxado no tribunal, com o Richie.

— Eu sei! — disparo. — *Eu sei!* Achas que não sei como era importante o dia de hoje para ele?

O Mo não diz nada. Limpo a cara.

— Desculpa. Não devia descarregar em ti. Tens sido impecável. Estou só zangada comigo.

— Porquê?

— Porque... bem, caramba, andei com ele, não foi?

— Com o Justin?

— Não estou a dizer que o que aconteceu hoje foi culpa minha, sei que não funciona assim, mas não posso deixar de pensar... se ele não me tivesse conquistado, se eu tivesse sido mais forte... nunca teríamos acabado aqui. Quero dizer, caraças. Nenhuma das tuas ex-namoradas tenta obrigar-te a casar e usa isso para acabar com a tua relação atual, pois não? Não que agora tenhas uma relação, mas percebes o que quero dizer.

— Hum — diz ele.

Olho para ele ao mesmo tempo que volto a limpar os olhos. Estou com aquele tipo de choro que faz com que os olhos nunca fiquem secos, vertem água sem parar.

— Não me digas. Tu e a Gerty.

— Adivinhaste? — pergunta o Mo, com um ar profundamente encabulado.

— A Rachel. O radar dela é muito melhor do que o da Gerty, mas não lhe digas... ou melhor, diz-lhe, diz-lhe, que mal faz magoá-la? — replico com azedume.

— Ela está a ligar — diz o Mo, mostrando-me o meu telemóvel.

— Não quero falar com ela.

— Atendo eu?

— Como queiras. A namorada é tua.

O Mo lança-me um olhar demorado enquanto eu me sento de novo no sofá, com as pernas a tremer. Estou a ser infantil, obviamente, mas neste momento em particular, que o Mo tenha ficado com a Gerty dá-me a sensação de que está a pôr-se do lado dela. Quero o Mo do meu lado. Quero gritar com a Gerty. Ela teve a oportunidade de dizer ao Leon que eu nunca lhe faria uma coisa dessas, que ele deveria falar comigo antes de presumir que aquilo era o que parecia, e não o fez.

— A Gerty não consegue encontrar o Leon — diz-me o Mo passado um momento. — Ela quer mesmo falar contigo, Tiffy. Quer pedir-te desculpa.

Abano a cabeça. Não estou preparada para deixar de me sentir zangada só porque ela quer pedir desculpa.

— Solicitou uma consulta jurídica por telefone para falar com o Richie quando ele chegar à prisão — diz o Mo, depois de uma pausa à escuta. Ouço a voz da Gerty do outro lado, sumida e em pânico. — Diz que lhe vai contar o que aconteceu realmente, para o caso de ele usar o telefonema a que tem direito para apanhar o Leon no telemóvel —

na primeira noite, pode ligar-se para qualquer número. Ele só vai dar entrada mais logo, talvez até amanhã de manhã, mas continua a ser a melhor forma de fazer a mensagem chegar ao Leon se ele não vier para casa.

— Amanhã *de manhã*? Ainda nem anoiteceu.

O Mo fica com uma expressão sofrida.

— Acho que, por agora, é a nossa melhor opção.

É ridículo, realmente, que um homem na cadeia com direito a um único telefonema seja a melhor opção para se contactar alguém.

— Ele tem o telefone desligado — respondo num tom apagado. — Não vai responder.

— Há de juntar dois mais dois e voltar a ligá-lo, Tiffy — diz o Mo, ainda com o telemóvel junto à orelha. — Não vai querer perder um telefonema do Richie.

Sento-me na varanda, enroscada debaixo de duas mantas. Uma delas é a de Brixton, que costuma ficar em cima da nossa cama — aquela com que o Leon me aconchegou na noite em que o Justin passou pelo apartamento e o ameaçou.

Sei que o Leon acha que eu voltei para o Justin. Já passei pelo pânico desesperado e agora estou a pensar que ele deveria ter mais fé em mim, porra.

Não que eu a tenha merecido, pensando bem. *Voltei* para o Justin, montes de vezes — contei isso ao Leon. Mas... eu nunca teria começado isto tudo com ele se não sentisse que desta vez era diferente — se não estivesse realmente pronta para deixar essa parte da minha vida para trás. Esforcei-me tanto. Todo aquele tempo a desenterrar as piores memórias, todas as conversas intermináveis com o Mo, a psicoterapia. Eu estava a *tentar*. Mas suponho que o Leon tenha pensado que eu estava simplesmente demasiado quebrada para me consertar.

A Gerty liga-me a intervalos de cerca de dez minutos; ainda não atendi. Ela conhece-me há oito anos. Se estou zangada com o Leon por não ter fé em mim, e ele me conhece há menos de um ano, estou pelo menos oito vezes mais zangada com a Gerty.

Arranco as folhas tristes e amarelecidas da nossa planta envasada na varanda e, com grande esforço, tento não pensar no facto de o Justin saber onde moro. Sei lá como. Provavelmente através do Martin — é bastante fácil obter o meu endereço, tendo acesso à minha secretária e aos recibos de vencimento que os recursos humanos distribuem.

Que inferno. Sabia que havia um motivo para não gostar daquele homem.

Olho para o meu telemóvel, que vibra, dando voltas na nossa pequena e decrépita mesa de exterior. O tampo está coberto de caca de pássaro e daquela camada pegajosa e grossa de pó e sujidade que cobre tudo o que passe algum tempo ao ar livre em Londres. O nome da Gerty pisca no ecrã e, com um acesso de raiva, desta vez atendo.

— O que é? — atiro-lhe.

— Sou terrível — diz a Gerty, a falar muito depressa. — Não acredito no que fiz. Nunca deveria ter partido do princípio de que tinhas voltado para o Justin. Desculpa, lamento mesmo, mesmo muito.

Fico calada, estupefacta. Eu e a Gerty já discutimos muitas vezes, mas ela nunca pediu desculpa assim de chofre, espontaneamente.

— Devia ter acreditado que eras capaz. *Acredito* que és capaz.

— De quê? — pergunto, antes de me ocorrer uma resposta melhor e mais zangada.

— De te afastares do Justin.

— Oh. Isso.

— Tiffy, estás bem? — pergunta-me ela.

— Ora. Nem por isso — respondo, e sinto o lábio inferior a tremer. Mordo-o com força. — Suponho que não...

— O Richie ainda não me telefonou. Sabes como são estas coisas, Tiffy, é capaz de ser meia-noite ainda antes de o passarem da cela de detenção para Wandsworth. E a prisão é bastante decrépita, por isso não quero que fiques com grandes esperanças de que lhe concedam sequer o telefonema, quanto mais a consulta por telefone que me prometeram. Mas, se falar com ele, conto-lhe tudo. Peço-lhe que fale com o Leon.

Olho para as horas no ecrã do telemóvel: são 20 horas da noite agora, e nem acredito na lentidão com que o tempo está a passar, mais parece um pesadelo.

— Estou mesmo, mesmo zangada contigo — digo-lhe, porque sei que não pareço. Pareço apenas triste, cansada, e com vontade de ter a minha melhor amiga.

— Claro que estás. Eu também. Furiosa. Sou a pior. E o Mo também não me fala, se isso ajuda.

— Não ajuda — admito com relutância. — Não quero que sejas uma pária.

— Uma quê? Isso é algum tipo de sobremesa?

— Pária. *Persona non-grata*. Proscrita.

— Oh, não te preocupes, resignei-me a uma vida de desgraça. É tudo o que mereço.

Mantemo-nos num silêncio confortável durante algum tempo. Procuro dentro de mim aquele enorme poço de raiva contra a Gerty, mas parece que se evaporou.

— Odeio mesmo o Justin — digo, infelicíssima. — Sabes que acho que ele fez isto sobretudo para que eu e o Leon nos separássemos? Acho que nem sequer teria casado comigo. Acabaria por me largar outra vez, assim que se assegurasse de que me tinha de novo.

— Esse homem precisa de ser castrado — diz a Gerty com firmeza. — Só te fez mal. Foram muitas as ocasiões em que desejei ativamente que morresse.

— Gerty!

— Não tiveste de ficar a assistir enquanto acontecia — diz ela. — De o ver a expurgar-te de toda a *tiffynidade* que tinhas. Era doentio.

Remexo na manta de Brixton.

— Toda esta confusão fez-me perceber... eu gosto mesmo do Leon, Gerty. Gosto *mesmo* dele — afirmo, limpando os olhos. — Quem me dera que ele ao menos me tivesse perguntado se eu tinha mesmo dito que sim. E... e... mesmo que *tivesse dito*... quem me dera que ele não tivesse simplesmente desistido.

— Só se passou meio dia. Ele está em choque e exausto, depois da sessão em tribunal. Passou meses a imaginar este dia. O Justin, como sempre, tem um sentido de oportunidade assustador. Dá-lhe algum tempo e vais ver que o Leon *desdesiste*.

Abano a cabeça.

— Não sei. Acho que não.

— Tem fé, Tiffy. Afinal, não é o que estás a pedir que ele tenha?

66

Leon

Vagueio de uma ala para outra como se estivesse a assombrar a unidade de cuidados paliativos. Devia ser capaz de me concentrar o suficiente para tirar sangue de uma veia quando até respirar me parece ser um esforço? Mas é fácil — é uma rotina bem-vinda. Eis algo que posso fazer. Leon, Enfermeiro Encarregado, calado mas de confiança.

Ao fim de umas horas, apercebo-me de que estou a rodear a Ala Coral. A evitá-la.

O Sr. Prior está lá, a morrer.

A dada altura, o médico assistente de turno diz que uma dose de morfina na Ala Coral precisa de outra assinatura. Portanto... já não posso continuar a esconder-me. Lá vou eu. Corredores branco-acinzentados, desadornados e riscados, e eu conheço cada centímetro deles, talvez melhor até do que as paredes do meu próprio apartamento.

Paro. Está um homem de fato castanho à porta da ala, com os braços apoiados nos joelhos e a fitar o chão. É estranho ver aqui alguém a esta hora — não há visitas no turno da noite. É bastante velho, de cabelo branco. Familiar.

Conheço aquela postura: é a postura de um homem a Ganhar Coragem. Já adotei aquela pose vezes suficientes do lado de fora das salas para visitas na prisão para saber como é.

A ficha demora um bocado a cair-me — mal estou a pensar, apenas me mexo em piloto automático. Mas aquele homem de cabelo branco a fitar o chão é o Johnny White, o Sexto, de Brighton. Essa ideia parece-me ridícula. JW, o Sexto, é um homem da minha outra vida. Da que estava plena de Tiffy. Mas aqui está ele, portanto... parece que sempre encontrei o Johnny do Sr. Prior, apesar de ele ter demorado algum tempo a admiti-lo.

Deveria sentir-me satisfeito, mas não consigo.

Olho para ele. Aos 92 anos, localizou o Sr. Prior, vestiu o seu melhor fato, e viajou até aqui, vindo da costa. Tudo por um homem que amou há toda uma vida. Está ali sentado, de cabeça baixa como um homem a rezar, à espera de força para enfrentar o que abandonou.

Restam poucos dias ao Sr. Prior. Horas, talvez. Olho para o Johnny White e é como se levasse um murro no estômago. Por que razão adiou tanto aquele momento, porra?

O Johnny White levanta a cabeça e vê-me. Não falamos. O silêncio prolonga-se pelo corredor entre nós.

Johnny White: Já morreu?

A voz sai-lhe rouca, falhando a meio da frase.

Eu: Não. Não chegou tarde demais.

Mas chegou, chegou mesmo. Quanto lhe terá custado fazer esta viagem toda sabendo que era só para se despedir?

Johnny White: Demorei algum tempo a encontrá-lo. Depois de me terem visitado.

Eu: Devia ter dito qualquer coisa.

Johnny White: Sim.

Ele volta a olhar para o chão. Dou um passo em frente, acompanho-lhe o silêncio, sento-me ao lado dele. Lado a lado, examinamos o linóleo arranhado. Não sou eu quem está em causa aqui. Esta história não é minha. Mas... o Johnny White, naquele assento de plástico, de cabeça baixa, é o que a imagem de quem não tenta porque lhe faltou coragem.

Johnny White: Não quero entrar. Estava a pensar ir-me embora, quando o vi.

Eu: Já chegou aqui. Agora só faltam as portas.

Johnny White: Tem a certeza de que ele vai querer ver-me?

Eu: É capaz de não estar consciente, Sr. White. Mas, mesmo assim, não tenho dúvida de que ficará mais contente consigo ali.

O Johnny White levanta-se, sacode as calças do fato, endurece o maxilar cinzelado de Hollywood.

Johnny White: Bem. Mais vale tarde do que nunca.

Sem olhar para mim, limita-se a empurrar as portas duplas. Vejo-as oscilar atrás dele.

Se seguir a intuição, sou o tipo de homem que nunca atravessará aquelas portas. E onde é que isso alguma vez levou quem quer que seja?

Levanto-me. Está na hora de me pôr a andar.

Eu, para o médico assistente: O enfermeiro de serviço assina a autorização da morfina. Eu não estou no meu turno.

Médico assistente: Bem que me tinha perguntado porque não estarias de uniforme. Que raio estás aqui a fazer se não estavas escalado? Vai para casa!

Eu: Sim. Boa ideia.

São 2 da manhã; Londres está imóvel e envolvida em escuridão. Ligo o telemóvel enquanto corro para o autocarro, a sentir a pulsação na garganta.

Chamadas perdidas e mensagens que nunca mais acabam. Fito-as, espantado. Não sei por onde começar. Mas nem preciso de tomar uma decisão, porque mal ligo o telefone ele desata a vibrar, apresentando um número desconhecido de Londres no ecrã.

Eu: Estou?

A minha voz está trémula.

Richie: Oh, foda-se, até que enfim. O guarda está a ficar mesmo irritado. Estou a ligar-te há dez minutos. Tive de lhe dar uma explicação demorada acerca de esta continuar a ser a minha única chamada, porque não atendias. Temos uns cinco minutos de crédito, para que saibas.

Eu: Estás bem?

Richie: Se *eu* estou bem? Estou ótimo, grande parvalhão, para além de estar lixadíssimo contigo... e com a Gerty.

Eu: O quê?

Richie: A Tiffy. Ela não aceitou. O maluco do Justin é que respondeu por ela, não reparaste?

Paro em estado de choque, ainda a dez metros da paragem de autocarro. Eu… não consigo assimilar a informação. Pestanejo. Engulo em seco. Sinto-me um bocado nauseado.

Richie: Pois. A Gerty ligou-lhe e começou a dar-lhe na cabeça por ter voltado para o Justin, mas depois o Mo passou-se com ela. Disse-lhe que era uma amiga terrível por não ter fé suficiente na Tiffy para pelo menos lhe perguntar antes de partir do princípio de que ela tinha voltado para ele.

Encontro a minha voz:

Eu: A Tiffy está bem?

Richie: Estaria bem melhor se pudesse falar comigo, meu.

Eu: Eu já ia a caminho, mas…

Richie: Ias?

Eu: Sim. Tive uma visita do Fantasma do Natal Futuro.

Richie, confuso: Um bocado cedo para esse tipo de coisa, não?

Eu: Bem, sabes o que dizem: todos os anos começa mais cedo.

Encosto-me à paragem de autocarro. Sinto-me estonteado e maldisposto ao mesmo tempo. O que andei eu a *fazer*? Para que é que vim para aqui, desperdiçar este tempo todo?

Eu, tardiamente e com um ímpeto de medo: A Tiffy está segura?

Richie: O Justin ainda anda por aí, se é a isso que te referes. Mas o Mo está com ela e, segundo a Gerty, ele acha que o Justin não deve voltar durante algum tempo: há de ir lamber as feridas e engendrar outro plano. Ele tende a ter um plano para tudo — isso faz parte desta história toda, segundo diz o Mo. Sabes que durante este tempo todo o sacana andou a usar o Marvin, ou lá quem era do trabalho da Tiffy, para obter informação acerca de onde ela estaria?

Eu: Martin. E… oh, que grande porra.

Richie: Isto foi tudo para vos separar, meu. Conseguiu que aquela miúda do *YouTube* gravasse tudo para se assegurar de que tu vias.

Eu: Não consigo... não consigo acreditar que me limitei a assumir que...

Richie: Então, mano, vai só resolver isto, OK? E conta-lhe da mãe.

Eu: Conto-lhe o quê da mãe?

Richie: Não preciso de ser psicólogo para perceber que teres deixado a mãe no tribunal com a Gerty e não voltares para casa dela teve alguma coisa que ver com isto. Olha, eu entendo, meu... ambos temos problemas por resolver em relação à mãe.

O autocarro aproxima-se.

Eu: Não... não tenho bem a certeza da relevância disso?

Richie: Lá porque a mãe voltava sempre para homens que a tratavam como merda, ou encontrava outra versão do mesmo tipo, isso não quer dizer que a Tiffy seja igual.

Eu, automaticamente: A culpa não era da mãe. Era maltratada. Manipulada.

Richie: Pois, pois, eu sei, passas a vida a dizer isso. Mas não torna as coisas mais fáceis quando se tem 12 anos, pois não?

Eu: Tu achas...

Richie: Olha, tenho de desligar. Mas vai lá pedir desculpa à Tiffy, diz-lhe que fizeste merda e que foste criado por uma mãe solteira maltratada, e que basicamente tiveste de criar o teu irmão mais novo sozinho. Isso deve chegar.

Eu: Isso é um bocado... chantagem emocional, não? E achas que ela vai gostar que a compare com a minha mãe?

Richie: Entendo. Está bem. Faz como achares melhor. Mas resolve o assunto e recupera-a, porque aquela mulher é a melhor coisa que alguma vez te aconteceu. Está bem?

67

Tiffy

Esquecemo-nos por completo de comer, e agora são 2h30 da manhã e eu acabo de me lembrar de ter fome. O Mo saiu para ir buscar comida para o jantar. Deixou-me um grande copo de vinho tinto e uma tigela ainda maior de aperitivos que tirou do armário, que tenho praticamente a certeza de que eram do Leon, mas que importa isso — se ele acha que eu lhe virava costas e ia casar com outra pessoa, também pode muito bem achar que sou uma ladra de comida.

Já não sei com quem estou zangada. Estou aqui sentada há tanto tempo que tenho cãibras nas pernas, e passei sensivelmente por todas as emoções possíveis, e agora estão todas misturadas, numa enorme e feia miséria. A única coisa em que consigo pensar com alguma certeza é que *desejava* nunca ter conhecido o Justin.

O meu telemóvel vibra.

É o Leon a telefonar.

Passei a noite inteira à espera de ver o nome dele. Parece que me caiu uma pedra no estômago. Será que falou com o Richie?

— Estou?

— Olá. — A voz dele parece rouca e estranhamente diferente. É como se tivesse perdido toda a energia.

Espero que diga algo mais, fitando o trânsito que passa lá em baixo e deixando que os faróis marquem raios de amarelo e branco nos meus olhos.

— Tenho um enorme ramo de flores na mão — diz o Leon.

Eu não digo nada.

— Achei que precisava de um símbolo físico da enormidade do meu pedido de desculpa — continua ele. — Mas depois apercebi-me de que o Justin também te deixou um ramo enorme, e que as flores até eram muito mais bonitas e caras, e por isso comecei a pensar que flores não seriam assim tão boa ideia. Então, achei que o melhor era só ir a casa e dizer-te em pessoa. Mas depois, quando cheguei, percebi que deixei a chave em casa da minha mãe porque era suposto passar lá a noite. Então teria de bater à porta, o que provavelmente ia assustar-te, dado que tens de lidar com um ex-namorado tresloucado.

Observo carro após carro a passar. É capaz de ter sido a vez em que ouvi o Leon a falar durante mais tempo seguido.

— Então e agora onde é que estás? — acabo por perguntar.

— Olha para o passeio em frente, ao pé da pastelaria.

Já o vejo. A sua silhueta recorta-se contra a luz amarela-viva da tabuleta da pastelaria, de telefone junto à orelha, o outro braço a segurar um ramo de flores. Está de fato — claro, não mudou de roupa desde que saiu do tribunal.

— Imagino que te sintas muito magoada — diz ele.

A sua voz é delicada e faz-me derreter. Recomeço a chorar.

— Lamento imenso, Tiffy. Nunca deveria ter simplesmente presumido que sabia o que tinha acontecido. Precisaste de mim hoje e eu não estive cá para ti.

— *Precisei* mesmo de ti — soluço. — O Mo, a Gerty e a Rachel são espetaculares e eu adoro-os, e têm-me ajudado imenso, mas eu queria-te a *ti*. Tu fazias-me sentir que não importava que o Justin tivesse acontecido. Que gostavas de mim na mesma.

— Gosto. E não importa. — Ele está a atravessar a rua, a vir para este lado do passeio. Já lhe distingo o rosto, as linhas macias e definidas das maçãs do rosto, a curva suave dos lábios. Está a olhar para mim. — Toda a gente me dizia que ia perder-te se não te dissesse o que sinto, e depois aparece o Justin, o rei dos gestos românticos...

— Românticos? — barafusto. — Românticos? E, seja como for, eu não quero malditos gestos românticos! Porque haveria de querer isso? Já tive isso, e foi uma merda!

— Eu sei — diz o Leon. — Tens razão. Devia ter sabido.

— E eu gostava que não estivesses a forçar as coisas... a ideia de me comprometer com uma relação séria assusta-me como o caraças! Quero dizer, vê só o quanto me tem custado *sair* da última!

— Oh — diz ele. — Sim. Isso... pois, estou a ver.

E resmunga qualquer coisa, que parece ser *maldito Richie.*

— Ouço-te sem o telefone, sabes — digo, a falar mais alto para que a minha voz se sobreponha ao barulho do trânsito. — Para além disso, até estou a gostar da desculpa para gritar.

Ele desliga e recua um pouco.

— Gritemos, então!

Semicerro os olhos, e depois liberto-me das mantas, pouso o vinho e os aperitivos e vou até à grade da varanda.

— Uau! — exclama o Leon, baixando tanto a voz que mal percebo as palavras. — Estás incrível!

Olho para mim, um pouco surpreendida ao ver que ainda estou a usar o vestido a revelar os ombros que levei à festa. Sabe Deus como estará o meu cabelo, e a maquilhagem deve estar pelo menos cinco centímetros mais abaixo no meu rosto do que hoje de manhã, mas o vestido *é* bastante espetacular.

— Nada de elogios! — grito-lhe. — Quero estar zangada contigo!

— Pois! Certo! Gritar! — responde o Leon, reajustando a gravata e abotoando o colarinho, como se estivesse a preparar-se.

— Nunca hei de voltar para o Justin! — grito, e depois, porque sabe mesmo bem, tento outra vez: — Nunca hei de voltar para o Justin, foda-se!

O alarme de um carro dispara algures por perto, o que eu sei que é coincidência, mas não deixa de me parecer muito bem: agora só preciso que um gato desate a miar e que caia uma data de caixotes do lixo. Inspiro profundamente e abro a boca para continuar a gritar, mas contenho-me. O Leon levantou uma mão.

— Posso dizer uma coisa? — pergunta ele. — Quero dizer, gritar uma coisa?

Um condutor abranda ao passar por nós, a fitar com interesse o par que berra um com o outro, com dois andares de permeio. Ocorre-me agora que provavelmente o Leon nunca tinha gritado no meio da rua. Fecho a boca, um pouco impressionada, e depois assinto com a cabeça.

— Fiz merda! — berra ele. Pigarreia e tenta um bocado mais alto. — Assustei-me. Sei que não é desculpa, mas tudo isto é assustador para mim. O julgamento. Tu, nós. Não me ajusto bem quando as coisas estão a mudar. Fico...

Cala-se, como se lhe tivessem acabado as palavras, e então algo caloroso cede no meu peito.

— Irrequieto? — sugiro.

À luz do candeeiro de rua, vejo-lhe os lábios a formarem um sorriso enviesado.

— Isso. Boa escolha. — Ele volta a pigarrear, aproximando-se mais da varanda. — Às vezes parece mais fácil ser simplesmente como era antes de ti. Mais seguro. Mas... vê só o que tens sido capaz de fazer. Quão corajosa tens sido. E é assim que eu quero ser. OK?

Apoio as mãos na grade e olho para ele.

— Estás a falar muito aí em baixo, Leon Twomey — grito-lhe.

— Parece que em situações de emergência me torno bastante verboso! — brada ele.

Rio-me.

— Agora não te ponhas com *muitas* mudanças. Gosto de ti tal como és.

Ele sorri. Está despenteado e desalinhadamente elegante no seu fato e, de repente, tudo o que quero é beijá-lo.

— Bem, Tiffy Moore, eu também gosto de ti.

— Diz lá isso outra vez? — atiro-lhe, com uma mão a fazer de funil junto à orelha.

— Gosto mesmo, mesmo de ti! — berra ele.

Uma janela acima de mim abre-se com estardalhaço.

— Mas vocês *importam-se?* — grita o senhor estranho do Apartamento 5. — Estou a tentar dormir! Como é que querem que acorde a horas para fazer os meus exercícios de yoga antigravidade, se me mantém acordado toda a noite?

— Yoga antigravidade! — comento para o Leon, encantada. Desde que me mudei para aqui que me pergunto o que fará todas as manhãs!

— Não deixes que a fama te suba à cabeça, Leon — avisa o senhor estranho do Apartamento 5, e depois leva a mão à janela para a fechar de novo.

— Espere! — chamo-o.

Ele olha para mim.

— Quem és tu?

— Sou a sua outra vizinha. Olá!

— Oh, és a namorada do Leon?

Hesito, mas depois sorrio.

— Sim — respondo com firmeza. — E tenho uma dúvida.

Ele limita-se a olhar para mim, com o ar de um homem à espera para ver o que uma criança pequena fará em seguida.

— O que é que faz com todas as bananas? Sabe... as bananas dos caixotes vazios que ocupam o seu lugar de estacionamento?

Para minha surpresa, o seu rosto rasga-se num sorriso grande e semidesdentado. Parece bastante amigável quando sorri.

— Destilo-as! Dão uma sidra maravilhosa!

E, sem mais, fecha a janela com estrondo.

Eu e o Leon entreolhamo-nos e desatamos a rir em simultâneo. Passado pouco tempo, estou a rir-me tanto que já choro; agarro-me à barriga, com gargalhadas feias e falta de ar, de rosto distorcido.

— Yoga antigravidade! — ouço o Leon a sussurrar, a sua voz quase a perder-se entre o barulho do trânsito. — Sidra de banana!

— Não te ouço — digo, mas não grito, com medo de despertar a ira do senhor estranho do Apartamento 5. — Aproxima-te mais.

O Leon olha em volta e depois recua uns quantos passos.

— Apanha! — diz-me num sussurro teatral, e depois atira-me o ramo enorme.

As flores sobem enviesadas pelo ar, soltando folhas e um ou outro crisântemo, mas, com um salto perigoso e um gritinho guinchado, consigo apanhá-las.

Depois de as segurar convenientemente e de as pousar na mesa, vejo que o Leon desapareceu. Debruço-me da varanda, confusa.

— Onde foste? — chamo.

— Frio! — diz uma voz algures perto de mim.

— E aqui?

— Morno.

— E aqui? Isto não está a ajudar!

Ele está a trepar pela caleira. Desato novamente a rir.

— O que estás a *fazer*?

— A aproximar-me!

— Não te tinha em conta de homem que trepasse caleiras — comento, com um esgar ao vê-lo agarrar-se a outro apoio e içar-se um pouco mais.

— Eu também não — diz ele, virando-se para olhar para mim enquanto tenta arranjar poiso para o pé esquerdo. — É óbvio que realças o que de melhor há em mim.

Ele já está a meros metros de mim; a caleira passa mesmo pela nossa varanda e ele está quase a alcançar a grade.

— Ei! Esses são os meus aperitivos? — pergunta-me, ao mesmo tempo que tateia com uma mão.

Limito-me a fitá-lo.

— Pois, está bem, é justo — concede ele. — Dás-me uma mãozinha?

— Isto é de loucos — digo-lhe, mas, mesmo assim, mexo-me para o ajudar.

Com cuidado, ele deixa um pé a baloiçar, e depois o outro, até ficar pendurado, agarrado à grade da nossa varanda.

— Oh, meu Deus — exclamo. É quase demasiado assustador olhar para ele, mas não posso desviar o olhar, sobretudo porque nesse caso não prestarei atenção se ele se soltar, e essa ideia é muito pior do que ficar a vê-lo ali pendurado, a tentar encontrar um sítio para pôr o pé na base da grade.

Ele iça-se; ajudo-o com o último puxão, a minha mão a agarrar a dele enquanto ele passa para o lado de dentro.

— Pronto! — exclama, a sacudir a roupa. Faz uma pausa, um pouco ofegante, e olha para mim.

— Olá — digo, sentindo me de repente um pouco tímida no meu vestido exuberante.

— Desculpa — diz o Leon num tom suave, abrindo os braços para um abraço.

Encosto-me a ele. O seu fato cheira a outono — esse cheiro de ar livre que se fixa ao cabelo nesta altura do ano. O resto cheira a Leon, tal como eu queria, e enquanto ele me puxa para si, eu fecho os olhos e inspiro-o, a sentir a força sólida do seu corpo contra o meu.

O Mo aparece à entrada, com peixe e batatas fritas num saco de plástico da Something Fishy. Nem sequer o ouvi entrar, e sobressalto-me um pouco, mas, com os braços do Leon à minha volta, a ideia de o Justin aparecer no apartamento não me parece tão aterrorizante.

— Ah — diz o Mo, ao ver-nos juntos. — Então levo o peixe e as batatas fritas para outro lugar, sim?

68

Leon

Eu: Provavelmente não é a altura certa.

Tiffy: Espero bem que estejas a gozar.

Eu: Não estou, mas tenho mesmo esperanças de que me digas que estou enganado.

Tiffy: Estás enganado. Agora é a altura perfeita. Estamos sozinhos, no nosso apartamento, *juntos*. Não pode literalmente tornar-se melhor do que isto.

Fitamo-nos. Ela ainda está a usar aquele vestido incrível. Parece capaz de lhe deslizar dos ombros para o chão com um simples puxão. Estou desesperado por ver se sim. Mas resisto — ela diz que está preparada, mas não foi um dia para sexo de arranca-me-as-roupas. Talvez para sexo lento, amoroso, com-as-roupas-a-permanecerem-no-corpo-durante-um-tempo-enlouquecedor.

Tiffy: Cama?

Aquela voz — exatamente como o Richie a descreveu. Profunda e sexy. E muito mais quando diz coisas como «cama».

Paramos aos pés da cama e voltamo-nos de novo um para o outro. Eu inclino-me para lhe segurar o rosto entre as mãos e beijá-la. Sinto-lhe o corpo a derreter contra o meu enquanto nos beijamos, a tensão a abandoná-la, e recuo para ver que os seus olhos azuis se tornaram fogosos. O desejo é instantâneo, assim que os nossos lábios se tocam, e é preciso um esforço enorme para simplesmente pousar as mãos nos seus ombros nus.

Ela estende a mão para me desapertar a gravata e tirar o casaco. Desabotoa-me a camisa lentamente, beijando-me à medida que os seus dedos se mexem. Ainda há ar entre nós, como se mantivéssemos uma distância respeitosa, apesar de nos estarmos a beijar.

A Tiffy vira-se e afasta o cabelo para que eu lhe abra o fecho do vestido. Em vez disso, pego-lhe no cabelo e puxo-o um pouco enquanto enrolo a melena à volta do meu pulso, e ela geme. Não aguento aquele som. Elimino o espaço entre nós, beijando-lhe os ombros e subindo pelo pescoço até onde o cabelo lhe toca a pele, encostando-me tanto quanto possível até ela se mexer para desapertar o seu próprio fecho.

Tiffy: Leon. Concentra-te. Vestido.

Tiro-lhe o fecho dos dedos e abro-o devagar, mais devagar do que ela queria. A Tiffy remexe-se, impaciente. Recua para mim até as minhas pernas baterem na cama e voltarmos a estar unidos, pele nua e seda.

Por fim, o vestido cai no chão. É quase cinemático — um vislumbre de seda e depois ali está ela, de roupa interior preta e nada mais. Ela vira-se nos meus braços, com os olhos ainda fogosos, e eu faço-a afastar-se para poder olhar para ela.

Tiffy, a sorrir: Fazes sempre isso.

Eu: O quê?

Tiffy: Olhar para mim assim. Quando eu... dispo alguma coisa.

Eu: Quero ver tudo. É demasiado importante para me apressar.

A Tiffy arqueia uma sobrancelha, insuportavelmente sensual.

Tiffy: Não te queres apressar?

Passa os dedos pela parte de cima dos meus boxers. Mergulha a mão, parando a milímetros de onde a quero.

Tiffy: Vais arrepender-te de dizer isso, Leon.

Já me arrependi, assim que ela disse o meu nome. Os seus dedos traçam padrões pelo meu baixo-ventre e depois, com penosa lentidão, chegam à fivela do meu cinto. Depois de me abrir o fecho, dispo as calças do fato e livro-me das meias, ciente dos seus olhos, a seguirem-me como os de um gato. Quando me mexo para a puxar de novo para mim, ela encosta uma mão firme ao meu peito.

Tiffy, num tom rouco: Cama.

Aquele ar entre nós regressa por um instante; passamos automaticamente para os nossos velhos lados da cama. Ela fica no esquerdo, eu no direito. Observamo-nos um ao outro enquanto nos metemos debaixo das cobertas.

Deito-me de lado, a olhar para ela. Tem o cabelo espalhado sobre a almofada e, embora esteja debaixo do edredão, pressinto o quão nua está, quanto dela há para tocar. Coloco a mão no espaço entre nós. Ela agarra-a, transpondo a linha que desenhámos em fevereiro, e beija-me os dedos, depois desliza-os entre os lábios, e de repente o espaço desapareceu e ela está colada a mim, onde deveria estar, pele contra pele, e nem um milímetro entre nós.

69

Tiffy

— Já me viste nua. Já fizeste o que querias comigo. E *continuas* a olhar para mim dessa maneira.

O sorriso dele transforma-se naquela lindíssima coisa enviesada, o sorriso que me apanhou há tantas semanas em Brighton.

— Tiffany Moore — diz ele —, tenho toda a intenção de continuar a olhar para ti assim por muitas luas vindouras.

— Muitas luas!

Ele acena solenemente.

— Que encantador e engenhosamente indefinido da tua parte.

— Bem, algo me disse que uma sugestão de um compromisso a longo prazo era capaz de te fazer desatar a fugir.

Penso nisso, voltando a apoiar a cabeça no seu peito.

— Percebo o que dizes, mas, na verdade, isso parece ter-me deixado só curiosamente quente e reconfortada.

Ele nada diz, limita-se a beijar-me o alto da cabeça.

— E eu também não seria capaz de correr lá muito.

— Mas um bocadinho, talvez? Podias correr um bocadinho.

— Bem — digo eu, virando-me de barriga para baixo e apoiando-me nos cotovelos. — Não tenho o menor interesse em correr um bocadinho. Gosto do plano das muitas luas. Acho que é... então, mas tu estás a ouvir-me, sequer?

— Sim? — tenta ele, erguendo o olhar. Sorri. — Desculpa. Conseguiste distrair-me até de ti mesma.

— E eu aqui a pensar que eras *indistraível.*

Ele beija-me, com a mão a mover-se para desenhar círculos fortes no meu seio.

— Claro. *Indistraível* — diz ele. — E *tu* és...

Já não consigo pensar direito.

— O que tu quiseres?

— Ia dizer «excelentemente fácil de distrair».

— Desta vez vou fazer-me de difícil.

Ele faz qualquer coisa com a mão que nunca ninguém me tinha feito. Não faço ideia do que esteja a acontecer, mas parece envolver o polegar dele, o meu mamilo e umas cinco mil pontadas ardentes de sensação.

— Vou lembrar-te disso daqui a dez minutos — diz o Leon, beijando-me o pescoço.

— Estás todo *convencido*.

— Estou feliz.

Afasto-me para olhar para ele. Apercebo-me de que começam a doer-me as bochechas, e acho que é mesmo de tanto sorrir. Quando contar isso à Rachel, sei exatamente o que ela vai fazer: enfiar um dedo na boca e fingir que vomita. Mas é verdade — apesar de tudo o que aconteceu hoje, estou doentia e estonteadamente feliz.

Ele fita-me de sobrancelhas arqueadas.

— Não tens uma resposta na ponta da língua?

Arquejo quando os seus dedos me percorrem a pele, traçando padrões que não sou capaz de seguir.

— Estou a trabalhar nisso... dá-me só... um minuto...

Enquanto o Leon está no duche, escrevo a nossa lista de afazeres do dia seguinte e afixo-a na porta do frigorífico.

Diz o seguinte:

1) *Fazer um grande esforço por não pensar no veredito dos juízes.*
2) *Conseguir uma ordem de restrição.*
3) *Falar com o Mo e a Gerty acerca de, bem, do Mo e da Gerty.*
4) *Comprar leite.*

Remexo-me, nervosa, à espera que ele apareça, e depois desisto e pego no telemóvel. Vou só ter de ficar atenta ao duche.

— Estou? — ouve-se a voz abafada da Gerty do outro lado.

— Olá!

— Oh, graças a Deus — exclama a Gerty, e quase a ouço a deixar-se cair de novo nas almofadas. — Tu e o Leon resolveram as coisas?

— Sim, resolvemos as coisas.

— Oh, e foste para a cama com ele?

Sorrio.

— O teu radar está outra vez a funcionar.

— Então não dei cabo de tudo?

— Não deste cabo de tudo. Se bem que, para que fique claro, teria sido o Justin quem teria dado cabo de tudo, não tu.

— Meu Deus, como estás benevolente. Usaram proteção?

— Sim, mãezinha, usámos proteção. E tu e o Mo usaram proteção quando fizeram as pazes esta manhã? — pergunto numa voz doce.

— Não vás por aí — diz a Gerty. — Já é suficientemente mau que eu tenha de pensar no pénis do Mo, não devias ter de fazer o mesmo.

Rio-me.

— Podemos tomar café amanhã, só nós os três? Quero saber como é que vocês começaram. Vagamente, e sem detalhes penianos.

— E falar sobre como obter uma ordem de restrição? — sugere ela.

— É a Tiffy? — ouço o Mo ao fundo.

— Que querido ele ouvir a expressão «ordem de restrição» e pensar em mim — digo, com o coração a abater-se um pouco com a mudança de assunto. — Mas sim. Devíamos falar disso.

— Sentes-te segura?

— Estamos outra vez a falar de contraceção?

— Tiffy. — A Gerty nunca tolerou as minhas artes de deflexão. — Sentes-te segura no apartamento?

— Com o Leon aqui, sim.

— OK. Bom. Mas, mesmo assim, precisamos de falar sobre pedir uma imposição de proibição de contacto para te proteger antes da audiência.

— Uma... Espera, há uma audiência?

— Deixa-a pensar, coitada — diz o Mo. — Fico contente por tu e o Leon estarem outra vez bem, Tiffy! — exclama.

— Obrigada, Mo.

— Matei-te a alegria? — pergunta a Gerty.

— Um bocadinho. Mas não faz mal. Ainda tenho de ligar à Rachel.

— Isso, vai lá discutir todos os pormenores sórdidos com a Rachel — diz ela. — Tomamos café amanhã, manda uma mensagem a dizer onde e quando.

— Até amanhã — despeço-me, e depois desligo e fico à escuta.

O duche *continua* a correr. Telefono à Rachel.

— Sexo? — pergunta-me assim que atende.

Rio-me.

— Não, obrigada, já estou servida.

— Eu *sabia!* Fizeram as pazes?

— E bem — digo, num tom exageradamente sensual.

— Pormenores! Pormenores!

— Conto-te como deve ser na segunda. Mas... descobri que as minhas mamas têm passado toda a minha vida adulta com um papel bem menos importante do que podiam ter tido.

— Ah, sim — responde a Rachel, sapiente. — Um problema comum. Sabes que há...

— Chiu! — sibilo. O duche parou. — Tenho de desligar!

— Não me deixes assim pendurada! Ia contar-te tudo sobre os mamilos!

— O Leon vai achar muito estranho que eu tenha ligado aos meus melhores amigos a seguir ao sexo — sussurro. — Ainda estamos no começo. Tenho de fingir que sou normal.

— Está bem, mas vou marcar uma reunião de duas horas na segunda-feira de manhã subordinada ao tema: Introdução às Mamas.

Desligo e logo a seguir o Leon entra enrolado na sua toalha, com o cabelo escuro para trás, os ombros a brilharem com gotas, e para a examinar a minha lista de afazeres.

— Parece exequível — diz ele, abrindo a porta do frigorífico para tirar de lá o sumo de laranja. — Como estão a Gerty e a Rachel?

— O quê?

Ele olha para trás e sorri.

— Queres que volte para o duche? Calculei que só precisava de te dar tempo para dois telefonemas, já que a Gerty estaria com o Mo.

Sinto as faces a corar.

— Oh, eu... hã...

Ele debruça-se, de sumo de laranja na mão, e beija-me.

— Descontrai — diz ele. — Tenciono permanecer numa ignorância feliz acerca do quanto partilhas com a Rachel.

— Não te preocupes, quando eu acabar de a pôr a par, ela há de pensar que és um deus entre os homens — digo-lhe, descontraindo e pegando no sumo de laranja.

Ele faz um esgar.

— E será capaz de voltar a olhar-me para a cara?

— Claro. Mas é capaz de optar por olhar para outro lado.

70

Leon

O fim de semana passa numa nuvem de prazer culpado. A Tiffy mal sai dos meus braços, exceto para ir tomar café com a Gerty e o Mo. Tinha razão quanto a termos de contornar alguns estímulos; perdi-a por breves momentos para uma má memória no sábado de manhã, mas já estou a aprender a ajudá-la a voltar. Isso é bastante satisfatório.

Ela está definitivamente mais nervosa acerca do Justin do que dá a entender — arranjou um esquema altamente elaborado de é-preciso--comprar-leite-que-pesa-muito para que eu fosse ter com ela ao café e a acompanhasse de volta a casa. Quanto mais depressa conseguirmos a tal ordem de restrição, melhor. Instalei novas fechaduras enquanto ela saiu e arranjei a porta da varanda, só para fazer qualquer coisa.

Estou de folga na segunda, pelo que a acompanho ao metro e depois faço para mim mesmo um salteado elaborado que leva morcela e espinafres.

Estar sozinho não é bom. Estranho — normalmente, sou grande adepto de estar sozinho. Mas quando a Tiffy não está, sinto a sua ausência como um dente em falta.

Por fim, depois de muito andar para trás e para a frente sem olhar para o meu telemóvel, ligo à minha mãe.

Mãe: Leon? Querido? Estás bem?

Eu: Olá, mãe. Estou bem. Desculpa ter-te deixado daquela maneira na sexta.

Mãe: Não faz mal. Estávamos todos enervados, e com a tua namorada a decidir casar com aquele tipo... Oh, Lee, deves estar destroçado!

Ah, claro — quem teria posto a mãe ao corrente?

Eu: Foi tudo um mal-entendido. A Tiffy tem, hum, um ex-namorado que é uma má peça. Era ele. Ela não aceitou realmente o pedido de casamento, ele só tentou obrigá-la a isso.

Um arquejo dramático e telenovelesco do outro lado do telefone. Esforço-me muito por não o achar irritante.

Mãe: Coitadinha!

Eu: Sim, bem, ela está bem.

Mãe: Foste atrás dele?

Eu: Atrás dele?

Mãe: Do ex! Depois do que ele fez à tua Tiffy!

Eu: ... O que estás a sugerir, mãe?

Decido não lhe dar tempo para responder.

Eu: Estamos a tratar de arranjar uma ordem de restrição.

Mãe: Oh, sim, essas resultam imenso.

Pausa incómoda. Porque razão acharei tão difíceis estas conversas?

Mãe: Leon.

Espero. Remexo-me. Olho para o chão.

Mãe: Leon, tenho a certeza de que a tua Tiffy não tem nada que ver comigo.

Eu: O quê?

Mãe: Foste sempre um doce, ao contrário do Richie, com o tanto que gritava e fugia e tudo, mas eu sei que detestavas os tipos com quem eu andava. Quero dizer, eu também acabava por odiá-los, mas tu detestava-los desde o início. Sei que... sei que dei um exemplo terrível.

Sinto-me profunda e absolutamente desconfortável.

Eu: Não faz mal, mãe.

Mãe: Estou mesmo a resolver a vida agora, Lee.

Eu: Eu sei. E a culpa não foi tua.

Mãe: Sabes, acho que quase acredito nisso.

Faço uma pausa. Penso.

Eu também quase acredito. Quem diria: dizendo uma coisa vezes suficientes, esforçando-nos o suficiente, talvez isso acabe por se arreigar.

Eu: Adoro-te, mãe.

Mãe: Oh, querido. E eu a ti. E vamos recuperar o nosso Richie, e vamos cuidar dele, não vamos, como sempre?

Eu: Exatamente. Como sempre.

Ainda é segunda-feira. A segunda-feira é interminável. Detesto dias de folga — o que é que as pessoas fazem nos dias de folga? Só penso: julgamento, unidade de cuidados paliativos, Justin, julgamento, unidade de cuidados paliativos, Justin. Até os pensamentos calorosos e agradáveis sobre a Tiffy têm dificuldade em manter-me à tona.

Eu: Olá, Gerty, é o Leon.

Gerty: Leon, ainda não há notícias. Os juízes não nos chamaram para ouvirmos o veredito. Se os juízes nos chamarem para ouvirmos o veredito, eu telefono-te, e tu ficarás a saber. Não precisas de me ligar para verificar.

Eu: Certo. Claro. Desculpa.

Gerty, cedendo: Desconfio que vá ser amanhã.

Eu: Amanhã.

Gerty: É como hoje, mas mais um.

Eu: Hoje mais um. Sim.

Gerty: Não tens um hobby nem nada?

Eu: Nem por isso. Limito-me basicamente a trabalhar a toda a hora, regra geral.

Gerty: Bem, moras com a Tiffy. Não há de faltar material de leitura relacionado com tempos-livres. Vai ler um livro sobre croché ou como construir coisas a partir de cartão ou qualquer coisa assim.

Eu: Obrigado, Gerty.

Gerty: Não tens de quê. E para de me ligar, estou muito ocupada.

Ela desliga. Ainda é um pouco desconcertante quando faz isto, por mais vezes que já o tenha suportado.

71

Tiffy

Não acredito que o Martin tenha tido tomates para vir trabalhar. Sempre o achei um cobarde, mas, na verdade, dos dois, pareço ser eu a mais nervosa quanto a encará-lo. É como... falar com um representante do Justin. O que é francamente aterrador, por mais que eu diga ao Leon que me sinto bem. O Martin, por outro lado, pavoneia-se como de costume, a vangloriar-se do êxito que foi a festa. Suponho que provavelmente ainda não saiba que eu sei.

Reparo que ainda não mencionou o pedido de casamento. Ninguém no escritório o fez. A Rachel informou todos de que eu não fiquei realmente noiva, o que me poupou, pelo menos, a uma manhã a defender-me de gente a dar-me os parabéns.

Rachel [10:06]: Eu podia só ir ter com ele, dar-lhe um pontapé nos tomates e acabava-se a história.

Tiffany [10:07]: Tentador.

Tiffany [10:10]: Não sei porque é que estou a ser tão mariquinhas. Ontem tinha esta conversa completamente planeada. A sério, tinha algumas frases curtas *brutais,* prontas para lhe atirar. E agora foram-se e eu estou a passar-me um bocado.

Rachel [10:11]: O que achas que diria a Pessoa Que Não É o Mo?

Tiffany [10:14]: A Lucie? Havia de me dizer que é natural ficar passada depois do que aconteceu na sexta-feira, imagino. E que falar com o Martin talvez se pareça um pouco com confrontar o Justin.

Rachel [10:15]: Certo, isso eu percebo, só que... o Martin é o Martin. O Martin magricela, mesquinho e malicioso. Que me pontapeia a cadeira e te ataca em reuniões e que lambe as botas da diretora de relações públicas como se fossem a cara da Megan Fox.

Tiffany [10:16]: Tens toda a razão. Como poderia eu estar com medo do Martin?

Rachel [10:17]: Queres que vá contigo?

Tiffany [10:19]: Será patético se eu disser que sim?

Rachel [10:20]: Vou ganhar o dia.

Tiffany [10:20]: Então, sim. Por favor.

Esperamos até a reunião matinal da equipa terminar. Ranjo os dentes ao longo de todos os elogios grandiosos que o Martin recebe pela festa no sábado. Sou alvo de uns quantos olhares curiosos, mas tudo é disfarçado. Não deixo de corar de vergonha. Detesto que toda a gente nesta sala saiba que tenho um drama com um ex-namorado. Aposto que andam todos a engendrar razões estapafúrdias para eu já não estar noiva, e aposto que nenhum deles chegou à verdade.

A Rachel agarra-me a mão e aperta-a com força; depois empurra-me um pouco na direção do Martin enquanto ele arruma o seu caderno e outros papéis.

— Martin, podemos falar? — pergunto.

— Não é boa altura, Tiffy — diz ele, com o ar de pessoa muito importante que raramente tem tempo para reuniões espontâneas.

— Martin, companheiro, ou entras nesta sala de reuniões connosco ou adotamos o *meu* plano, que era dar-te um pontapé nos tomates à frente de toda a gente — diz a Rachel.

Um vislumbre de medo perpassa-lhe o rosto, e a minha ansiedade evapora-se. No seu lugar, sinto um arroubo de raiva. Olhem só para ele. Como já suspeita que sabemos, está a recuar. De repente, mal posso esperar por ouvir a treta que vai inventar.

A Rachel encaminha-o para a sala de reuniões que está livre e tem porta, fechando-a depois de todos entrarmos. Encosta-se a ela, de braços cruzados.

— O que é que se passa? — pergunta o Martin.

— E se tentasses adivinhar, Martin? — digo-lhe. A minha voz soa surpreendentemente ligeira e agradável.

— Não faço mesmo ideia — balbucia ele, afastando o cabelo da testa. — Há algum problema?

— E se houver, quanto tempo vai o Justin demorar a saber? — pergunto-lhe.

O Martin corresponde-me ao olhar. Parece um gato encurralado.

— Não sei o que é que tu... — tenta ele.

— O Justin contou-me, Martin. Ele é assim, imprevisível.

O Martin vai-se abaixo.

— Olha, eu estava a tentar ajudar-vos — diz ele. — Ele entrou em contacto comigo por causa do nosso apartamento em fevereiro, disse-me que estava a ajudar-te a procurar um lugar onde ficar e fez um acordo connosco para podermos oferecer-te o quarto que tínhamos livre por 500 libras por mês.

Em *fevereiro*? C'um caraças.

— Como é que ele sabia sequer quem tu eras?

— Somos amigos no *Facebook* há séculos. Acho que ele me adicionou quando vocês começaram a namorar a sério... na altura achei que ele estava a ver com que homens trabalhavas, sabes, que fosse do tipo protetor. Mas publiquei o anúncio do quarto e foi então que ele entrou em contacto.

— Quanto é que te ofereceu?

— Disse que pagaria o restante — diz o Martin. — Eu e a Hana achámos que era muito querido da parte dele.

— Oh, o Justin é assim — digo, por entre dentes cerrados.

— E depois, quando não aceitaste o quarto, ele pareceu ficar tão em baixo. Começámos a conversar quando ele apareceu para discutir o acordo, e depois ele perguntou-me se lhe podia escrever de vez em quando só para saber como estavas e o que andavas a fazer, para ele não se preocupar.

— E isso não te pareceu, não sei, profundamente *sinistro*? — pergunta a Rachel.

— Não! — O Martin abana a cabeça, em pânico. — Não me pareceu sinistro. E ele não me pagava nem nada: a única vez que aceitei dinheiro dele foi para que a Tasha Chai-Latte fosse à festa e filmasse, OK?

— Aceitaste *dinheiro* dele para perseguir a Tiffy? — exclama a Rachel, visivelmente a inchar de raiva.

O Martin encolhe-se.

— Espera lá. — Levanto as mãos. — Volta ao início. Ele pediu-te que, de vez em quando, lhe dissesses onde eu estava. Então foi assim que ele soube que eu estaria naquele lançamento em Shoreditch, e também naquele cruzeiro?

— Suponho que sim — diz o Martin.

Ele mexe-se para a frente e para trás como uma criança a precisar de ir à casa de banho, e eu dou por mim a começar a ter alguma pena dele, que esmago de imediato, porque a única coisa que me permite avançar por esta conversa é uma raiva cega.

— E a ida a Gales para a sessão fotográfica? — pergunto.

O Martin começa a suar.

— Eu, ah, ele ligou-me acerca disso depois de eu lhe ter mandado uma mensagem a dizer onde estarias... — Estremeço. É tão sujo, que só quero ir já tomar um duche. — E ele perguntou-me pelo tipo que ias levar para ajudar como modelo. Dei-lhe a descrição física que tu me tinhas dado. Ele ficou muito calado e pareceu-me muito perturbado. Disse-me que ainda te amava, que conhecia esse tipo e que ele ia dar cabo de tudo...

— Por isso passaste o fim de semana inteiro a interferir.

— Pensava que estava a ajudar!

— Bem, seja como for, foste uma nódoa, porque nos escapulimos e curtimos na cozinha às 3 da manhã, por isso TOMA — digo.

— Estás a correr o risco de perder a superioridade moral, Tiffy — diz a Rachel.

— Certo, certo. Então, informaste o Justin quando voltámos?

— Sim. Ele não ficou lá muito satisfeito com a forma como eu tinha gerido as coisas. De repente, senti-me mesmo mal, sabem? Não tinha feito o suficiente.

— Oh, aquele homem *tem talento* — diz a Rachel em voz baixa.

— Seja como for, depois ele quis planear um pedido de casamento em grande. Era tudo muito romântico.

— Sobretudo a parte em que te pagou para pores a Tasha Chai-Latte a filmar — digo.

— Ele disse que queria que o mundo inteiro visse! — protesta o Martin.

— Ele queria que o *Leon* visse. Quanto é que isso custou, afinal? Eu devia ter percebido que não podia fazer parte do orçamento do livro.

— Quinze mil — diz o Martin, encabulado. — E dois para mim, pela organização.

— Dezassete mil libras?! — guincha a Rachel. — Meu Deus!

— E sobrou um bocado, por isso arranjei aquela limusina à Katherin, só para o caso de isso a persuadir a dar aquela entrevista ao Piers Morgan. Achei só... que o Justin devia amar-te mesmo — diz o Martin.

— Não, não achaste — digo-lhe num tom seco. — Isso não te importava nada. Só querias que o Justin gostasse de ti. Ele tem esse efeito em muita gente. Contactou-te desde que me pediu em casamento?

O Martin abana a cabeça, com um ar nervoso.

— Calculei, pela forma como deixaste a festa, que não tinha corrido exatamente como ele esperava. Achas que ele vai estar lixado comigo?

— Se eu acho... — Inspiro fundo. — Martin. Não me interessa se o Justin está lixado contigo. Em breve, levarei o Justin a tribunal por perseguição ou assédio, depois de a minha advogada decidir o que prefere.

O Martin fica ainda mais pálido do que habitualmente, o que é dizer muito. Fico surpreendida por não poder ver o quadro branco através dele.

— Por isso, Martin, estarias preparado para prestar depoimento? — pergunto-lhe de chofre.

— O quê? Não!

— Porque não?

— Bem, é... isto seria *muito* embaraçoso para mim, e trata-se de uma altura mesmo importante no trabalho...

— És um homem muito fraco, Martin — digo-lhe.

Ele pestaneja. O seu lábio inferior treme um pouco.

— Vou pensar nisso — acaba por dizer.

— Bom. Vemo-nos em tribunal, Martin.

Saio da sala com a Rachel atrás de mim, e enquanto me encaminho para a minha secretária, sinto-me em alta. Sobretudo porque a Rachel vem a trautear, discreta mas inconfundivelmente, a música *Eye of the Tiger* à medida que avançamos pelo escritório.

O mundo parece um lugar ligeiramente mais luminoso depois da confrontação com o Martin. Endireito-me mais e concluo que não estou envergonhada pelo que aconteceu na festa. Então o meu ex-namorado pediu-me em casamento e eu recusei — e depois? Isso não tem nada de mal. Na verdade, a Ruby dá-me uma palmada silenciosa na mão quando passo a caminho da casa de banho a meio da tarde e, com a Rachel a enviar-me canções sobre superioridade feminina a cada 15 minutos, começo a sentir-me bastante... empoderada em relação a tudo isto.

É preciso um esforço enorme para me concentrar no trabalho, mas lá acabo por conseguir: estou a pesquisar uma nova tendência na cobertura de queques quando recebo a chamada. Quase de imediato, apercebo-me de que vou lembrar-me para sempre deste site sobre bicos para sacos de pasteleiro. É esse tipo de telefonema.

— Tiffy? — diz o Leon.

— Sim?

— Tiffy...

— Leon, estás bem? — O meu coração está a latejar.

— Ele saiu.

— Ele...

— O Richie.

— Oh, meu Deus. Diz lá isso outra vez.

— O Richie saiu da prisão. Inocente.

Solto um guincho que faz com que toda a gente do escritório me fite. Faço uma careta e cubro o telefone por um instante.

— Uma amiga ganhou a lotaria! — boquejo à Francine, a abelhuda mais próxima, e deixo que se encarregue de espalhar a notícia. Se não cortar o mal pela raiz, todos hão de pensar que estou noiva outra vez.

— Leon, nem sei o que... pensava mesmo que só saberíamos do veredito amanhã!

— Eu também. A Gerty também.

— Então... ele está só... cá fora? No mundo? Meu Deus, não consigo imaginar o Richie no mundo! Como é que ele é, já agora?

O Leon ri-se e o som mexe comigo.

— Ele vai lá a casa logo. Vais poder conhecê-lo pessoalmente, por fim.

— Isto é inacreditável.

— Eu sei. Nem consigo... Continuo a pensar que é um sonho.

— Nem sei o que dizer. Onde é que estás agora? — pergunto, a saltitar na cadeira.

— No trabalho.

— Não tinhas o dia de folga?

— Estava com bicho-carpinteiro. Queres passar por cá quando te despachares? Não faz mal se for muito fora de mão, eu chego a casa pelas 19 horas, só pensei que...

— Estou aí às 17h30.

— Na verdade, eu é que devia ir ter contigo...

— Eu consigo ir sozinha. A sério: tive um dia bom, sou capaz. Vejo-te às 17h30!

72

Leon

Vagueio pelas alas, a verificar fichas, a administrar fluidos. A falar com pacientes e a admirar-me por conseguir parecer normal e falar de outra coisa para além do facto de o meu irmão voltar finalmente para casa.

Casa.

O Richie vem para casa.

Passo o tempo a afastar-me desse pensamento, como sempre tive de fazer — a minha mente passa pelo Richie de novo na minha vida e depois salta para longe, como se tivesse tocado em algo quente, porque eu nunca me permitia terminar esse pensamento. Era demasiado doloroso. Demasiado esperançoso.

Só que agora é real. Vai ser real, daqui a poucas horas.

Ele vai conhecer a Tiffy. Eles vão conversar, tal como fazem ao telefone, mas frente a frente, com canecas de chá, no meu sofá. É mesmo demasiado bom para ser verdade. Até me lembrar de que ele nunca deveria ter sido encarcerado, claro, mas nem esse pensamento consegue apagar a euforia.

Estou na cozinha da unidade de cuidados paliativos a fazer chá quando ouço o meu nome, várias vezes repetido, muito alto e cada vez mais alto.

Tiffy: Leon! Leon! Leon!

Viro-me mesmo a tempo. Ela lança-se contra mim, com o cabelo ensopado da chuva, as faces coradas e um grande sorriso.

Eu: Ena!

Tiffy, muito perto do meu ouvido: Leon Leon Leon!

Eu: Au!

Tiffy: Desculpa. Desculpa. É só que...

Eu: Estás a *chorar*?

Tiffy: O quê? Não.

Eu: Estás. És inacreditável.

Ela pestaneja a olhar para mim, surpreendida, com os olhos cheios de lágrimas felizes.

Eu: Nem sequer conheces o Richie.

Ela enlaça o braço no meu e puxa-me até à chaleira.

Tiffy: Bem, conheço-te a *ti*, e o Richie é o teu irmãozinho.

Eu: Só para te avisar, fica sabendo que não é assim tão pequeno.

A Tiffy deita a mão ao armário das canecas e tira de lá duas, depois percorre as saquetas de chá e verte a chaleira como se passasse a vida nesta cozinha.

Tiffy: E, seja como for, sinto que o conheço. Conversámos montes de vezes. Não é preciso estar com uma pessoa frente a frente para a conhecermos.

Eu: Por falar nisso...

Tiffy: Onde é que vamos?

Eu: Anda. Quero mostrar-te uma coisa.

Tiffy: Os chás! Os chás!

Paro e espero enquanto ela adiciona leite dolorosamente devagar. Lança-me um pequeno olhar descarado por cima do ombro; fico logo com vontade de a despir.

Eu: Estamos preparados?

Tiffy: Pronto. Estamos preparados.

Ela passa-me uma caneca e eu aceito-a, bem como a mão que ma ofereceu. Quase toda a gente por quem passamos nos diz: «Oh, olá, Tiffy!», ou: «Deves ser a Tiffy!», ou: «Oh, meu Deus, o Leon *tem* mesmo uma namorada!», mas eu estou demasiado bem-disposto para o achar irritante.

Puxo a Tiffy quando ela se prepara para abrir a porta da Ala Coral.

Eu: Espera, espreita só pela janela.

Ambos nos inclinamos.

O Johnny White não se afastou da cabeceira da cama desde o fim de semana. O Sr. Prior está a dormir, mas, mesmo assim, a sua mão de pele ressequida e manchada pelo sol repousa na palma da mão do Johnny White. Já passaram três dias inteiros juntos — mais do que o JW poderia ter esperado.

Vale sempre a pena atravessar aquelas portas.

Tiffy: O Johnny White, o Sexto, era o verdadeiro Johnny White? Será que este é literalmente o melhor dia de sempre? Será que houve alguma proclamação? Um elixir no pequeno-almoço de toda a gente? Um prémio na caixa dos cereais?

Dou-lhe um beijo firme na boca. Atrás de nós, um médico assistente diz a outro: «Incrível... sempre assumi que o Leon não gostava de ninguém que não tivesse uma doença terminal!»

Eu: Acho que é só um dia bom, Tiffy.

Tiffy: Bem, acho que já o merecíamos todos há um bom tempo.

73

Tiffy

— OK, que tal estou?

— Descontrai — diz o Leon, deitado na cama, com um braço atrás da cabeça. — O Richie já te adora.

— Vou conhecer um membro da tua família! — protesto. — Quero estar com bom aspeto. Quero parecer... esperta e linda e espirituosa, e talvez canalizar um pouco da Sookie das primeiras temporadas de *Gilmore Girls*?

— Não faço ideia do que estás a falar.

Bufo.

— Pronto. Mo!

— Sim? — responde ele, da sala de estar.

— Podes, por favor, dizer-me se esta roupa me dá um ar sofisticado e cobiçado ou de matrona cansada?

— Se precisas de fazer essa pergunta, esquece essa roupa — intervém a Gerty.

Reviro os olhos.

— Não te perguntei a ti! Tu também nunca gostas da minha roupa!

— Isso não é verdade. Gosto de algumas peças. Só não nas combinações que tu adotas.

— Estás perfeita — diz o Leon a sorrir-me. Todo o seu rosto parece diferente, hoje, como se alguém tivesse carregado num interruptor de que eu nem soubesse, e agora tudo estivesse mais iluminado.

— Não, a Gerty tem razão — respondo, livrando-me do vestido e deitando a mão aos *skinny jeans* verdes, que são os meus preferidos, e a um camisolão de malha. — Estou a esforçar-me demasiado.

— Estás a esforçar-te na medida certa — afirma o Leon enquanto eu salto ao pé-coxinho, a puxar as calças para cima.

— Há alguma frase que eu possa dizer esta noite com a qual tu não vás concordar automaticamente?

Ele semicerra os olhos.

— Um dilema — responde. — A resposta é «não», mas dizer isso implicaria contradizer-me.

— Ele concorda com tudo o que eu digo e ainda é espertinho! — Subo pela cama para me pôr em cima dele e beijá-lo, deixando que o meu corpo se derreta contra o dele. Quando me afasto para vestir a camisola ele protesta, mantendo-me perto de si, e eu sorrio enquanto lhe enxoto as mãos. — Até tu tens de reconhecer que ficar assim não será adequado — comento.

A campainha do prédio toca três vezes e o Leon põe-se de pé num pulo tão rápido que quase acabo no chão.

— Desculpa! — atira-me olhando para trás, enquanto segue para a porta. Ouço o Mo ou a Gerty a levantarem o auscultador para carregarem no botão e deixarem o Richie entrar.

Sinto um aperto no estômago enquanto enfio o camisolão de malha e passo os dedos pelo cabelo. Espero para ouvir a voz do Richie à entrada, ficando para trás para que ele e o Leon possam ter o momento pelo qual têm esperado.

Em vez disso, ouço o Justin.

— Quero falar contigo — diz ele.

— Oh. Olá, Justin — diz o Leon.

Nesse momento, reparo que já estou a abraçar-me e a encolher o corpo contra o roupeiro para que ninguém que espreite para dentro do apartamento me veja à entrada do quarto, e, de repente, tenho vontade de gritar. Ele não pode vir aqui e fazer-me isto. Quero que *desapareça*, desapareça mesmo, não só da minha vida, mas também da minha cabeça. Para mim, esconder-me atrás de portas e sentir-me assustada acabou.

Bem, é claro que não acabou, porque não se ultrapassam merdas destas assim tão depressa, mas acabou temporariamente, e vou aproveitar esta vaga de confiança zangada e louca. Contorno a esquina.

O Justin está parado à entrada, largo, musculado e visivelmente zangado.

— Justin — digo, colocando-me ao lado do Leon, de forma a ficar a curta distância do Justin. Apoio uma mão na porta, preparada para a fechar com estrondo.

— Vim cá para falar com o Leon — responde-me concisamente. Nem sequer olha para mim.

Encolho-me, apesar da minha determinação, e sinto a confiança a esvair-se quase de imediato.

— Se estás a pensar pedir-me em casamento também, a resposta é «não» — diz-lhe o Leon num tom agradável.

As mãos do Justin cerram-se em punhos em reação à piada; ele inclina-se para a frente, de corpo em riste e olhos a faiscar. Estremeço.

— Cuidado com esse pé, Justin — diz-lhe a Gerty num tom severo, atrás de mim. — Se se aproxima mais de estar dentro deste apartamento, o teu advogado vai ter muito mais sobre o que falar comigo.

Observo a forma como a noção o atinge, vejo-o a reavaliar a situação.

— Não me lembro de os teus amigos interferirem tanto quando começámos a namorar, Tiffy. — Ele rosna as palavras e o coração lateja no meu peito. Acho que está bêbedo. Isso não é bom.

— Oh, mas vontade não nos faltava— diz o Mo.

Inspiro profunda e tremulamente.

— Teres-me deixado foi o melhor que alguma vez fizeste por mim, Justin — digo, esforçando-me ao máximo por me manter tão direita quanto ele está do outro lado da porta. — O que tínhamos acabou. Pronto. Deixa-me em paz.

— Nós não acabámos — responde ele com impaciência.

— Vou pedir uma ordem de restrição — obrigo-me a dizer antes que ele diga mais alguma coisa.

— Não vais nada — goza o Justin. — Vá lá, Tiffy. Deixa de ser tão infantil.

Fecho-lhe a porta na cara com tanta força que toda a gente salta de susto, incluindo eu.

— Foda-se! — grita o Justin do outro lado da porta, e depois ouve-se o som de um punho a embater na madeira e o puxador a abanar imenso.

Escapa-me um pequeno gemido, enquanto recuo. Nem acredito que acabei de bater com a porta na cara do Justin.

— Polícia — diz-nos o Leon, movendo apenas os lábios.

A Gerty pega no telemóvel e marca o número, estendendo a outra mão para me apertar os dedos com força. O Mo vem logo para o meu lado, ficando junto ao meu ombro enquanto vejo o Leon prender a nova corrente e apoiar o peso do corpo contra a porta.

— Isto é de loucos, foda-se — digo num tom sumido. — Não acredito que esteja a acontecer.

— Deixem-me *entrar!* — ruge o Justin do outro lado da porta.

— Polícia — diz a Gerty ao telefone.

O Justin bate com os dois punhos contra a porta e eu penso na forma como colou o dedo à campainha há semanas, como não desistiu até o Leon abrir a porta. Engulo em seco. Cada batida parece mais ruidosa do que a anterior, até que sinto que estão mesmo a bater-me nos ouvidos. Tenho os olhos molhados de lágrimas; a Gerty e o Mo estão praticamente a manter-me de pé. Lá se vai o ter terminado de sentir medo. Enquanto o Justin grita e barafusta do outro lado da porta, vejo o Leon, de rosto carregado e sério, a olhar em redor, em busca de outras formas de nos barricar cá dentro. À minha esquerda, a Gerty responde a perguntas ao telefone.

E depois, de súbito, toda a loucura e barulho param. O Leon lança-nos um olhar interrogativo e depois verifica o puxador — a porta continua trancada.

— Porque é que ele parou? — pergunto, apertando tanto a mão da Gerty que lhe vejo os dedos ficarem brancos.

— Ele parou de bater na porta — diz a Gerty para o telefone. Ouço uma voz sumida a responder. — Ela diz que ele é capaz de estar a arranjar uma forma de arrombar a porta. Que devíamos ir para outro quarto. Afasta-te da porta, Leon.

— Esperem — sussurra o Leon, à escuta do que se passa lá fora, no corredor.

O seu rosto rasga-se num sorriso triste. Faz-nos sinal para que nos aproximemos; hesitante, com os joelhos a tremer, deixo que o Mo me leve até à porta. A Gerty fica para trás, a falar em voz baixa ao telefone.

— Ias adorar a prisão, Justin — diz uma voz calorosa do outro lado da porta, com um sotaque inconfundível. — A sério. Há lá montes de tipos como tu.

— Richie — sussurro. — Mas... ele não pode...

Acabámos de *tirar* o Richie da prisão. Uma luta com o Justin não acabará bem para o Richie, mesmo que, a curto prazo, resultasse em conseguirmos expulsar o Justin do edifício.

— Bem-visto — comenta o Leon, de olhos arregalados.

Estende a mão para destrancar a porta, e reparo que também tem as mãos a tremer ligeiramente. A julgar pelo som das vozes, o Richie parece estar mais próximo da porta, e o Justin mais afastado, mais na direção das escadas, mas, mesmo assim... Esfrego os olhos com força. Não quero mesmo que o Justin saiba o que me provoca. Não quero dar-lhe esse poder.

O Justin desata a correr para nós assim que a porta se abre, mas o Richie empurra-o sem cerimónias, e o Justin cambaleia contra a parede, a praguejar, ao mesmo tempo que o Richie entra e o Leon se apressa a trancar a porta de novo. Tudo acaba numa questão de segundos; mal tenho tempo de assimilar a cara do Justin enquanto se lançava na minha direção, desesperado por passar pela porta. O que lhe terá *acontecido*? Ele nunca foi assim. Nunca foi violento. A sua raiva sempre foi altamente controlada; os seus castigos eram astuciosos e cruéis. Isto é trapalhão e desesperado.

— Que tipo à maneira, o teu ex — diz-me o Richie com uma piscadela de olho. — A raiva subiu-lhe mesmo à cabeça, hã? Amanhã vai arrepender-se de ter dado tanto murro na porta, isso posso garantir.

Larga um conjunto de chaves no aparador — deve ter sido assim que entrou no edifício sem tocar à campainha.

Pestanejo umas quantas vezes e olho para ele como deve ser. Não admira que o Justin se tenha calado quando ele apareceu. Ele é *enorme*. Tem um metro e noventa e cinco, pelo menos, e o tipo de corpo musculado que só acontece quando não se tem nada para fazer com o tempo para além de exercício. Tem o cabelo preto cortado curto, e fieiras de tatuagens pelos braços, e uma que lhe dá a volta ao pescoço, espreitando pelo colarinho da camisa — juntamente com um fio de cordel, que aposto que é a condizer com o do Leon. Tem os mesmos olhos atenciosos e castanho-escuros do Leon, embora com um ar um pouco mais malicioso.

— A polícia chega daqui a dez minutos — diz a Gerty com calma. — Olá, Richie. Como estás?

— Devastado por saber que tens namorado — diz o Richie, dando uma palmada no ombro do Mo. Era capaz de jurar que o Mo se afunda cerca de um centímetro no tapete. — Devo-te um convite para jantar fora!

— Oh, não deixes que eu te impeça! — apressa-se o Mo a dizer.

O Richie abraça o Leon com força, com tanta força que lhes oiço os corpos a colidir.

— Não se preocupem com aquele sacana lá fora — diz-nos aos dois quando se afasta.

Pela porta, ouço o Justin a atirar qualquer coisa; o que quer que seja, estilhaça-se contra a parede, e o meu corpo estremece. Toda eu tremo — estou a tremer desde que lhe ouvi a voz —, mas o Richie limita-se a lançar-me um sorriso amistoso e sem perguntas que é como um eco do sorriso enviesado do Leon: é um sorriso caloroso, do género que nos deixa logo mais à vontade. — É um prazer conhecer-te ao vivo, Tiffy — diz ele. — E obrigado por cuidares do meu irmão.

— Não sei bem se isto conta — lá consigo responder, a apontar para a porta que abana nos caixilhos.

O Richie acena com uma mão.

— A sério. Se ele entrar, terá de lidar comigo, com o Leon e com o... desculpa, meu, não fomos apresentados.

— Mo — diz o Mo, parecendo-se muito com o tipo de homem que se senta numa cadeira e fala para ganhar a vida, e de repente se viu num cenário onde isso pode deixá-lo em séria desvantagem.

— E comigo e com a Tiffy — diz a Gerty num tom severo. — Mas onde é que nós estamos, na Idade Média? Aposto que dou murros melhor do que o Leon.

— Deixem-me entrar, *foda-se*! — grita o Justin do outro lado da porta.

— E ainda por cima está bêbedo — diz o Richie animadamente, e depois pega no cadeirão e afasta-nos do caminho para poder deixá-lo em frente à porta. — Pronto. Já não é preciso ficarmos por aqui, pois não? Leon, a varanda continua no mesmo sítio?

— Hã, sim — começa o Leon, ainda um pouco em estado de choque. Ocupou o lugar do Mo ao meu lado e eu encosto-me à sua mão enquanto ele me acaricia as costas, deixando que essa sensação me devolva à normalidade. De cada vez que o Justin berra ou esmurra a porta eu estremeço, mas agora que o Richie está aqui a levantar móveis e que o Leon tem o braço à minha volta, os estremecimentos já não são acompanhados por medo e pânico que me cegam. O que é bom.

O Richie leva-nos a todos para a varanda e fecha a porta de vidro atrás de nós. Mal cabemos; a Gerty enrosca-se no Mo a um canto e eu encaixo-me à frente do Leon no outro, deixando ao Richie a maior parte do espaço, que é justamente o que ele precisa. Ele inspira e expira profundamente, a sorrir com a vista da varanda.

— Londres! — exclama ele, abrindo muito os braços. — Senti a falta disto. Olhem só!

Atrás de nós, no apartamento, a porta abana vezes sem conta. O Leon abraça-me com força, enterrando a cara no meu cabelo e fazendo respirações calmas e quentes junto ao meu pescoço.

— E até temos um belo posto para assistirmos quando a polícia chegar — diz o Richie, virando-se para me piscar o olho. — Não pensei que fosse voltar a ver agentes tão cedo, devo dizê-lo.

— Desculpem — digo, infelicíssima.

— Não peças desculpa — diz o Richie com firmeza, ao mesmo tempo que o Leon abana a cabeça no meu cabelo e o Mo diz:

— Não tens nada de que te desculpar, Tiffy.

Até a Gerty revira os olhos, de uma forma afetuosa.

Olho em redor para todos, aninhados aqui na varanda comigo. Isso ajuda — só um bocadinho, mas não acho que haja alguma coisa que pudesse ajudar mais do que um bocadinho neste momento. Fecho os olhos e encosto-me ao Leon, concentrando-me em respirar como a Lucie me ensinou, e tento imaginar que cada barulho da porta a bater é apenas isso — um barulho e nada mais. Há de parar. Respirando profundamente, com os braços do Leon ao meu redor, sinto uma nova sensação de certeza a instalar-se. Nem o Justin pode durar para sempre.

74

Leon

A polícia leva o Justin. Ele está basicamente a espumar da boca. Um olhar para ele e dá para ver o que aconteceu: um homem que sempre teve o controlo perdeu-o. Mas, como a Gerty comenta, ao menos isto deve tornar a ordem de restrição mais simples de conseguir.

Inspecionamos a porta. Ele fez mossas na madeira com os pontapés e arrancou lascas de tinta com os punhos. Também há sangue. A Tiffy vira a cara ao vê-lo. Pergunto-me como se sentirá, ao ver aquilo, depois de tudo por que tem passado. Sabendo que amou aquele homem e que ele a amou, à sua maneira.

Que sorte o Richie ter chegado. O homem irradia alegria esta noite. Enquanto se lança em mais uma história acerca do que o «Bozo» era capaz de fazer para ser o primeiro a usar a máquina de pesos, observo a cor a regressar às faces da Tiffy, os seus ombros a endireitarem-se, os seus lábios a abrirem-se num sorriso. Melhor assim. Começo a relaxar também, a cada sinal de melhoras dela. Não suportava vê-la daquela maneira, a sobressaltar-se, a chorar, com medo. Nem ver o Justin a ser levado por um agente da polícia bastou para me aliviar a fúria.

Mas agora, três horas depois do drama policial, estamos espalhados pela sala tal como eu tinha imaginado. Vendo de viés, nem se notaria que a noite pela qual ansiei no último ano e meio foi interrompida por momentos por um homem a tentar forçar a entrada no apartamento. Eu e a Tiffy sentámo-nos no pufe; a Gerty está imponente no sofá, encostada ao Mo, e o Richie é o centro das atenções no cadeirão, que não voltou bem ao seu lugar desde que foi usado para barricar a porta, e agora está apenas algures entre a cozinha e a sala.

Richie: Eu vi logo. Estou só a dizer.

Gerty: Mas quando? Porque eu também, mas não acredito que tenhas visto logo desde o...

Richie: Desde o momento em que o Leon me disse que ia ter uma miúda a dormir na cama dele quando ele não estava.

Gerty: Não é possível.

Richie, num tom expansivo: Vá lá! Não dá para partilhar uma cama e não partilhar mais nada, se é que me faço entender.

Gerty: Então e a Kay?

O Richie acena com uma mão, como se isso não tivesse importância.

Richie: Eh, a Kay.

Tiffy: Então, vá lá...

Richie: Oh, ela era querida, mas nunca foi a pessoa certa para o Leon.

Eu, para a Gerty e o Mo: O que é que vocês pensaram no início?

Tiffy: Oh, céus, não lhes perguntes isso.

Gerty, de imediato: Pensámos que era uma ideia terrível.

Mo: Tem em conta que poderias ser qualquer um.

Gerty: Poderias ser um tarado nojento, por exemplo.

O Richie desata à gargalhada e leva a mão a outra cerveja. Não bebe há 11 meses. Ainda pondero dizer-lhe que a sua tolerância não será como antes, depois contemplo como ele reagirá a essa sugestão (quase de certeza bebendo mais para provar que me engano) e decido não me dar ao trabalho.

Mo: Até tentámos dar dinheiro à Tiffy para ela não fazer isso...

Gerty: Coisa que ela recusou, obviamente...

Mo: E depois tornou-se claro que fazia parte do processo de se afastar do Justin e que tínhamos simplesmente de a deixar fazer as coisas à sua maneira.

Richie: E não adivinharam o que a aí vinha? Entre a Tiffy e o Leon?

Mo: Não. Para ser sincero, não julgava que a Tiffy já fosse estar preparada para estar com alguém como o Leon.

Eu: Como é que é isso?

Richie: Demoniacamente atraente?

Eu: Desengonçado? Orelhudo?

Tiffy, com secura: Ele quer dizer não-psicótico.

Mo: Bem, sim. É preciso muito tempo para escapar de relações como aquela e...

Gerty, bruscamente: Não falemos do Justin.

Mo: Desculpem. Estava só a tentar dizer que a Tiffy esteve muito bem. Que deve ter sido muito difícil para ela libertar-se antes que se transformasse num padrão recorrente.

Eu e o Richie entreolhamo-nos. Penso na mãe.

A Gerty revira os olhos.

Gerty: Sinceramente. Andar com um psicoterapeuta é do piorio, para que saibam. Este homem não tem a menor noção de ligeireza.

Tiffy: E tu tens?

A Gerty espeta um pé na Tiffy à laia de resposta.

Tiffy, agarrando nesse pé e puxando-o: Seja como for, *isso* é o que eu quero mesmo saber. Nunca me puseste devidamente a par de ti e do Mo! Como? Quando? Excluindo pormenores relacionados com pénis, obviamente, conforme anteriormente discutido.

Richie: Hã?

Eu: Alinha e pronto. É melhor se deixares passar as piadas privadas. A dada altura, tudo começará a fazer algum sentido.

Tiffy: Espera até conheceres a Rachel. A Rainha das piadinhas privadas inadequadas.

Richie: Parece o meu tipo de miúda.

A Tiffy faz um ar pensativo e eu arqueio as sobrancelhas para a dissuadir. É má ideia tentar fazer de casamenteira com o Richie. Por mais que adore o meu irmão, a verdade é que ele tem tendência para partir corações.

Eu: Vá lá, Mo, Gerty?

Mo, para a Gerty: Conta tu.

Tiffy: Não, não, a versão da Gerty vai soar como qualquer coisa que ela lesse em tribunal... Mo, dá-nos a versão romântica dos acontecimentos, por favor.

O Mo lança um olhar de soslaio à Gerty para ver quanto é que aquele comentário a irritou; por sorte, ela já vai no terceiro copo de vinho e deu-se por satisfeita com um olhar matador para a Tiffy.

Mo: Bem, começou quando passámos a viver juntos.

Gerty: Se bem que, ao que parece, o Mo já estivesse apaixonado por mim há séculos.

O Mo lança-lhe um olhar ligeiramente irritado.

Mo: E a Gerty gosta de mim há mais de um ano, disse ela.

Gerty: Isso era confidencial!

A Tiffy solta um barulho impaciente do fundo da garganta.

Tiffy: Então e estão todos apaixonados? Dormem na mesma cama e tudo?

Há uma espécie evasiva de silêncio; o Mo fita os pés, encalacrado. A Tiffy sorri à Gerty e eu estendo a mão para apertar a dela.

Richie: Bem. Parece que tenho de arranjar alguém para partilhar a casa, não?

Setembro

Dois anos depois

EPÍLOGO

TIFFY

Há uma nota colada à porta do apartamento quando chego a casa do trabalho. Isso não é propriamente invulgar, mas, por norma, eu e o Leon tentamos confinar as notas que deixamos um ao outro ao interior da casa. Só para não estarmos a anunciar aos vizinhos as nossas peculiaridades.

Aviso: gesto romântico iminente.
(Fica descansada que teve orçamento muito baixo.)

Resfolego de riso e giro a chave na fechadura. O apartamento está como de costume: atulhado, multicolorido e acolhedor. Só quando vou largar a mala no seu sítio junto à porta é que vejo a nota seguinte nessa parede.

Passo um: veste-te para uma aventura. Por favor, compõe conjunto a partir do roupeiro.

Fito a nota, intrigada. Isto é excêntrico, mesmo para os padrões do Leon. Dispo o casaco e tiro o cachecol, deixando-os no espaldar do sofá. (Agora é um sofá-cama, que mal cabe na nossa sala de estar apesar de termos sacrificado a televisão, mas nunca nos sentiríamos realmente em casa a menos que houvesse um lugar para o Richie.)

Na parte de dentro da porta do roupeiro, a nota está dobrada e colada com fita-cola. Por fora, diz:

Já estás a usar qualquer coisa tiffyano?

Bom, estou, mas é roupa de trabalho, pelo que há uma cedência maior à normalidade do que é habitual (isto é, tentei assegurar-me de que pelo menos duas peças não eram opostos diretos numa roda das cores). Percorro as minhas roupas em busca de algo adequadamente «aventureiro», o que quer que isso signifique.

Detenho-me no vestido azul e branco que comprei há uns dois anos. O que o Leon chama de meu vestido de *Os Cinco*. É pouco prático para um dia frio, mas talvez com os meus collants cinzentos e grossos e a minha gabardina amarela da *Help the Aged*...

Depois de estar vestida, descolo a nota da porta do roupeiro e leio a mensagem que tem por dentro.

Olá outra vez. Aposto que estás linda.

Vais ter de recolher mais umas quantas coisas antes de partires à aventura, se não te importas. A primeira está no sítio onde nos encontrámos pela primeira vez. (Não te preocupes. É à prova de água.)

Sorrio e encaminho-me para a casa de banho, já a mexer-me mais depressa. Qual será a ideia do Leon? Onde será que devo ir? Com que vesti o meu vestido de aventuras, a quebra do final de dia de trabalho já me passou — provavelmente o Leon sabia que me sentiria melhor com algo colorido vestido —, e uma sensação de alegria fervilha-me na barriga.

Há um envelope pendurado no duche, cuidadosa e muito meticulosamente envolvido em celofane. Por fora tem uma nota *Post-it*.

Não me leias ainda, por favor.

A próxima coisa de que precisas está no sítio onde nos beijámos pela primeira vez. (Bem, não é exatamente no mesmo sítio, dado que mudámos de sofá. Mas por favor não faças caso disso, em nome do gesto romântico.)

É outro envelope, entalado entre as almofadas do sofá. Este diz *abre-me*, pelo que é isso que faço. Lá dentro está um bilhete de comboio de

Londres para Brighton. Franzo o sobrolho, completamente desconcertada. Porquê Brighton? Não voltámos lá desde antes de termos começado a namorar, quando andávamos à procura do Johnny White.

A nota por trás do bilhete diz:

A última coisa de que precisas está com o Bobby, que ficou a guardá-la. Ele está à tua espera.

O Bobby é o homem a quem em tempos chamávamos homem estranho do Apartamento 5. Agora é um bom amigo, que por sorte se apercebeu de que não dá para fazer sidra a partir de bananas e passou para a sidra mais convencional, de maçã. É muito saborosa e, invariavelmente, provoca-me uma ressaca extremamente má.

Subo os degraus dois a dois e bato-lhe à porta, apoiando-me ora num pé, ora no outro, impaciente.

Ele abre a porta a usar as suas calças de fato de treino preferidas (cosi-lhe o buraco no ano passado. Estava a ficar indecente. Mas fiz-lhe um remendo com uns centímetros de tecido aos quadradinhos cor-de-rosa que tinha em casa, pelo que ele definitivamente não ficou com um ar *menos* estranho).

— Tiffany! — exclama ele, e depois mexe-se logo, deixando-me no patamar. Estico o pescoço. Ele acaba por reemergir com uma pequena caixa de cartão que tem uma nota *Post-it* colada. — Toma! — diz-me, a sorrir de orelha a orelha. — Vai-te lá embora!

— Obrigada? — digo eu, a examinar a caixa.

Quando chegares a Brighton, vai até à praia junto ao pontão. Vais reconhecer o sítio quando o vires.

É a viagem de comboio mais exasperante que alguma vez fiz. Estou em pulgas. Mal consigo ficar sentada e quieta. Quando chego a Brighton já escureceu, mas é fácil encontrar o caminho até à marginal; caminho tão depressa rumo ao pontão, que quase vou a correr, coisa que só faço em circunstâncias extremas, pelo que devo estar mesmo entusiasmada.

Percebo o que o Leon queria dizer assim que lá chego. O sítio não poderia escapar-me.

Está um cadeirão nos seixos, a uns 30 metros do mar. Está coberto de mantas multicoloridas e, à volta dele, entre as pedras, há dúzias de pequenas velas.

Tapo a boca com a mão. Tenho o coração a bater ao triplo da velocidade habitual. Enquanto avanço, a tropeçar nos seixos, procuro o Leon, mas não há sinal dele — a praia está deserta.

A nota no cadeirão está presa por uma concha grande.

Senta-te, embrulha-te para ficares quentinha, e abre o envelope quando estiveres pronta. Depois a caixa.

Arranco o celofane e rasgo o envelope assim que me sento. Para minha surpresa, a caligrafia é a da Gerty.

Querida Tiffy,

O Leon recrutou a minha ajuda e a do Mo para este esquema louco porque diz que dás valor às nossas opiniões. Desconfio de que, na verdade, é porque tem medo e não quer fazer isto por sua conta. Mas não vou levar-lhe isso a mal. Um pouco de humildade só fica bem a um homem.

Tiffany, nunca te vimos tão feliz como és agora. Isso veio de ti — construíste essa felicidade por ti mesma. Mas não há vergonha em dizer que o Leon ajudou.

Nós adoramo-lo, Tiffy. Ele é bom para ti, de uma forma que só um homem muito bom poderia ser.

A decisão é tua, claro, mas ele queria que soubesses: tem a nossa bênção.

Beijinhos,

Gerty e Mo

P.S.: Pediu-me que te dissesse que não pediu permissão ao teu pai, por isso ser «um bocado arcaico e patriarcal», mas que se sente «bastante confiante quanto à aprovação do Brian».

Solto um riso trémulo e limpo as lágrimas das bochechas. O meu pai *adora* o Leon. Chama-lhe «filho» em situações sociais embaraçosas há pelo menos um ano.

Tremem-me as mãos enquanto pego na caixa de cartão. A fita-cola demora um tempão agoniante a soltar-se, mas, quando consigo abrir a tampa, desato realmente a chorar.

Está um anel lá dentro, aninhado num maço de papel de seda com todas as cores do arco-íris. É lindo: antigo, um bocadinho torto, com uma pedra de âmbar oval no centro.

E há uma última nota.

Tiffany Rose Moore do Apartamento 3, Madeira House, Stockwell,
Gostarias de ser minha mulher?
Demora o tempo que precisares a pensar. Se quiseres ver-me, estou no Bunny Hop Inn, quarto 6.
Amo-te, bjs

Quando consigo, quando os meus ombros pararam de tremer por chorar de felicidade e enxugei os olhos e assoei o nariz, volto para trás pela praia, rumo à luz calorosa do Bunny Hop Inn.

Ele está à minha espera, na cama do quarto 6, sentado de pernas cruzadas, a remexer-se. Está nervoso.

Atiro-me a ele num salto. Ele solta uma espécie de *uff* quando o faço rolar de costas para a cama.

— Sim? — pergunta-me passado algum tempo, afastando-me o cabelo da cara para conseguir ver-me.

— Leon Twomey... — digo-lhe. — Só tu serias capaz de arranjar um método para me pedires em casamento de forma a não teres mesmo de estar presente. — Beijo-o com força. — Sim. Absoluta e definitivamente sim.

— Tens a certeza? — pergunta-me, afastando-se para olhar como deve ser para mim.

— Tenho.

— Mesmo?

— Mesmo mesmo.

— Não é demasiado?

— Caramba, Leon! — exclamo, exasperada.

Olho em volta e pego no papel de carta do hotel, na mesa de cabeceira.

SIM. Adoraria casar contigo.

Agora que está escrito, é inequívoco e provavelmente tem valor legal em tribunal, se bem que o melhor é confirmares com a Gerty porque acabei mesmo de inventar isto.

Bjs

Aceno-lhe com a nota debaixo do nariz para ele ficar com a ideia geral e depois enfio-lha no bolso da camisa. Ele puxa-me para si e encosta os lábios ao alto da minha cabeça. Sinto que está a fazer um daqueles sorrisos enviesados e tudo me parece demasiado bom, como se não pudéssemos merecer isto, como se estivéssemos a arrebanhar demasiada felicidade e não deixássemos o suficiente para as outras pessoas.

— É agora que ligamos a televisão e começou uma guerra nuclear? — pergunto-lhe, virando-me para me deitar ao lado dele.

Ele sorri.

— Acho que não. Não funciona assim. Às vezes as coisas felizes acontecem e pronto.

— Olha só para ti, cheio de otimismo! Isso costumo ser eu, não tu.

— Não sei bem o que é que o provocou. Um noivado recente? Um futuro risonho? O amor da minha vida nos meus braços? É difícil perceber.

Rio-me, aninhada no seu peito, a inspirá-lo.

— Cheiras a casa — digo-lhe, passado um momento.

— Tu *és* casa — diz ele simplesmente. — A cama, o apartamento...

Ele faz uma pausa, como sempre que procura palavras suficientes para dizer algo importante.

— Nunca foram um lar até tu estares lá, Tiffy.

AGRADECIMENTOS

O meu primeiro agradecimento é à incrível Tanera Simons, que deu uma oportunidade à Tiffy e ao Leon antes de qualquer outra pessoa, desencadeando depois a altura mais louca e maravilhosa da minha vida. Em seguida, agradeço a Mary Darby, Emma Winter, Kristina Egan e Sheila David por tudo o que têm feito para levar este livro ao mundo. Sou tão afortunada por ter encontrado uma casa na Darley Anderson Agency.

Se calhar não vai acreditar, depois de ler sobre o Martin e a Hana, mas, na realidade, o mundo editorial está cheio de gente verdadeiramente maravilhosa — e o grupo que trouxe este livro ao mundo é particularmente incrível. À Emily Yau e Christine Kopprasch, as minhas editoras espetaculares na Quercus e na Flatiron: obrigada por o tornarem infinitamente melhor com as vossas revisões, e pelas inúmeras outras coisas que fizeram para o transformar no melhor que pode ser. Agradeço a Jon Butler, Cassie Browne, Bethan Ferguson, Hannah Robinson, Hannah Winter, Charlotte Webb, Rita Winter, e todas as outras pessoas encantadoras da Quercus, que tanto fizeram para que este livro se tornasse realidade. E agradeço aos meus maravilhosos editores internacionais por acreditarem na Tiffy e no Leon desde tão cedo, e por tornarem esta experiência ainda mais semelhante a um sonho.

A minha ronda seguinte de agradecimentos é para: Libby, por ser a minha musa; Nups, por ser o meu rochedo, por combater cogumelos de casa de banho comigo, e por me dizer (com muita ênfase) que este livro era O Tal; e Pooja, por ser um amigo tão maravilhoso e generoso e dar tanto do seu tempo e dos seus conhecimentos. Agradeço a Gabby, Helen, Gary, Holly e Rhys, pelas leituras dos primeiros rascunhos, pelas ideias fantásticas e pelas noites agitadas no Adventure Bar; e a Rebecca Lewis-Oakes por me dar um bom raspanete quando eu estava demasiado assustada para enviar propostas de publicação. Desculpa por ter mantido o nome Justin, Rebecca!

À minha família maravilhosa, e também à fabulosa família Hodgson: obrigada por me apoiarem sempre e por se entusiasmarem tanto com todas as coisas deste livro. Mãe e pai, obrigada pelo vosso apoio incessante e por me encherem a vida de amor e livros. E Tom, obrigada pela tua ajuda em relação aos pormenores. Adoro-te e penso em ti todos os dias.

Ao Sam. Esta é a parte mais difícil, porque me sinto tal e qual como o Leon — não consigo encontrar palavras para algo tão grande. Obrigada pela tua paciência, pela tua bondade, pelo teu entusiasmo de cachorrinho por tudo o que a vida nos dá, e obrigada por leres e te rires quando mais importava. Este livro é-te dedicado, mas na verdade não é só para ti, também é por tua causa.

Por fim, um enorme agradecimento a si, cada leitor que pegou neste livro, e a cada livreiro que contribuiu para que este momento acontecesse. Sinto-me tremendamente grata e honrada por isso.